AR LAN Y MÔR Y MAE ...

Ar Lan y Môr y mae ...

John Gwynne

Argraffiad cyntaf: 2010

Rhif rhyngwladol: 978-1-84527-291-3

Mae'r cyhoeddwr yn cydnabod cefnogaeth ariannol
Cyngor Llyfrau Cymru

Cynllun clawr: Sion Ilar

Cyhoeddwyd gan Wasg Carreg Gwalch,
12 Iard yr Orsaf, Llanrwst, Conwy, LL26 0EH.
Ffôn: 01492 642031 Ffacs: 01492 641502
e-bost: llyfrau@carreg-gwalch.com
lle ar y we: www.carreg-gwalch.com

I

Marjorie

Diolch o galon i'm teulu, sef Marjorie,
Andrea a Daniel
am gadw'r freuddwyd yn fyw

Diolch i'r athro Donald Evans am ei gymorth a'i amynedd

Diolch hefyd i Phil ac Elfyn am gadw'r ffydd
yn ystod y nosweithiau difyr yn y Belmont, Wrecsam

1

CREIGIAU

PENNOD 1

Mis Mawrth 1961

Rhuthrodd y car du pwerus ar hyd strydoedd llydan Llundain. Roedd y ffordd yn wlyb a'r noson yn oer; pobman yn dywyll heb yr un enaid ar gyfyl y lle. Eisteddai'r gyrrwr yn llonydd a digyffro, ei ddwylo cryf yn gafael yn gadarn yn y llyw a'i lygaid duon yn ddifywyd a blinedig. Er hynny, gwelai bopeth oedd yn digwydd – pe byddai rhywbeth yn digwydd, hynny yw – ac fe sylwai ar bob symudiad. Dyna'i natur; dyna'i reddf. Gwyddai'n union i ble'r oedd yn mynd ac roedd ar frys i gyrraedd ei nod.

Er bod gweithwyr y brifddinas wedi hen ddiflannu i'w cartrefi roedd gyrrwr y car yn dal wrth ei waith, yn gaeth i'w ddyletswyddau a'i feddyliau. Adnabyddai ffyrdd Llundain yn well na llwybrau bro ei febyd erbyn hyn – wedi'r cyfan, roedd wedi rhuthro a rhegi ar eu hyd ers blynyddoedd bellach a'r ddinas fawr ddrwg hon oedd ei gynefin.
Sbardunodd y car yn gynt, heb bryder o fath yn y byd y câi ei ddal. Er mai car cyffredin yr olwg oedd hwn, rhif a berthynai i Sgotland Iard oedd ar y plât cofrestru, rhif un o aelodau'r Flying Squad enwog. Ni fyddai neb yn mentro camu ar lwybr y dyn yma. Roedd mantell awdurdod yn dynn dros ei ysgwyddau.

Dwyrain Llundain – canol isfyd y ddinas. Pencadlys y

frawdoliaeth a dyfai fel canser cyn gwasgaru'i gweithgareddau milain ledled ynysoedd Prydain. Creulondeb oedd hawlfraint y frawdoliaeth hon; roedd ei holl weithgareddau'n anghyfreithlon; cyfoeth oedd ei delfryd.

Cyffyrddodd y gyrrwr y graith ar ei foch dde – y graith a fyddai yno am byth i'w atgoffa o noson debyg iawn i hon. Hunllef o noson tua chwe mis yn ôl pan ddaeth wyneb yn wyneb â Ricky Capelo, brenin answyddogol yr isfyd, a thri o'i ddynion. Roedd e ar ei ben ei hun. Roedd e wastad ar ben ei hun. Dyna'i ffordd; dyna'i ddymuniad; dyna'i gymeriad.

Y noson honno aethai'n syth at ei brae heb gysylltu â'r un o'i gydweithwyr cyn mynd i ddweud ei fwriad. Roedd yr hen warws – y man cyfarfod – fel y fagddu a gwyddai'n syth ei fod wedi'i dwyllo ond roedd hi'n rhy hwyr. Teimlodd rywun yn symud y tu ôl iddo, daliwyd ei freichiau'n dynn gan ddwylo cryf a thaflwyd sach dros ei ben cyn ei wthio'n ddidrugaredd i mewn i'r adeilad.

Cafodd ei hyrddio'n bendramwnwgl i'r llawr cyn i'r sach gael ei dynnu. Safai pedwar dyn yn gylch bygythiol o'i amgylch, pob un â mwgwd dros ei wyneb. Ond adnabu lais creulon, croch Ricky Capelo yn syth, gydag acen drwm dwyrain Llundain yn ei groesawu'n giaidd. Aeth creulondeb ei eiriau drwyddo fel saeth.

Cofiai'r chwerthin iasoer a'r cicio ddiddiwedd. Roedd wedi ceisio troi ei gorff i amddiffyn ei hun ond roedd y dynion yma'n feistri ar eu crefft.

Ar amrantiad, stopiodd y cicio bron mor sydyn ag y dechreuodd ond gwyddai ei fod wedi'i anafu'n ddrwg. Clywodd y llais main yn rhoi'r gorchymyn i'w godi ar ei draed ond roedd ei goesau'n rhy wan i'w ddal. Daliwyd ef gan ddau o'r dynion i wynebu ei orchfygwr buddugol. Roedd ei lygaid bron ar gau ond gallai weld fod gan Capelo wn yn ei law. Gwyddai na fedrai osgoi yr hyn oedd o'i flaen. Gwyddai fod ei fywyd ar ben, fod y frwydr hir wedi ei cholli. Ond roedd e'n benderfynol o'i herio hyd at y diwedd. Doedd erfyn am drugaredd ddim yn rhan o'i gyfansoddiad e. Teimlodd hiraeth rhyfedd yn gwibio drwy ei feddwl. Hiraeth am ei ieuenctid, hiraeth am y bywyd a gollodd flynyddoedd yn ôl, hiraeth am yr un a fu mor agos iddo – unwaith.

Yn wyrthiol clywodd amheuaeth yn llais un o'r dynion wrth iddo atgoffa ei feistr yn nerfus pwy oedd y llynghyryn ar y llawr o'u blaenau a'i fod yn hanner marw fel ag yr oedd hi. Petai rhywbeth yn digwydd i hwn byddai holl heddlu'r deyrnas ar eu holau ac ni fyddai unrhyw noddfa'n ddiogel.

Arhosodd Capelo i bwyso a mesur y rybudd. Gwyddai fod 'na sawl un yn yr isfyd a fyddai'n fwy na pharod i'w fradychu. Roedd 'na sawl un yn genfigennus o'i sefyllfa frenhinol; sawl un ar dân yn disgwyl iddo wneud camgymeriad er mwyn camu ar yr orsedd pan fyddai e'n cwympo. Roedd yn bendant y byddai cyfle arall yn dod i gael gwared â'r cachwr a safai o'i flaen. Yn anfodlon, cytunodd Capelo. Rhoddodd y gwn yn ôl yn ei boced, tynnodd botel wag o rywle a'i thorri yn erbyn y bwrdd.

Cofiodd y don o gryndod a deimlodd wrth i'r meistr nesáu â gwên lydan, wyllt ar ei wyneb a gwddf drylliedig y botel yn ei law. Teimlodd oerni'r gwydr ar ei foch a chlywodd Capelo yn chwerthin. Yna'r boen arswydus wrth i'r llafn hollti ei foch yn agos i'w lygad dde. Llusgwyd y gwydr yn araf dros ei gnawd. Teimlai'r gwaed yn llifo'n boeth a'r boen yn arteithiol. O'r pellter dudew clywai sgrechian arswydus. Gwyddai mai ei lais ef ei hun oedd yn atseinio drwy'r tywyllwch. Yna, tawelodd y sŵn a diflannodd y boen. Diflannodd y chwerthin, diflannodd y golau a llyncwyd popeth gan y tywyllwch.

Daethpwyd o hyd i'w gorff yfflon, gwaedlyd ar dir anial nid nepell o'r hen warws. Roedd e'n fyw o hyd ond treuliodd wythnosau yn yr ysbyty. Lliniarwyd ei anafiadau corfforol, ond beth am yr anafiadau meddyliol? Fyddai'r rheiny'n cael eu lleddfu byth?

A heno, dyma fe, yn barod i wynebu'r un peryglon unwaith eto. Derbyniodd alwad ffôn gan wraig ifanc yn ei hysbysu e (a dim ond fe, pwysleisiodd) fod rhywbeth amheus ar droed. Fedrai e ddim peidio ag ymateb yn syth – dyna pam roedd e ar cymaint o frys. Gwyddai'r cyfeiriad yn iawn ac roedd dyletswydd a dialedd yn un gymysgfa gymhleth yn ei ben.

Roedd ei wyneb yn lluddedig, y llygaid a fu unwaith yn ddisglair yn bŵl a blin, heb arlliw o'r wên ddidwyll fu'n eu gogleisio ers talwm. Doedd e ddim wedi camu ar drothwy canol oed eto ond roedd y blynyddoedd o gwsg anghyson, y bywyd afreal a âi law yn llaw â'i yrfa, y cam-drin corfforol a meddyliol, heb sôn am fod wedi esgeuluso'i iechyd cyhyd, hyn oll wedi dweud yn aruthrol arno. Ond dyna bris llwyddiant, ac oedd, roedd e'n llwyddiannus iawn yn ei waith, doedd dim dwywaith am hynny.

Gwyrodd i'r chwith ar y cylchdro a dechrau paratoi ei hun ar gyfer yr ornest oedd o'i flaen. Roedd ganddo wn y tro yma – yn hollol anghyfreithlon – ond dysgodd ei wers y tro diwethaf. Roedd e hefyd wedi dweud wrth J-J, ei gydweithiwr, i ble'n union roedd e'n mynd a pham, ac wedi rhestru'i orchmynion.

Parciodd y car yn ofalus a gwyliadwrus. Doedd yr un enaid i'w gweld yn unman ac roedd y gweithdy'n dywyll, y tu mewn a'r tu allan. Daeth allan o'r car gan astudio'r cysgodion o'i amgylch yn fanwl. Gwelodd ddrws bychan, hawdd ei agor. Drylliodd y clo a chamu i mewn i'r tawelwch dudew.

Yr arogl a'i trawodd gyntaf. Ceisiodd gofio pa fath o waith oedd yn cael ei wneud yn yr adeilad. Daeth ei lygaid yn gyfarwydd â'r tywyllwch a gwelodd amlinelliad grisiau o'i flaen. Doedd dim dwylo cryfion wedi cydio'n ei freichiau y tro yma ond doedd hynny fawr o gysur.

Dringodd y grisiau pren yn bwyllog. Er bod pobman yn dawel roedd ei reddfau'n sibrwd bod rhywun yno'n ei wylio. Safodd ar ben y grisiau ac edrych o'i amgylch. Gwelodd swyddfeydd ar y llaw chwith ond roedd y tywyllwch yn ei atal rhag gweld ymhellach. Roedd yr arogl sur yn gryfach erbyn hyn a'i lygaid yn dechrau dyfrio. Doedd yr un adyn i'w weld ond gwyddai fod rhywun yn aros amdano'n rhywle yn y cysgodion.

Cerddodd yn ei flaen yn araf, gam wrth gam. Dim ond cachgi fyddai'n troi'n ei ôl, meddyliodd.

Welodd e rywbeth yn symud? Ei ddychymyg yn ei dwyllo? Efallai. Daeth at risiau eraill ac edrych i fyny ond ni allai weld dim, dim ond teimlo'r arogl annymunol yn crafu'i ffroenau. Camodd i fyny'n ofalus wrth i'r grisiau wichian dan draed. Roedd mwy o olau ar y llawr yma wrth i'r lleuad lawn ddisgleirio drwy'r ffenestri bychain yn y nenfwd. Teimlodd lygaid yn ei ddilyn gam wrth gam. Ddylai e ddweud rhywbeth, neu weiddi efallai? Na – gadael iddyn nhw ddod o'u cuddfan gyntaf oedd piau hi.

Yn sydyn daeth fflach o oleuni llachar, cwbl annisgwyl,

a'i ddallu am eiliad. Agorodd ei lygaid yn araf a gwelodd bâr o esgidiau duon, lledr, drud yn camu tuag ato.

'Wel, wel! O'r diwedd. Mi gymeraist ti dy amser. Ro'n i'n dechrau amau na fyddet ti byth yn cyrraedd.' Roedd acen dwyrain Llundain yn drwm ar yr aer rhwng y ddau ddyn. Yr un hyder yn y geiriau ond nid llais Ricky Capelo mo hwn. Pwy gebyst oedd o 'te? Roedd y llais yn gyfarwydd ond yn feinach nag un Ricky. Swniai'n iau, yn llai hyderus rhywfodd – wrth gwrs, y brawd bach – Alfred Capelo.

'Helo, Freddie,' atebodd yn undonog ac yn awdurdodol.

'Alfredo,' cywirodd hwnnw.

Gwyddai fod hanes hwn lawn mor greulon ag un ei frawd. Edrychodd yn syth ar yr wyneb o'i flaen gan weld y tebygrwydd rhwng y ddau frawd ond roedd effaith y ddiod gadarn a blynyddoedd o gam-drin cyffuriau yn amlwg yn llygaid y brawd bach. Gwelodd yr olwg wyllt ar ei wyneb. Gwelodd y gwn yn ei law. Pwy arall oedd yn llechu yn y cysgodion, tybed? Cafodd ei ateb yn syth, fel petai'r dihiryn wedi darllen ei feddwl.

'Felly dim ond ti a fi, ar ein pen ein hunain bach o'r diwedd. Na, does dim angen help arna i i gael gwared â lwmp o gachu fel ti.' Roedd y llais yn fain ac yn fygythiol. 'Mi gredaist ti'r cyfan, fel arfer. Gwraig ifanc ddiniwed mewn helbul – doeddet ti ddim yn gallu gwrthod. Gweld dy gyfle? Rydych chi i gyd yr un fath, y moch budron ...' Dechreuodd Alfred besychu.

Anwybyddodd y bygythiad a manteisio ar besychu afreolus Alfred er mwyn cripian yn ei flaen yn araf. Rhoddodd ei law ym mhoced ei gôt a chydio yn y metel oer. Câi gysur wrth afael yn y gwn.

'Os oeddet ti'n meddwl fod fy mrawd yn gythraul mewn

croen, wel mi gei di weld beth ydi ...' Ond yn sydyn, gwelwodd ei wyneb a dechreuodd y dafnau chwys lifo i lawr ei ruddiau. Teimlodd Alfred ryw ias ryfedd yn treiddio drwy'i gorff a cheisiodd ailafael yn ei fygythiadau. '... Rwyt ti'n mynd i farw, boi, a'r peth diwetha fyddi di'n gofio'i weld cyn camu i mewn i uffern fydd yr wên ar fy wyneb i!'

Gwelodd wên Alfred o'i flaen – yr un wên greulon â'i frawd. Sylwodd ar y rhaff oedd ynghlwm wrth y canllaw yn ei ymyl. Gwyddai'n rhy dda beth oedd bwriad y gwallgofgi yma. Edrychodd yn syth i lygaid y brawd bach.

Pam? tybiodd Alfred. Pam nad oedd y dyn yma yn ymateb? Pam nad oedd e'n dangos unrhyw fath o ofn? Roedd y llygaid duon oer yn syllu arno'n gwbl ddideimlad. Pam nad oedd e'n dweud rhywbeth, yn ymbil am faddeuant, yn erfyn am drugaredd? Nid fel hyn yr oedd e wedi cynllunio'r diwedd.

Symudiad sydyn! Gwn yn ei wyneb! O ble gebyst y daeth hwnna? Doedd hyn ddim yn rhan o ddrama Alfred. Teimlodd hyrddiad rhyfedd arall drwy'i gorff; roedd e'n chwysu ond eto teimlai'n oer. Dechreuodd grynu. Beth oedd yn digwydd? Pam nad oedd e'n medru gweld y dyn yn iawn?

Teimlai ddwylo dur yn gwasgu'i ben. Gwelodd fflach o oleuni y tu mewn i'w lygaid. Saethodd poen dirdynnol drwy'i fraich cyn lledu i lawr ochr chwith ei gorff. Yna trywaniad arall, lawer gwaeth, ar draws ei fynwes. Ac fel pe na bai hynny'n ddigon, pendro a chyfog. Clywodd sŵn ei wn yn cwympo i'r llawr ond methai'n lân â phlygu i'w godi. Roedd rhywbeth yn bod ar ei lygaid a'r cryndod yn gwaethygu. Methai anadlu'n iawn. Syrthiodd yn erbyn y canllaw nes i'w bwysau ei hollti. Roedd e'n hongian mewn gwagle cyn llwyddo, rhywsut, i gythru am y rhaff gyda'i law dde. Edrychodd o'i amgylch a'i lygaid yn llawn ofn. Galwodd am gymorth wrth i'w law chwyslyd lithro i lawr y rhaff.

Gwelodd y dyn yn cerdded yn araf tuag ato. Roedd e'n colli'i afael. Gwelodd yr heddwas yn rhoi ei wn yn ôl yn ei boced heb ei danio. Sgrechiodd arno i'w helpu. Uwch ei ben gwelai wyneb ei elyn yn syllu arno, yn oeraidd a digyffro, heb ronyn o drugaredd na theimlad yn agos at y llygaid annynol.

Argyfwng. Ofn. Teimlodd ei bledren yn gwagio. Dechreuodd weiddi'n wallgof. Dechreuodd grio fel babi. Ceisiodd godi'i goesau ond nid oedd ei gorff yn ymateb i'w feddwl. Llithrodd ei law ymhellach ar hyd y rhaff. Roedd e'n syrthio – yn syrthio i lawr i'r pwll asid oddi tano. Nid fe oedd i fod i wynebu'r argyfwng olaf uwchben y pwll erchyll yma!

Teimlodd yr asid yn toddi'i groen, yn brathu'i gnawd ac yn llenwi'i geg. Suddodd yn araf i ddyfnderoedd yr hylif marwol. Yna daeth y boen i ben.

Gwyliodd yr heddwas y corff yn suddo i'r tywyllwch yn hollol ddigyffro. Plygodd i godi'r ail wn a'i roi yn ei boced. Doedd yr un fwled wedi'i thanio heno. Roedd y cyfan wedi digwydd mor gyflym, mor dawel rhywsut.

Yr eiliad nesaf, clywodd lais cyfarwydd yn gweiddi, 'Polis! Arhoswch yn eich unfan!'

Cerddodd yn flinedig i lawr y grisiau pren. Sylwodd J-J ar yr olwg ryfedd ar wyneb gwelw ei feistr a'i hen gyfaill wrth i'w lygaid tywyll, oeraidd syllu arno.

'Chi'n iawn, gyf?' gofynnodd yn ei acen Gocnïaidd gyfeillgar. Dim ond amnaid araf a gafodd yn ateb. 'Capelo?' Roedd J-J'n chwilio am gadarnhad.

'Freddie, nid Ricky,' atebodd ei feistr yn dawel. 'Mae e

wedi cwmpo i mewn i dwba o asid,' a'r llais yn ddiflas, yn ddigyffro.

'Wel, 'na beth yw trueni,' meddai J-J yn ffug-dosturiol.

'Ac mae e'n dal yno.'

'Dyna'r lle gorau iddo fe, os y'ch chi'n gofyn i fi.'

'Wy'n mynd adre, J-J. Wnei di gymoni fan hyn? Fe wela i di yn y bore.'

Ymlusgodd tuag at ei gar, yn flinedig ac yn oer. Doedd dim pleser i'w gael o'r fuddugoliaeth fechan, dim ond brwydr arall wedi'i hennill, diolch i'r cyffuriau yng ngwythiennau Alfred â'i galon wan. Pennod arall wedi dod i ben; gwaith wedi'i gyflawni; diwrnod arall o'i fywyd unig wedi dod i ben. Ond shwt yn y byd y medrodd e sefyll yno heb wneud dim i achub cyd-ddyn?

Gyrrodd y Ditectif Chief Superintendent Alun Morgan i ffwrdd i'w fflat yng nghanol y ddinas a'i ddyletswyddau wedi'u cwblhau – am heno.

Eisteddodd yn y gadair esmwyth yn ei lolfa foethus. Gafaelodd yn y botel wisgi – ei unig gysur y dyddiau yma. Drachtiodd lwnc helaeth a chaeodd ei lygaid.

Beth sydd wedi digwydd iti, Alun, i dy wneud di'n un mor ddideimlad? Ble'r aeth dy gydwybod? Beth ddigwyddodd i'r crwt bach diniwed, bodlon ei fyd?

Yfodd y rhan fwyaf o'r wisgi cyn ymlwybro'n lluddedig i'w wely unig, oer.

* * *

'Beth ddiawl oedd ar dy ben di neithiwr?' gwaeddodd y Comander wrth ruthro i mewn i'r swyddfa.

Safai Morgan wrth y ffenestr fawr yn edrych i lawr ar

fwrlwm boreol Llundain. Roedd yn disgwyl yr ymweliad ers iddo gyrraedd i'w waith y bore hwnnw.

'Bore da, Comander. Shwt y'ch chi bore 'ma?' atebodd. Gwyddai'n iawn beth fyddai ymateb ei feistr pan glywai'r newyddion am ddigwyddiadau erchyll y noson cynt.

'Diawl erioed, Morgan. Faint o blydi synnwyr s'gen ti, dwed?' Trawodd ei law yn galed ar y ddesg. Trodd Morgan ei ben yn araf.

'Beth ddylwn i fod wedi'i wneud? Gadael i ddiawled fel Capelo fy lladd i?' Roedd ymateb ei feistr yn codi'i wrychyn.

'Ond pam uffern est ti yno yn y lle cynta? Pam na fyddet ti wedi anfon rhywun arall? "Effeithiau cyffuriau a diod yn achosi trawiad ar y galon a gwneud iddo gwmpo i mewn i dwba o asid!" Wyt ti wir yn disgwyl i'r brawd mawr gredu 'na!?'

Parhaodd y dadlau tanllyd ond gwyddai'r ddau uwch-swyddog yn y bôn mai byrhoedlog fyddai'r elyniaeth rhyngddynt. Roeddynt yn adnabod ei gilydd yn dda, wedi cydweithio am dros ugain mlynedd. Erbyn hyn roedd un yn feistr ar y Flying Squad a'r llall yn ddirprwy iddo, ond wedi'i baratoi i gamu i esgidiau ei gyfaill pan fyddai hwnnw'n ymddeol.

Wrth weld y gwrid yn cynyddu ar wyneb ei ffrind, oedodd Morgan a dweud yn bwyllog, 'Fe wnes i'n union beth fyddet ti wedi'i wneud yn yr un sefyllfa,' a gwenodd.

Daeth y ddadl i ben. Syllodd y Comander yn graff ar ei ddirprwy. Tynnodd ei fysedd drwy ei wallt tenau. 'Ond diawl erioed, Morgan – un o'r *Capelo's* oedd e!'

'Wel, mae 'na un yn llai nawr ...' Gadawodd y frawddeg ar ei hanner cyn troi'n ei ôl i wynebu'r ffenestr. Tynnodd ei fys ar hyd ei wyneb, ar hyd y graith.

'Does dim angen imi d'atgoffa y bydd y brawd mawr yn mynnu dial?'

Safodd Morgan yn bendrwm. Syllodd ar y byd yn carlamu oddi tano ar y strydoedd islaw.

'Mae 'na shwt gymaint yn mynd ymlaen lawr fan'na. Shwt gymaint i'w wneud. Ble mae e'n mynd i orffen dwed?'

Nesaodd y Comander ato a rhoi ei law ar ysgwydd ei ddirprwy. Brawychodd wrth weld yr olwg ar wyneb Morgan; y croen yn llwydfelyn, y gwallt a oedd unwaith yn ddu a chyrliog nawr yn dechrau britho, a'r llygaid fu'n llawn cyffro diniwed erbyn hyn yn ddifywyd a blinedig. Shwt yn y byd nad oedd e wedi sylwi ar hyn o'r blaen?

'Gwranda,' dechreuodd yn dawel, 'does neb wedi brwydro'n galetach na ti ond wy'n credu bod yr amser wedi dod i ti gael hoe fach. Wy' am iti fynd i ffwrdd i rywle am chydig ...' Safodd Morgan â'i ben i lawr heb ymateb. 'Fe fydd Capelo ar dy ôl di am wneud yr hyn na wnest ti i'w frawd bach, ond yn waeth na hynny, rwyt ti dy hunan ar fin torri. Rwyt ti'n dal yn ifanc ond mae golwg dyn dros ei drigain arnot ti. Pa mor hir fedri di fynd ymlaen fel hyn, dwed y gwir – mis neu ddau? Na, paid ag amau, wy' wedi gweld yr arwyddion droeon o'r blaen ac wy'n eu gweld nhw arnot ti nawr. Felly, wy'n rhoi gorchymyn iti gymryd seibiant salwch am gyfnod, am flwyddyn os bydd angen. Bydd yn gyfle iti gael dy gefn atat yn iawn.'

Edrychodd Morgan ar ei feistr heb yngan gair. Ni fedrai frwydro rhagor.

'Cer ymhell o Lundain. Crwydra'r wlad nes dy fod yn dod o hyd i rywle tawel lle does neb yn dy nabod. Paid dweud wrth neb lle'r wyt ti'n mynd na phwy wyt ti. Newidia dy enw, gwna beth bynnag wyt ti'n moyn ond cofia un peth

– fe fydd Ricky Capelo yn chwilio amdanat ti. Paid â trystio neb. Paid â chysylltu â fi na neb arall yn y swyddfa yma. Cer heddiw, nawr. Dere 'nôl pan fyddi di'n barod ac yn well – ond nid cyn hynny.'

Trodd Morgan i wynebu'r tynerwch yn llygaid ei feistr, y frawdoliaeth, y gofal tadol. Gafaelodd yn ei law agored a chofleidiodd y ddau.

* * *

Y bore canlynol, cyn un ar ddeg o'r gloch, roedd Derec McNally, gwerthwr ceir yng Nghaeredin, yn methu credu ei lwc wrth gyfri'r arian parod roedd y Sais newydd ei dalu am y Rover du ail-law. Gwnaeth ddigon o elw i dalu ei gyflog am yr wythnos. Llundeiniwr oedd yr estron tal o'i flaen, roedd hynny'n amlwg. Cododd McNally i ysgwyd llaw Keith Morris. Wrth edrych ar yr wyneb ni fedrai lai na sylwi ar y llygaid tywyll, oer, llawn tristwch a'r graith hyd ochr ei wyneb ond ni ddywedodd air. Fyddai o byth yn gofyn am ragor o fanylion.

PENNOD 2

Mis Ebrill 1961

Eisteddai Mari wrth ffenestr y lolfa ffrynt yn Nhroed y Rhiw, ei chartref bach clyd ym Mhwll Gwyn. Syllai ar yr olygfa gyfarwydd ar hyd y traeth gydag Awel Deg grand, fawreddog ar ben y clogwyn draw ym mhen pella'r bae yn goron ar y cyfan. Cartref moethus y Capten Jones a'i wraig oedd y tŷ hwnnw, ond yn wag nawr tra bo'r ddau i ffwrdd ar y fordaith olaf cyn ymddeol.

Ond roedd Mari'n disgwyl yn ogystal â gwylio. Hi oedd gofalwraig y tŷ ac roedd wedi derbyn neges ffôn oddi wrth Mrs Wilcox, chwaer-yng-nghyfraith y Capten Jones, yn ei hysbysu ei bod wedi gosod y lle am chwe mis i estron o Sais. Bu Mari yn Awel Deg gydol y bore yn tacluso a glanhau, gan obeithio y byddai'r ymwelwr yn cyrraedd tra oedd hi yno, ond daliai i ddisgwyl amdano wrth i'r diwrnod hwyrhau.

Traeth melyn, gwag oedd traeth Pwll Gwyn y diwrnod hwnnw. Roedd hi'n rhy gynnar yn y flwyddyn i'r ymwelwyr â'i carafannau. Môr glas mor dawel â llyn, creigiau llwyd ar ddeupen y traeth a rhaeadr fechan uwchben un o'r clogwyni yn tywallt ei dŵr clir yn un ffrwd drostynt. Felly y bu traeth Pwll Gwyn erioed, ac roedd yn parhau'n ddigyfnewid, er bod y byd y tu hwnt i'r hafan fechan hon yn carlamu drwy gyffro dechrau'r chwedegau.

Treuliai Mari y rhan helaeth o'i bywyd syml yn disgwyl. Disgwyl i rywbeth cyffrous ddigwydd, disgwyl am ryw newid, ond nid oedd dim yn digwydd ym Mhwll Gwyn. Cawsai ei geni a'i magu yn y pentref, a chael ychydig o addysg yn yr ysgol fach cyn cysegru ei hieuenctid i ofalu am ei mam a'i thad, y ddau bellach yn eu bedd. Ni ddaeth fawr ddim rhamant i lonni ei hieuenctid a hen ferch yn ei thrigeiniau cynnar ydoedd bellach, ond yn edrych lawer hŷn na'i hoed. Oedd, roedd bywyd wedi anghofio am Mari Troed y Rhiw.

Teimlai Mari ei bod yn ddyletswydd arni i edrych mas am y newydd-ddyfodiad. Byddai'r achlysur cyffrous yn rhywbeth i'w rannu gyda'r gwragedd eraill a welai yn y pentref y bore wedyn. Ond roedd yn dal i ddisgwyl.

Pan welodd olau car yn dod i lawr y rhiw draw tua Awel Deg o'r diwedd, roedd y diwrnod wedi hen ddirwyn i ben a hithau fel y fagddu, felly penderfynodd Mari yn anfoddog ei bod yn rhy hwyr i fynd allan, er ei bod y noson fwyn a'r môr yn dawel. Gwyliodd y car yn stopio y tu allan i Awel Deg. Gwelodd ddyn tal yn dringo ohono cyn agor y giatiau pren a bagio'r car yn ôl tua'r tŷ. Gwyliodd ef yn agor y drws ffrynt a chynnau'r golau trydan. Dychmygodd ef yn edmygu moethusrwydd y tŷ – ei gartref newydd am y misoedd nesaf. Daeth yn ôl at y car a dadlwytho'i fagiau, cau y giatiau, edrych allan i'r môr cyn cerdded i mewn i'r tŷ a chau'r drws. Gwelodd Mari'r cyfan ond ni symudodd o'r ffenestr fach.

Ni welodd Mari y blinder llethol yn ei lygaid na'r graith gas ar ei foch. Ni wyddai fod y dieithryn yn hen gyfarwydd â'r pentref bach. Ond gwyddai fod Keith Morris, y Sais, wedi cyrraedd ac felly gallai fynd i baratoi tamaid bach o swper cyn noswylio. Roedd pawb yn clwydo'n gynnar ym Mhwll Gwyn, yn enwedig ar nos Sul, ac yn ara deg diffoddwyd y golau trydan ym mhob tŷ – heblaw am un.

Ni welodd neb yr hyn a ddigwyddodd yn oriau mân y bore chwaith. Ni chlywodd neb unrhyw synau anarferol a doedd neb yno yn gwylio'r traeth a'r creigiau y noson honno. Roedd y dyn mawr o Lundain yn ddiwyd iawn wrth y gwaith a gynlluniodd yng ngolau'r lloer.

PENNOD 3

Fore trannoeth, fel pob bore arall yn ddieithriad, eisteddai'r hen Gapten Williams yn frenhinol ar Garreg y Fuwch. Cyn brecwast brasgamai ar draws y traeth, yna eistedd am hoe yn yr un fan ar yr un graig. Nofiad sydyn wedyn cyn yfed gwydraid bychan o ddŵr y môr. Gwnâi hyn bob dydd o'r flwyddyn, boed haf neu aeaf, sych neu wlyb, heb i neb dorri ar draws ei feddyliau a'i atgofion – rhai yn felys ac eraill yn chwerw.

'Rwyt ti'n ufudd iawn i gyngor yr hen ŵr doeth y gwnest ei gyfarfod unwaith ar fordaith,' meddai wrtho'i hun. 'Cyngor heb ei ail os am fywyd hir. Ond ddywedodd e'r un gair o gyngor am yr unigrwydd chwaith!'

Y pen arall i'r traeth roedd bachgen ifanc yn crwydro ar draws y creigiau yng nghwmni ei gi defaid bywiog. Ond nid ar lan y môr yr oedd y llencyn y bore hwnnw. Breuddwydiai, fel ag y gwnâi yn ddyddiol bron, am fod yn feistr arno'i hun ac ar y ffarm fwyaf yn y cylch, yn gyfoethog o'r diwedd, gyda merched ifanc o bob cwr o'r wlad yn mynnu cwmni'r ffermwr ifanc deniadol!

Deffrodd y llanc yn sydyn o'i freuddwydion wrth glywed ei gi yn cyfarth yn wyllt a'r gwylanod yn sgrechian uwch ei ben. Methai gredu ei lygaid. O'i flaen ar y creigiau tywyll gwelodd wraig ifanc yn gorwedd ar ei chefn a hithau'n hollol noeth. Oedd hon yn rhan o'i freuddwyd? Edrychodd ar y coesau hirion a ymddangosai mor wyn yn erbyn y graig ddu. Edrychai tuag ato a'i llygaid cyn lased â'r awyr uwch ei phen. Oedd hi'n gwenu arno? Oedd hi'n ei wahodd i ddod tuag ati? Teimlodd gynnwrf yn ei gorff. Aeth ymlaen yn araf tuag ati. Gwelodd y gwallt golau hir wedi ei glymu'n wlyb dros ei hwyneb a'i gwddf. Edrychodd ar ei chorff yn ei gyfanrwydd. Roedd y cynnwrf yn ei orchfygu. Safodd uwch ei phen. Gwyrodd i lawr i'w chyffwrdd heb ddweud gair wrthi; roedd ei dafod ynghlwm yn ei geg. Gwyrodd yn is. Rhoddodd ei law yn dyner ar ei bron noeth. Teimlodd oerni'r corff. Rhewodd yn y fan ar lle. Rhuthrodd braw drwyddo wrth iddo sylweddoli beth oedd o'i flaen. Nid gwraig ifanc deniadol oedd hi mwyach, ond corff. Nid llygaid gleision mwyach, ond llygaid a oedd yn syllu'n ddifywyd ar ddim, ar neb. Nid gwallt golau wedi ei glymu'n wlyb dros ei gwddf ond toriad gwaedlyd coch a oedd wedi rhwygo'r bywyd ohoni cyn i'r gwaed sychu yn y gwallt. Diflannodd yr hyder wrth i'r ofn wibio drwy ei gorff. Dechreuodd deimlo'n sâl ac ni wyddai beth oedd y peth gorau i'w wneud.

Ymsythodd y bachgen gan edrych o'i gwmpas yn euog. Oedd rhywun wedi'i weld tybed? Na, go brin. Ond y funud nesaf gwelodd hen ŵr yn cerdded ar draws y traeth â'i ben i lawr. Chwifiodd ei freichiau i geisio tynnu'i sylw ond dal i gerdded wnaeth yr hen ŵr, yntau hefyd ynghudd yn ei fyd bach ei hun.

'Hei, syr! Esgusodwch fi! Dewch yma! Mae rhywbeth ofnadwy wedi digwydd,' gwaeddodd. 'Dewch, dewch yn gyflym. Dwi ddim yn gwybod beth i'w wneud.'

Deffrowyd Capten Williams o'i atgofion a sylweddolodd yn sydyn fod rhywbeth yn bod.

‘Draw fan’co, syr,’ cyfeiriodd y llanc tuag at y clogwyn agosaf ato. ‘Mae ’na gorff – corff gwraig.’

‘Mawredd Dad, wyt ti’n siŵr?’ dechreuodd y Capten gan frysio tuag at y creigiau.

‘Ydw, syr. Mae hi’n noeth ... yn ... yn ... borcen.’

Arhosodd Capten Williams a dal ei anadl. Roedd hi’n amlwg beth oedd wedi dychryn y bachgen.

‘Nid ... nid ... nid y fi, syr ... ’ meddai’n grynedig, cyn troi ei ben a hyrddio cynnwys ei gylla ar graig gyfagos.

‘Nage, nage. Druan fach, pwy bynnag yw hi. Byddai’n well i ti aros yma gyda’r corff tra bydda i’n mynd i ffonio’r heddlu.’

‘Peidiwch â ’ngadael i, syr. Fedra i ddim aros fan’ma gyda ... gyda ...’

‘Mae’n rhaid i rywun aros, a dwi ddim yn credu dy fod ti mewn unrhyw gyflwr i siarad â’r heddlu, wyt ti?’

Ysgydwodd y bachgen ei ben.

‘Iawn. I ble mae dy gi di wedi mynd?’ Edrychodd Capten Williams o’i amgylch.

‘Wedi dihengyd i rywle. Peidiwch â becso. fe ddaw e’n ôl. Ewch yn gyflym. Fe fydda i’n iawn.’

Sylwodd y Capten fod lliw tipyn iachach ar ruddiau’r bachgen erbyn hyn, felly tynnodd ei gôt a’i gosod yn dyner dros y corff ar y graig cyn dechrau cerdded yn gyflym tuag at ei gartref.

Dim ond dyrnaid o bobl Pwll Gwyn oedd wedi mentro cael ffôn pan ddaeth y wifren i’r pentref rai blynyddoedd yn ôl. Er syndod i bawb roedd Capten Williams yn un ohonyn nhw, ond henaint, yn hytrach na dim arall, oedd wedi’i orfodi ef i gael y teclyn modern yn ei dŷ.

* * *

Eistedd yn y tŷ bach roedd John Jones ar y bore Llun pan glywodd y ffôn yn canu yn ei swyddfa. 'Uffern dan,' rhegodd. 'S'dim blydi heddwch i wneud unrhyw beth y dyddiau 'ma.' Taclusodd ei ddillad a brysiodd at ei ddesg. Cododd y derbynnydd. 'Heddlu Aberteifi, Sarjant Jones yn siarad. Sut alla i'ch helpu chi?'

Am eiliad edmygodd ei ddull awdurdodol, proffesiynol o ateb y ffôn, gyda dyfnder ei lais yn gwneud i'w gyfarchiad swnio'n swyddogol iawn. Newidiodd pethau yn dra chyflym fodd bynnag wrth i Capten Williams egluro diben yr alwad. Methai'r rhingyll yn lân ag amgyffred y newyddion syfrdanol. Corff? Merch ifanc? Trywaniad gwaedlyd? Llofruddiaeth? Ym Mhwll Gwyn?!

Wedi munudau o holi ddi-ben-draw collodd y Capten ei amynedd. 'Gwrandewch 'ma, Sarjant. Ar hyn o bryd dim ond boi bach ifanc a'i gi sy'n edrych ar ôl safle'r llofruddiaeth. Yn hytrach na gofyn yr holl gwestiynau 'ma, pam na ddewch chi mas i weld drosoch eich hunan, neu a ydych chi'n ceisio osgoi'r peth yn gyfan gwbwl?'

'Nawr, nawr, Capten, does dim angen dweud pethe fel'na, oes e? Fe fydd yn rhaid imi gysylltu â CID Aberystwyth yn y lle cyntaf ond peidiwch â phoeni, fe anfona i PC Rees i'ch cyfarfod ac i gymryd gofal o'r mater. Nawr, gwnewch gymwynas â fi wnewch chi? Ewch 'nôl at y corff ond peidiwch â chyffwrdd dim cofiwch – efidens, chi'n deall – ac fe wnaiff PC Dai Rees eich cyfarfod yno'n fuan ... iawn?'

'Reit iw âr, Sarjant,' atebodd y Capten.

Eisteddodd Sarjant Jones ar y gadair wrth ei ddesg yn methu penderfynu beth i'w wneud gyntaf, ond gwyddai'n rhy dda na fyddai beth bynnag a wnâi yn plesio Heddlu

Aberystwyth. Yna galwodd PC Rees ar y ffôn a'i orchymyn i fynd yn syth i Bwll Gwyn.

'Cofia dy fod yn cysylltu â fi cyn gynted â phosib gyda'r holl fanylion. Wy' eisiau gwybod *popeth* cofia.'

'Iawn, Sarj. Fe alwa i nôl cyn eich bod wedi troi rownd.'

Ar ôl rhoi'r ffôn i lawr, sylweddololodd Sarjant Jones nad oedd wedi cael brecwast y bore hwnnw felly aeth drwodd i'r gegin fach i baratoi tafelli o dost a mygaid arall o de iddo'i hun. Unrhyw beth i osgoi meddwl am yr alwad. Unrhyw beth i ladd amser.

Doedd neb yn cael ei lofruddio yn yr ardal hon, meddyliodd wrth fwynhau ei frecwast. Ambell hunanladdiad efallai; rhywun yn taflu ei hunan dros glogwyn i'r môr, ond anaml y digwyddai hynny hyd yn oed y dyddiau yma. Oedd, roedd y Capten mewn gwth o oedran bellach ac yn dechrau ffwndro. Neu efallai mai wedi breuddwydio roedd e.

Ymhen dim o dro roedd y rhingyll wedi llwyddo i dawelu'i feddyliau ei hun, gan ddileu unrhyw ddigwyddiadau amheus ym Mhwll Gwyn o'i fyd bach cysurus y tu ôl i'w ddesg.

'Gwell aros nes clywed oddi wrth Dai Rees,' meddai'n dawel wrth eistedd 'nôl i orffen ei frecwast.

* * *

Gwrthdrawiad rhwng ei ddau fyd cwbl wahanol i'w gilydd a welai Alun Morgan wrth sefyll yn ffenestr eang lolfa foethus Awel Deg ar y clogwyn uwchben y traeth. Wrth syllu ar y môr glas a'r traeth euraidd tawel, gwelai fyd ei ieuenctid a oedd yn gwbl wrthgyferbyniol i'w fyd presennol.

Cariad, chwarae a hwyl oedd yn llenwi'r hen fyd; creulondeb, dialedd ac unigrwydd oedd yn llenwi byd didrugaredd, unig y presennol – a bellach roedd yn ceisio cuddio oddi wrth hwnnw hefyd.

Edrychodd i lawr ar y traeth. Pa well hafan na hon ar ôl helynt y misoedd a'r blynyddoedd diwethaf? Cofiodd amdano'n fachgen bach yn rhedeg yn llawn asbri tuag at y môr, ei freichiau ar led a'i goesau hirion yn y trowsus bach yn herio'r tonnau. Dyddiau mebyd; dyddiau da. Ond roedd hen atgofion eraill yn mynnu ymddangos hefyd, atgofion llawn tristwch a digalondid. 'Gadewch i'r meirw gladdu'r meirw' fu ei agwedd ers amser maith ac roedd hynny wedi bod yn gysur ar ôl y colledion.

Estynnodd ei fys ar hyd y graith o'i foch i'w ên. Gwelodd yr wên a chlywodd lais creulon Ricky Capelo yn atseinio drwy'i feddwl. Yna gwelodd eto yr olwg ddifrifol ar wyneb y Comander wrth ei rybuddio cyn ffarwelio ag ef, Ditectif Chief Superintendent Alan (Alun) Morgan, Is-bennaeth Flying Squad enwog Llundain (yr ieuengaf i gael ei benodi i'r swydd erioed), yn wreiddiol o Sir Aberteifi ond bellach yn cael ei erlid ac yn cuddio am ei fywyd ym Mhwll Gwyn.

Diflannodd y crwt bach a throdd Morgan ei sylw at yr hen ŵr a oedd yn cerdded ar y traeth â'i ben i lawr. Drwy ei lygaid yn y tŷ ar ben y clogwyn edrychai'r hen ŵr yn fychan fach, fel pe bai'n dod o ryw fyd arall, ac iddo fe, ar ôl craffu'n fanylach ar yr wyneb rhychiog, dyna o ble'n union y daethai – o fyd llesmeiriol a digynnwrf ei blentyndod. Er ei fod wedi heneiddio, adnabyddodd Morgan ef ar unwaith. Ond nid cymeriad yn ei ddychymyg oedd yr hen ddyn nawr. Yna, gwelodd Morgan lanc ifanc yn rhedeg o gyfeiriad y creigiau gan chwifio'i freichiau'n wyllt. Arhosodd y ddau i siarad â'i gilydd a chyfeirio tuag at y clogwyn cyn dechrau cerdded yn gyflym i'w gyfeiriad. Diflannodd y ddau o'i olwg wrth iddynt gerdded o dan y clogwyn. Trodd Morgan yn ddifater ac aeth drwodd i'r gegin.

* * *

Ar ôl tanio sigarét a chwythu cwmwl o fwg llwyd ar draws ei ddesg, estynnodd Sarjant Jones ei fraich tuag at y ffôn unwaith eto ac yn bur anfodlon, dechreuodd ddeialu rhif arbennig y swyddfa yn Aberystwyth.

'CID,' atebodd y llais anghwrtais o ben arall y lein.

Adnabyddodd Sarjant Jones y llais ar unwaith a chaeodd ei lygaid mewn gweddi dawel.

'Bore da. Ydi'r Siwper yna? Sarjant John Jones o Aberteifi sy'n siarad.'

'Bore da, Sarjant. Inspector Ifans sy' ma. Mae'r Siwper yn dal i ffwrdd ar ôl ei lawdriniaeth. Beth alla' i wneud i chi?'

'Ry'n ni wedi dod o hyd i gorff.'

'O! Ymhle? Yn Aberteifi?'

'Nage, ym Mhwll Gwyn.'

'Pwll Gwyn?' oedodd Martyn Ifans am eiliad. 'A! Pwll Gwyn! Beth – rhywun wedi boddi? Damwain? Hunanladdiad? Corff dyn, menyw, plentyn, ci, cath, buwch ... unrhyw beth anghyffredin, Sarjant?'

Gorchuddiodd Sarjant Jones enau'r ffôn â'i law, ' 'Ma ni off,' sibrydodd wrtho'i hun. 'Nage, syr, mae'n debyg bod y ferch ifanc wedi'i llofruddio.' Cafwyd seibiant am eiliad.

'"Mae'n debyg ..." Wy'n cymryd nad y'ch chi wedi gweld y corff felly ...?'

'Naddo, syr.'

'Shwt gawsoch chi'r manylion 'te, Sarjant?'

'Capten Williams ddaeth o hyd i'r corff cyn ein ffonio ni yma.'

'Capten Williams?'

'Ie, hen forwr, mae e'n byw yn ...'

'Hen forwr. Pa mor hen?'

'Y Capten? Wel, mae e'n bownd o fod yn ei wythdegau, os nad ei nawdegau hefyd, erbyn hyn – halen y ddaear, syr.'

'Mae'n siŵr ei fod e, ond dych chi ddim yn meddwl y byddai'n well i chi fynd i weld y corff eich hunan yn gyntaf, cyn ffonio fan hyn?'

'Mae PC Rees ar ei ffordd yno nawr, syr.'

'Wy'n credu y byddai'n well i chi fynd i Bwll Gwyn, Sarjant, i gasglu ffeithiau cyn dod yn ôl ata i,' ailadroddodd Martyn Ifans y cyngor mewn llais sarrug, oeraidd.

'Iawn, syr.'

'Ffoniwch fi o Bwll Gwyn. Fe fyddaf yn y swyddfa drwy'r dydd. Mynydd o waith i'w wneud, 'chi'n deall. Braf sgwrsio â chi eto, Sarjant, pob hwyl.'

Clywodd Sarjant Jones y ffôn yn distewi, rhegodd yn dawel a pharatôdd i ddechrau ar ei daith i Bwll Gwyn.

PENNOD 4

Plygodd Elisabeth Williams i gael gwell golwg y tu mewn i'w bag enfawr. Diolch byth fod yr ystafell athrawon yn wag a hithau'n cael llonydd ar ddechrau wythnos arall i ddarllen y nodiadau yr oedd hi wedi'u paratoi ar gyfer gwers gynta'r bore. Ymbalfalodd yn ei bag ond doedd dim sôn am y papurau. Rhegodd ei hunan am gario'r fath swmp o lyfrau a phapurau i'r ysgol bob dydd. Llithrodd ei gwallt golau dros ei hwyneb a chwmpodd y bag ar ei ochr ar y llawr.

Doedd Elisabeth Williams, pennaeth adran hanes Ysgol Ramadeg Llandysul ddim yn un i regi fel arfer. Plygodd ar ei phengliniau ar y llawr a dechrau codi'r pentwr anniben yn ôl i'w bag. Roedd y bore wedi bod yn un digon drwg fel ag yr oedd hi, heb i hyn ddigwydd; cysgu'n hwyr, llosgi'r tost, torri cwpan a soser wrth baratoi brecwast ac yna gorfod gyrru i'r ysgol yn ei char bach am ei bod wedi colli'r bws. A pham gebyst y gwisgodd hi'r sgert hon heddiw? Gwyddai ei bod yn rhy dynn iddi ac yn gwneud i'w chluniau edrych yn lletach nag y dymunai. Cododd rywfaint ar y defnydd er mwyn medru plygu'n well, gan ddiolch i'r nef nad oedd neb arall yn yr ystafell i'w gweld.

Plygodd ymlaen ymhellach. Mae'n rhaid bod y nodiadau yno'n rhywle ynghanol y llyfrau a'r papurau. Cofiai eu rhoi nhw i mewn cyn mynd i'w gwely neithiwr. Oedd hi'n dechrau colli arni? Doedd neb wedi bod yn ei bag ers hynny! Treuliodd gyfran helaeth o'i phenwythnos yn paratoi ar gyfer gwersi heddiw felly go brin y byddai hi wedi'u gadael ar ôl yn y lolfa gartref. Plygodd ar un ben-glin i fedru gweld y tu mewn i'r bag yn well. Ac yn ogystal â bod yn rhy dynn, roedd y sgert hefyd yn rhy gwta i wraig o'i hoedran hi, meddyliodd. Roedd hi'n hen bryd iddi ddechrau colli pwysau. Roedd hi wedi tewhau ers treulio'r Nadolig gyda'i merch ym Manceinion.

A hithau â'i phen yn y bag a'i phen-ôl yn yr awyr doedd hi'n ddim syndod felly na chlywodd Elisabeth ddrws yr ystafell yn agor. Sylwodd hi ddim ar y dyn ifanc a gerddodd i mewn.

Athro ymarfer corff newydd gymhwyso oedd William Arfon Norman Charles, gyda'i gyhyrau cadarn a'i dracwisg goch yn hysbysu pawb o'i ddoniau athletaidd. Daeth yn gryn ffefryn gan y prifathro wedi iddo lwyddo i godi safon timau rygbi yr ysgol yn ystod ei dymor cynta'n unig. Gŵr ifanc tal, cydnerth a deniadol a ymddangosai'n llawn hyder ac yn gwbl fodlon ei fyd. Pa ryfedd felly fod merched y chweched dosbarth wedi gwirioni arno. Ond yn anffodus, roedd yntau'n ymwybodol o'r cynnwrf a greai ym moliau gwragedd yn gyffredinol ac o ganlyniad i hynny fe wnâi'n fawr o'r eilunaddoliad! Trigai mewn fflat wedi'i logi dros dro yng Nghei Newydd, gan edrych ymlaen at yr haf a'r holl ferched a fyddai'n treulio'u hamser yno ar lan y môr, boed yn sengl neu'n briod, yn hen neu'n ifanc. Oedd, roedd William Arfon yn dipyn o aderyn!

Y bore heddiw, methai'r athro ifanc â chredu'r olygfa o'i flaen yn yr ystafell athrawon. Ai breuddwydio'r oedd e? Teimlodd ei geg yn sychu a'i gorff yn dechrau cynhyrfu wrth iddo gymryd cipolwg greddfol, ond digon diniwed, ar y pen-ôl tlws gerllaw. Roedd y sgert wedi'i chodi ymhell y tu hwnt i ffiniau gweddustra a honno mor dynn nes ei fod yn medru gweld amlinelliad y dilledyn isaf yr ochr arall i'r defnydd. Am unwaith yn ei fywyd, roedd Arfon yn fud.

Pwy yn y byd oedd hon, tybiodd? Athrawes newydd? Ni fedrai feddwl am yr un athrawes yn yr ysgol oedd â chorff fel yna – heblaw, efallai, am Eirlys Davies, athrawes ymarfer corff y merched, ond roedd yn hen gyfarwydd â'i chorff hi (mewn tracwisg ac yn borcen!). Myfyrwraig ar hyfforddiant efallai? Teimlodd ysfa i fynd ati yr eiliad honno, i'w chodi yn ei freichiau a'i mwynhau o'i chorun i'w sawdl, ond methodd symud o'r fan.

'Ha! Dyma'r diawled!' bloeddiodd Elisabeth yn fuddugoliaethus wrth ddod o hyd i'r nodiadau yng nghornel ei bag. Yna, wrth i un gofid ddiflannu, teimlodd lygaid yn ei gwylio a sylweddolodd nad oedd ar ei phen ei hunan wedi'r cyfan. Wrth geisio troi i edrych dros ei hysgwydd, collodd ei chydbwysedd a chwmpodd yn lletchwith gan arddangos nid yn unig y coesau hirion ond llawer mwy na hynny hefyd!

'O, helo,' meddai wrth straffaglu ar ei thraed, gan geisio swnio'n ddi-hid ac ymdrechu i dacluso'i sgert ag un llaw a dal ei gafael yn dynn yn y nodiadau colledig gyda'r llall. Ceisiodd ei gorau glas i wenu'n gyfeillgar ar ei chyd-athro er mwyn peidio dangos fod unrhyw gywilydd arni. Ni chawsai fawr o gyfle i ddod i adnabod William Arfon yn iawn hyd yn hyn ond roedd hi wedi clywed peth o'i hanes gan y merched eraill. Ychydig o ddiddordeb oedd ganddi yn ei anturiaethau carwriaethol serch hynny. A dweud y gwir, ychydig iawn o ddiddordeb oedd gan Elisabeth mewn unrhyw ddyn y dyddiau yma – waeth pa mor ddeniadol oedden nhw. Ac eto dechreuodd deimlo yn nerfus yng nghwmni'r athro ifanc, yn enwedig wrth iddi sylweddoli ei bod wedi arddangos rhannau helaeth o'i chorff iddo.

Ni sylwodd William Arfon ar wyneb Elisabeth yn gwrido. Yr unig beth a âi â'i fryd oedd y croen sidanaidd, digolur, y llygaid gleision dwfn, y dannedd perlaidd yn gwenu'n ddisglair arno ... heb sôn am y corff siapus deniadol a'r coesau hirion, y gwallt golau naturiol, ac wrth gwrs y pen-ôl tlysaf a welodd ers peth amser. Er ei fod yn ddigon profiadol ym maes swyno merched ac er ei hyder ifanc, methodd William Arfon ddweud yr un gair – dim ond sefyll a gwenu'n wirion ar ei gyd-athrawes.

'Shwt y'ch chi, Beti,' meddai o'r diwedd, yn weddol gwrtais er gwaetha'r amgylchiadau annifyr. Erbyn hyn safai'r athro ifanc o flaen Elisabeth ac fe'i synnwyd pa mor dal oedd hi. Yn rhyfedd iawn nid oedd wedi rhoi fawr o sylw i'r gwragedd 'aeddfetach' a weithiai yn yr ysgol gan eu bod, yn fwy na thebyg, yn briod neu'n agosáu at oedran ymddeol (er nad oedd hynny wedi bod yn faen tramgwydd iddo yn y gorffennol).

'Oes unrhyw beth yn bod?' gofynnodd hithau gan edrych i fyw ei lygaid.

Methai'n lân â meddwl am ateb call. Roedd ei feddwl yn wag a'i dafod ynghlwm.

'Ym ... yr ... ym ...' baglodd ei eiriau dros ei wefusau. Ei dro ef i wrido oedd hi nawr. Cafodd ei lwyr syfrdanu gan ei hymddygiad yn ogystal â'i harddwch.

'Oes 'na unrhyw beth o'i le?' gofynnodd eto wrth iddo gilio.

'Na, na ...! Damo! Newydd gofio mai yn y gampfa y gadawais i restr y timau wedi'r cyfan,' atebodd yn ffwndrus cyn cerdded o'r ystafell â'i gynffon rhwng ei goesau. Nid oedd yr un fenyw wedi cael y fath effaith arno o'r blaen!

Chwarddodd Elisabeth wrthi'i hun ar ôl i William Arfon gau'r drws ar ei ôl ac aeth hithau'n ôl at ei nodiadau.

* * *

Ar ôl cinio roedd William Arfon yn yr ystafell athrawon unwaith eto. Gobeithiai weld Elisabeth yno ond nid oedd golwg ohoni'n unman.

'Diawch, Dic, mae'r Elisabeth Williams 'na yn bishyn hyfryd on'd yw hi? Beth yw ei hanes hi, dwed?' Anelodd y cwestiwn at Dic, ei gyfaill, a eisteddai wrth ei ochr yn ceisio cwblhau croesair.

Edrychodd Dic o'i amgylch. 'Mwy na thebyg ar ddyletswydd os nad yw hi yn stafell y merched,' atebodd, heb ddim ond hanner gwrando ar ymholiad William Arfon.

'Na, na, beth yw ei *hanes* hi, bachan?'

'Ei hanes hi?' rhoddodd Dic ei bapur ar ei lin. 'Pam wyt ti ishe gwbod?' Pendronodd am eiliad. 'O, paid â dweud fod gen ti ddiddordeb yn ... yn ...' a dechreuodd chwerthin.

Edrychodd William Arfon arno gyda drygioni lond ei lygaid. 'Diawl, Dic, mae hi'n lodes ddeniadol iawn o ystyried ei hoedran. Faint yw hi, dwed, tynnu am ei thridegau?'

'Na, mae'n hŷn na 'na – nes at ei phedwardegau,' dyfalodd Dic.

'Iesu, ydi hi? Dyw hi ddim yn edrych mor hen â 'na.'

Cytunodd Dic, 'Ond mae hi'n bendant yn rhy hen i ti. Mae hi bron bymtheg mlynedd yn hŷn na ti gw'boi! Roeddwn i'n meddwl mai merched ifanc oedd yn mynd â dy fryd di, neu wragedd ifanc ddylwn i ddweud efallai.'

'Unrhyw fenyw, Dic bach, unrhyw fenyw. Maen nhw i gyd yr un fath yn y bôn ... Wyt ti'n deall beth sy' 'da fi?!'

'Does dim gobaith i ti, nac oes?' chwarddodd ei ffrind.

Nid oedd Dic wedi gweld gwely yr un ferch na gwraig ers iddo gael bachiad ac yna yfed gormod un noson pan oedd yn fyfyriwr yn Aberystwyth ugain mlynedd yn ôl – a chwmpo i gysgu cyn i unrhyw beth ddigwydd!

'Wel, beth yw ei hanes hi 'te?'

'Does dim syniad gyda fi a dweud y gwir. Mae hi wedi bod yma ers tua phedair blynedd wy'n credu. Mae sôn ei bod hi'n athrawes dda ac yn byw rhywle yn agos. I Brifysgol Bangor aeth hi os wy'n cofio'n iawn ...'

'Dic!' edrychodd ei gyfaill arno'n syn. 'Nid *CV* wy'n moyn. Oes ganddi ŵr? Oes 'na blant? Ydi hi'n cyd-fyw ag unrhyw un? Ydi hi'n mynd mas gydag unrhyw un? Ydi hi'n hoff o ddynion neu ydi hi'n hoyw? Pethe fel'na rwy'n olygu wrth *hanes?*'

Yna sylweddololodd William Arfon fod un neu ddau o'r athrawon eraill yn clustfeinio ar eu sgwrs.

'O, ti'n gofyn i'r boi rong nawr,' cyfaddefodd Dic. 'Sa i'n athrylith ar fenywod fel ti.'

'Am bwy y'ch chi'n sôn nawr 'te, fechgyn?' holodd yr athro Lladin â gwên ddireidus ar ei wyneb.

'Neb o bwys,' atebodd Arfon, yn swil am unwaith.

'Glywais i chi'n sôn am Elisabeth Williams?' holodd wrth i'r ystafell wagio ar ddechrau sesiwn y prynhawn.

'Wel, do a dweud y gwir,' atebodd Arfon. 'Menyw smart iawn am ei hoedran?'

'A dweud y lleiaf. Ond mae dipyn o ddirgelwch yn ei chylch hi. Bach iawn mae hi'n ei ddatgelu am ei chefndir na'i bywyd y tu allan i'r ysgol hyd y gwelaf i. Pob lwc iti 'machgen i! Rhaid cyfaddef 'mod i'n eitha eiddigeddus o dy fenter, yn enwedig os y gwnei di lwyddo!' a chwarddodd wrth godi a gadael yr ystafell.

Er syndod iddo, ni fedrai Arfon ysgwyd y ddelwedd o Elisabeth ar ei chwrcwd yn yr ystafell athrawon y bore hwnnw o'i feddyliau. Tybed a oedd hithau wedi teimlo rhyw drydan yn yr awyr rhwng y ddau? Cofiodd ei gwên groesawgar a'i dannedd gwynion perffaith, ond yn bennaf cofiodd ei chorff siapus, deniadol. Ond shwt oedd e'n mynd i ennill ei chwmni? Dyna oedd ar flaen ei feddwl. Oedd, roedd yn rhaid iddo gynllunio'n ofalus. Roedd hon mor wahanol i unrhyw wraig yr oedd e wedi'i chyfarfod o'r blaen. Heblaw am ei phrydferthwch roedd ganddi gymeriad, a chymeriad cryf hefyd. Byw ar ei phen ei hunan, neb yn gwybod llawer amdani, tipyn o ddirgelwch. Digwyddiad ei bod yn un i fynychu Cei Newydd – ond tybed beth fyddai ei hymateb pe bai'n ei gwahodd allan am lymaid bach. Dychmygodd ei hun yn ei chyfarfod y tu allan i'r ysgol, un llymaid yn mynd yn ddau, ac wedyn y trydydd wrth iddi hi fynnu prynu rownd o ddiod. Neu – na! Ei gwahodd allan am bryd o fwyd. O, ie! Byddai hynny'n fwy addas o lawer. Fel yna roedden nhw'n gwneud pethau yn y ffilmiau. Potelaid o win, bwyd blasus, noswaith lwyddiannus. Y ddau yn mwynhau cwmni ei gilydd. Y ddau yn agosáu at ei gilydd. Ei hebrwng adref, gwahoddiad i fynd i mewn am goffi neu rywbeth cryfach ac wedyn ... ac wedyn ... O, ie! Dyna beth fyddai concwest! Roedd cynllun William Arfon wedi ei wefreiddio ac roedd yn dal ym myd ei freuddwydion wrth gerdded yn araf at ei wers nesaf.

Ond roedd Elisabeth Williams yn ddigon bodlon ei byd.

Ei disgyblion oedd bwysicaf yn ei bywyd y dyddiau hyn ac fe lwyddai i ddatblygu perthynas dda gyda nhw ac i fagu diddordeb ynddynt tuag at ei phwnc. Ond roedd y berthynas honno'n gorffen ar lawr y dosbarth. Dim ond ei merch annwyl oedd yn hawlio gweddill ei sylw. Roedd Elisabeth wedi trechu treialon blynyddoedd ei heuenctid cynnar ar ei phen ei hunan, heb gymorth neb. Un waith yn unig y rhoddodd ei chalon i rywun arall ond roedd hwnnw wedi diflannu o'i bywyd flynyddoedd yn ôl. Er ei bod yn unig iawn ar adegau, gwyddai na fedrai neb arall gymryd lle y cariad hwnnw. Dim ond unwaith erioed y torrwyd calon Elisabeth, a'i thorri'n ddarnau mân.

PENNOD 5

Pentref bach tawel, anghysbell oedd Pwll Gwyn, fel nifer o bentrefi eraill o'i fath ar hyd arfordir Sir Aberteifi. Felly sut yn y byd y darganfuwyd corff wedi'i lofruddio yn y fath bentref paradwysaidd? Doedd fawr ddim o bwys byth yn digwydd ym Mhwll Gwyn.

Cofiodd Sarjant Jones y tro diwethaf i'r pentref gael sylw yn y papurau newydd. Roedd hynny dros ugain mlynedd yn ôl yn ystod yr Ail Ryfel Byd. Cwnstabl ifanc oedd ef bryd hynny, newydd gael ei benodi i oruchwylio'r arfordir rhag i unrhyw helynt godi petai'r gelyn yn ceisio mewnforio ysbïwyr – neu waeth. Yn eiddgar iawn i blesio'i benaethiaid, arestiodd ŵr a oedd yn gwisgo cot fawr ddu gyda fflachlamp yn ei law yn cerdded ar hyd y traeth. Fodd bynnag, perchennog siop fach y pentref oedd y dyn, yn gymeriad blaenllaw ac adnabyddus iawn yn yr ardal. Arferai fynd â'i gi am dro bob nos tua'r un adeg! Hyd heddiw gallai John Jones glywed chwerthin ei gydweithwyr pan adroddwyd y stori yn yr orsaf.

Y tro hwn fodd bynnag, fyddai'r papurau newydd ddim yn cael gafael ar y stori o Bwll Gwyn nes ei fod ef yn barod.

'Beth sy' gyda ni fan hyn 'te?' gofynnodd mewn llais uchel, awdurdodol wrth gyrraedd y creigiau ble safai PC Rees a Capten Williams.

'O! Sarjant Jones! Fe roesoch chi fraw imi. Beth y'ch

chi'n ei wneud yma?'

'Meddwl y byddai hi'n well imi ddod i weld pethe drosof fy hunan o'n i, Dai. Bore da, Capten Williams. Shwt y'ch chi erbyn hyn?'

'Ddim yn ddrwg wir, Sarjant. Wedi fy synnu braidd gan y tipyn dirgelwch hwn yn ein cornel fach ni o'r byd.'

'Chi'n iawn fan 'na.' Edrychodd i lawr ar y corff. 'Fel hyn oedd hi pan welsoch chi hi gyntaf, Capten?'

'Ie, fel hyn yn union, heblaw am y flanced. Ond nid fi wnaeth ei darganfod hi cofiwch chi.'

'Pwy'te?'

'Wel, rhyw fachgen ifanc ...'

'A ble mae e 'te?' Edrychodd y Sarjant o'i amgylch.

'Dyna ddirgelwch arall. Mae e wedi mynd.'

'Mynd? Mynd i ble?'

'Does dim syniad gyda fi, Sarjant. Fe ofynnes i iddo fe aros yma tra oeddwn i'n eich ffonio, ond pan ddes i'n ôl roedd e wedi diflannu.'

'Rhyfedd 'te. Oeddech chi'n ei adnabod?'

'Erioed wedi'i weld e o'r blaen, ond roedd e wedi ei ddychryn.'

'Mae rhywbeth fel hyn yn ddigon i ddychryn unrhyw un. Diolch byth mai dim ond ni sy' ar y traeth y bore 'ma. Beth amdanat ti, Dai?'

'Beth ydych chi'n feddwl, Sarjant?'

'Beth wyt *ti'n* feddwl, bachan?'

'Bach iawn, Sarj. Merch ifanc weddol hardd yr olwg, gwallt golau, llygaid glas, yn hollol noeth, yn amlwg wedi ei llofruddio.' Oedodd am eiliad neu ddwy cyn mynd ymlaen. 'Yn amlwg wedi ei golchi lan gyda'r llanw.'

'Wel, da iawn ti!' Ffug ryfeddodd. 'Unrhyw beth arall?'

'Na, does dim arall yn mynd â'm sylw i. Cofiwch, dydw i ddim wedi symud y corff rhag amharu ar bethe cyn i fforensig gyrraedd. Mae olion traed y Capten a rhywun arall yn mynd a dod o gwmpas y lle, yn ogystal ag olion ci. Mae rhywun wedi chwydu ar y graig draw fan'co hefyd.'

Gofynnodd y Sarjant rai cwestiynau eraill i'r Capten cyn penderfynu mynd i gysylltu â'r heddlu yn Aberystwyth.

'Ga' i ddefnyddio eich ffôn, Capten?' holodd maes o law.

'Wrth gwrs. Dewch lan i'r tŷ. Wy'n siŵr eich bod yn barod am ddisied o de.' Ymfalchïai Capten Williams ei fod bellach yn rhan o'r ymchwiliadau swyddogol.

'Dai, dere dithe gyda fi at y car i nôl rhywbeth mwy addas i'w roi dros y corff, ac yna byddai hi'n well iti aros yma nes y dof i'n ôl.'

'O ie, o'r gorau, Sarjant,' atebodd Dai Rees yn ddiflas. Roedd meddwl am y ddisied boeth wedi codi'i galon ynghanol amgylchiadau digalon y bore.

* * *

Camodd Alun Morgan i lawr dros y creigiau o Awel Deg tuag at y traeth. Roedd wedi penderfynu ei bod yn hen bryd iddo fwynhau'r awyr iach yn hytrach na bod yn gaeth y tu mewn i bedair wal ei gartref newydd. Trawodd aer y môr ei ffroenau ac o'r funud honno teimlodd ei hun yn dechrau dod yn rhydd o'i garchar a chychwynnodd gerdded yn sionc ar hyd y traeth tuag at y môr.

'Hei, chi! Syr! Arhoswch!' clywodd rywun yn galw arno. Trodd yn araf a gwelodd blismon yn cerdded tuag ato'n llawn awdurdod a hunanbwysigrwydd. Sylwodd ar ei wisg: tair streipen arian ar y fraich. Rhingyll, o leiaf, meddyliodd.

Sylwodd hefyd ar amlinell corff yn gorwedd ar y creigiau, wedi'i guddio dan orchudd gwyn. Roedd wedi hen arfer â golygfeydd o'r fath.

'Ac o ble ddaethoch chi, 'te?' gofynnodd y Sarjant.

Roedd dros ugain mlynedd ers i unrhyw un siarad Cymraeg ag e a phenderfynodd mai aros yn Sais di-Gymraeg fyddai orau am nawr. Brysiodd y Sarjant tuag ato.

'Ac i ble'r y'ch chi'n meddwl y'ch chi'n mynd 'te?' holodd.

'Mae'n ddrwg gen i, Sarjant, ond dwi ddim yn siarad Cymraeg,' atebodd Morgan.

'Saesneg?' gofynnodd.

'Ydw, wy'n deall Saesneg yn iawn,' atebodd Morgan, ei wyneb yn hollol ddifynegiant ond roedd yn dechrau mwynhau ei hun erbyn hyn. Swyddog o'r heddlu heb ei adnabod – roedd hyn yn brofiad newydd!

'Na, na, gofyn oeddwn i ai Sais y'ch chi, nid holi a oeddech chi'n gallu siarad Saesneg,' cywirodd y Sarjant ei hun.

'O, wy'n gweld. Ie, Sais.'

'Ie, wrth gwrs,' nodiodd y Sarjant. 'Wy'n adnabod acen Llundain yn iawn.'

Gwenodd Morgan arno. Roedd hi'n ddigon gwir ei fod wedi datblygu acen ryfedd dros y blynyddoedd, acen anodd i'w lleoli, a doedd hi'n bendant ddim yn acen Gymreig.

'Y'ch chi'n byw yn agos?'

'Wy' wedi rhentu Awel Deg lan fan'co,' meddai gan gyfeirio at ben y clogwyn ac ynganu enw'r tŷ mewn modd hynod Seisnigaidd.

'Gwyliau o'r ddinas fawr ddrwg, syr?'

Ni allai Morgan oddef unrhyw un yn ei alw'n 'syr' a bu

bron iddo ollwng y gath o'r cwd ond cofiodd yn sydyn am ei 'fywyd' newydd a llwyddodd i frathu'i dafod mewn pryd.

'Gwella ar ôl afiechyd. Wy'n gobeithio cael tipyn o heddwch fan hyn. Beth sy' wedi digwydd draw fan acw?' holodd gan amneidio dros ysgwydd y plismon.

'Dim byd i chi boeni yn ei gylch, syr ... dim ar hyn o bryd beth bynnag.'

Ar hynny gwelodd y Sarjant gar mawr du yn dod i lawr y ffordd yn araf tuag at y traeth a gwyddai fod Heddlu Aberystwyth wedi cyrraedd. Ochneidiodd yn uchel.

'Popeth yn iawn felly. Ewch chi yn eich blaen 'te, syr. Dydd da,' a throdd yn ei ôl tuag at y creigiau.

Teimlai Morgan yn chwithig wrth sefyll yno'n gwylio'r Sarjant yn cerdded oddi wrtho tuag at ei gydweithwyr. Syllodd arno'n cerdded yn ei ôl ar draws y traeth i gyfarfod y ddau ŵr wrth iddynt ddod allan o'r car. Yna trodd Morgan a cherdded ar hyd y traeth tuag at y creigiau yr ochr arall.

Doedd Ditectif Inspector Martyn Ifans ddim yn hoff o unrhyw gynyrfiadau diangen yn ei waith, felly roedd cael ei alw allan o'i swyddfa gyfforddus yn Aberystwyth i ymchwilio i lofruddiaeth yng ngwaelodion y sir yn dân ar ei groen.

'Bore da, syr. Siwrne dda?' gofynnodd Jones yn gyfeillgar.

'Does yr un siwrne i Bwll Gwyn yn dda, Sarjant,' atebodd yr Inspector yn hallt. 'Nawr 'te, ble mae'r corff 'na?' mynnodd heb oedi i gyflwyno'i gydweithiwr.

'Draw ar y creigiau, syr. Dilynwch fi.'

'Gyda phwy oeddech chi'n siarad wrth i ni gyrraedd?' holodd Ifans wrth gerdded.

'Dim ond rhyw ymwelwr cynnar – o Lundain,' atebodd y Sarjant.

'Unrhyw gysylltiad â'r corff y'ch chi'n meddwl?' Y cydymaith ifanc oedd yn holi erbyn hyn. 'Cwnstabl Powell, gyda llaw. Ditectif Gwnstabl Powell.'

'Mae'n dda 'da fi eich cyfarfod chi, ond ynglŷn â'ch cwestiwn – na, dwi ddim yn meddwl.'

Ochneidiodd yr Inspector gan ddweud yn sarrug, 'Ie, wel, dyna pam ry'n ni 'ma, on'd ife? Gyda phob parch, Sarjant,' ategodd. 'Reit! Gadewch inni weld y corff 'ma. Gyda llaw, wy' wedi trefnu i'w gludo i'r ysbyty yn Aberystwyth – bydd yn rhaid cael post mortem.'

* * *

Eisteddodd Morgan ar Garreg y Fuwch gan droi ei gefn yn fwriadol ar yr hyn oedd yn digwydd yr ochr arall i'r traeth. Er ei fod yn ysu am gael gwybod beth oedd yn mynd ymlaen, caeodd ei lygaid a gadael i'w feddwl redeg yn rhydd gyda'r awel. Ond yr un golygfeydd a welai, yr un hen gwestiynau a'i boenai, sef y rhai hynny a oedd yn ei gadw ar ddi-hun bron bob nos ac yn ei yrru i yfed gormod nes eu bod yn cael eu boddi.

Roedd chwe wythnos wedi mynd heibio ers iddo adael Llundain; chwe wythnos ers y rhybudd a gafodd gan ei feistr, y tasgu brysiog i'w fflat ynghanol y ddinas ac i'w dŷ arall ar y cyrion i gasglu'r mân bethau y byddai arno'u hangen. Yna dianc. I fyny i'r Alban, i lawr i ogledd Cymru, draw am Iwerddon, 'nôl i Gymru. Newid ei enw, ceisio newid ei olwg, ond wastad yn rhedeg; rhedeg fel cachgi oddi wrth ei elynion. Roedd rhedeg yn gwbwl wrthun iddo, yn groes i'w egwyddorion a'i gydwybod. Rhedeg a rhedeg yn ddi-baid ac yntau heb wneud un dim o'i le, heblaw am beidio achub Alfred Capelo rhag ei dynged. Rhedeg nes cael cynnig tŷ ar osod ond gan anghofio gofyn ymhle yn union yr oedd y tŷ nes ei bod yn rhy hwyr. Derbyn y cyfeiriad. Pwll Gwyn. Bro ei febyd.

Trodd Morgan ei ben ac edrych yn ôl i gyfeiriad y tŷ, gan sylwi fod yr heddlu'n dal ar y creigiau. Pam mae cymaint ohonyn nhw yma tybed, meddyliodd. Digon derbyniol fyddai gweld un neu ddau o heddlu lleol petai damwain neu hunanladdiad wedi digwydd, ond paham y ditectifs? Roedd hi'n amlwg mai dyna'r oedden nhw. Y ddau yn eu cotiau llaes a'u hetiau llwyd a fyddai wedi gweddu'n well i'r pedwardegau yn hytrach na'r chwedegau presennol.

Clywodd y môr yn sugno'r tywod gerllaw a'r ffrwd fechan yn tincian i lawr y clogwyn wrth ei ymyl cyn taro'r creigiau ar yr ochr arall. Gwyddai y gallai ymlacio yma o'r diwedd a chael amser i hel meddyliau – amser i gofio.

Beth wyt ti ishe ei gofio, Morgan? Pe byddet ti'n troi ac yn edrych 'nôl ar hyd y traeth cyfarwydd hwn, beth fyddet ti'n ei weld? Pa atgofion sydd wedi bod ar goll ers cynifer o flynyddoedd?

Tro dy ben. Edrycha. Wyt ti'n gweld y crwtyn bach â'r gwallt tywyll, cyrliog – y crwt bach diniwed sy'n rhedeg yn rhydd ar hyd y traeth? Wyt ti'n cofio? Wyt ti'n ei gofio fe? Nid Sais oeddet ti bryd hynny, Alun!

Glywi di e'n chwerthin yn llawen wrth redeg i mewn i'r môr? Weli di ei dad yn ei ddysgu i nofio? Weli di dy fam yn chwerthin wrth alw'r ddau ohonoch i ddod i gael brechdan? Glywi di dy dad yn sgwrsio gyda'r hen

Gapten? Wyt ti'n teimlo hen allwedd rydlyd yn dechrau agor clo dy feddwl?'

Ond ble mae dy dad a dy fam? Wyt ti'n eu gweld? Na, dim ond y plismyn yn chwilio ar hyd y creigiau weli di bellach. Mae dy rieni wedi mynd, Alun bach. Y ddau wedi'u lladd yn yr un ddamwain ar y ffarm, dy hen gartref, ond doeddet ti ddim yno ar y pryd.

Ble roeddet ti, Alun? Pe byddet wedi bod yno, fyddai'r ddamwain wedi digwydd o gwbl?

Beth sy' wedi digwydd iti? Beth ddigwyddodd i'r crwt bach diniwed 'na? I ble'r aeth y chwerthin? I ble'r aeth yr hapusrwydd? I ble'r aeth dy fywyd bach cysurus, Alun Morgan?

Gwrthododd geisio cofio. Gwthiodd yr atgofion yn ôl i'w corneli tywyll yn ei feddwl – wedi'r cyfan, yno y buon nhw am dros ugain mlynedd. Pa ddiben codi hen grachen nawr?

Teimlodd y wefr gyfarwydd yn byrlymu drwy'i waed wrth i'r hen atgofion bylu a'r golygfeydd o heddweision yn y pellter yn neidio i'w lle – ond ni châi ef ymyrryd y tro hwn. Nid ei waith ef oedd dadansoddi na datrys. Sawl gwaith y byddai'n rhaid iddo droi ei ben i guddio'i ddoniau yn hytrach na pheryglu ei fywyd ei hun tybed?

Cododd Alun Morgan yn sydyn. Stwffiodd ei ddwylo i'w bocedi a dechreuodd gerdded oddi ar y creigiau. Roedd ei stumog yn galw ac fe wyddai'n iawn ble'r oedd siop fach y pentref.

PENNOD 6

Roedd Ricky Capelo wedi danto'n llwyr. Roedd chwe wythnos wedi hedfan heibio ers marwolaeth ei frawd bach. Chwe wythnos o ymchwilio manwl, chwe wythnos o gysylltu â'i rwydwaith ledled y wlad – ond hyd yn hyn doedd dim golwg o'r diawl a laddodd Alfred.

Pam yn y byd y penderfynodd ei frawd ymosod ar y cythraul 'na o bawb, a hynny ar ei ben ei hun? Ond dyna fe, doedd dim diben hel meddyliau bellach – roedd y peth wedi digwydd a nawr roedd hi'n hen bryd talu'r pwyth yn ôl. Dial oedd nod Ricky; dial mewn modd a fyddai'n cyfiawnhau'r hyn a ddigwyddodd i'w frawd.

Cafodd afael ar y wraig ifanc a wnaeth yr alwad ffôn ffug. Er mai dilyn gorchymyn Alfred wnaeth hi doedd dim maddau iddi am ei rhan yn y digwyddiadau. Yng ngolwg Ricky roedd pawb a oedd yn gysylltiedig â chynlluniau ei frawd yn gyfrifol i ryw raddau am y canlyniadau – ac roedd maddeuant yn rywbeth estron iddo. Felly, cafodd y wraig ddiniwed ei chadw'n garcharor mewn tŷ o'i eiddo gerllaw coedwig Epping.

'Gwna'n siŵr nad yw'n dianc, Ed,' gorchmynnodd ei brif was.

'Y'ch chi eisiau i mi ei lladd, bòs?'

'Na, dim eto. Mwynha ei chwmni – ti ar bois, ddydd a nos. Gwna'n siŵr nad yw hi'n anghofio ei bod yn rhannol gyfrifol am lofruddiaeth fy mrawd, ti'n deall?'

Ond ble oedd y prif dramgwyddwr? Roedd fel pe bai wedi diflannu oddi ar wyneb y ddaear.

Fel arfer byddai Ricky Capelo yn treulio pob penwythnos yng nghwmni ei deulu, yn ŵr ffyddlon i'w wraig ac yn dad tyner i'w ddau blentyn. Ond heddiw roedd un o aelodau ei rwydwaith am ei gyfarfod gan fod ganddo newyddion pwysig ynglŷn â'r ymchwiliad.

'Fe alla i weld nad wyt ti wedi dod o hyd i'r diawl,' meddai'n dawel wrth i'r gŵr ifanc gerdded i mewn i'w swyddfa. Gwyddai oddi wrth osgo'r llipryn nad oedd e wedi dod o hyd i'r ffoadur. Roedd ei wyneb yn chwyslyd a'i nerfusrwydd yn drewi'r ystafell.

'N-N-Nid yn hollol, Mister Capelo ...' baglodd John Pennington dros ei eiriau.

'Pam gwastraffu f'amser i fan hyn 'te?' torrodd Capelo ar ei draws. 'Wyddost ti beth? Oni bai amdanat ti fe fuaswn i wedi lladd y diawl fisoedd yn ôl. Ond na, fe wrandawes i arnat ti. Oni bai amdanat ti fe fydde 'mrawd yn fyw heddiw!' Cododd Capelo ei lais yn fygythiol.

Crynodd y dyn wrth weld y creulondeb gwyllt yn y llygaid bach duon o'i flaen.

'Wy' wedi dod o hyd i hwn,' meddai'n gyflym i geisio lliniaru rhywfaint ar dymer ei fos. Estynnodd ddarn o bapur melyn ar draws y ddesg.

'Beth ddiawl yw hwn?' Cipiodd Capelo'r papur yn wyllt.

'Rhyw fath o lythyr, Mister Capelo, ond dyw e'n gwneud dim synnwyr i mi. Mae e mewn iaith ryfedd.' Edrychodd Capelo ar y papur heb ddweud gair. 'Chi'n gweld, wy' wedi dod o hyd i'w gartref.'

Daliodd Capelo i syllu'n fanwl ar y llythyr fel pe bai'n

deall pob gair. Aeth Pennington ymlaen â'r hanes. 'Nid y fflat yn y ddinas oedd ei unig gartref. Roedd ganddo dŷ arall, allan yn Goodmayes, ac ... ac ... yno'r oedd e'n treulio'r rhan fwyaf o'i amser.'

Edrychodd Capelo'n syn arno. Roedd hyn yn ddatblygiad newydd.

'Cer 'mlaen ac eistedda lawr, da ti, ti'n gwneud y lle yn anniben,' gorchmynnodd.

Eisteddodd John Pennington yn ofalus gan ymlacio ychydig wrth i'w hyder gynyddu. Doedd neb yn cael gwahoddiad i eistedd yn swyddfa Ricky Capelo os nad oedd ei newyddion o ryw fudd i'r bos.

Ochneidiodd Pennington yn ddwfn cyn manylu sut yr oedd wedi mynd at y tŷ a chadw golwg arno am rai dyddiau. Eglurodd sut, yn rhinwedd ei swydd, yr oedd wedi siarad â'r cymdogion a'r rheiny wedi cadarnhau mai cartref Morgan oedd y lle.

'Felly fe dorrais i i mewn yn ofalus a chwilio'r lle o'r top i'r gwaelod i weld a oedd unrhyw gliwiau. Chwiliais ym mhob drâr, pob cwpwrdd, a hyd yn oed codi carpedi, nes dod ar draws hwnna o dan y carped yn y lolfa yn ymyl ei ddesg.'

Ni ddywedodd Capelo air. Edrychodd yn graff ar y gŵr; edrychodd eto ar y papur.

Ni wyddai Pennington a oedd wedi gwneud a dweud y pethau iawn ai peidio. Aeth yn ei flaen yn frysiog a chrynedig.

'Meddwl o'n i, pe bawn i'n torri mewn i'r tŷ efallai y cawn rhyw awgrym i ble mae e wedi dianc.' Sylweddolodd ei fod yn ailadrodd ei hun felly tawelodd ar ei union.

Bu Capelo yntau'n dawel am rai eiliadau. Sugnai'n bwyllog ar ei sigâr gan syllu ar y creadur nerfus o'i flaen.

'Rwyt ti wedi gwneud yn dda; rwyt ti wedi gwneud yn uffernol o dda a dweud y gwir. Rwyt ti wedi llwyddo lle methodd rhai llawer mwy blaenllaw na ti.' Crychodd wyneb Capelo a gwenodd am y tro cyntaf ers dyddiau. 'Llythyr wedi ei ysgrifennu yn y Gymraeg yw hwn weli di – ond dyn a ŵyr beth mae e'n olygu. Ond mae'n siŵr fod modd ei gyfieithu. Mae'r llythyr ei hunan yn hen ond mae'n dal yn berthnasol i Alan Morgan, er bod pwy bynnag ysgrifennodd e wedi sillafu ei enw'n anghywir ac wedi rhoi A-L-U-N yn hytrach nag A-L-A-N ynddo fe. Blydi twps yw'r Cymry, creda di fi.'

'Trueni nad ydyn ni'n deall yr iaith, on'd ife Mister Capelo?' Roedd Pennington ychydig yn fwy hyderus erbyn hyn.

'Paid â phoeni am 'na, wy'n adnabod sawl Cymro. Fe gaf gyfieithiad cyn nos.'

Chwifiodd y llythyr o'i flaen. 'Wel, wel! Pwy fydde wedi meddwl mai Taffi bach yw'r diawl afiach. Ditectif Chief Superintendent Taffi ffycin Morgan. Wy'n gallu arogli dy ddrewdod ar y papur 'ma – ac mi stwffia i fe i fyny dy din di pan fyddi di'n begian am drugaredd!'

Ond nid mater hawdd oedd cael cyfieithiad. Credai Capelo ei fod mor agos i ddatrys dirgelwch diflaniad yr heddwas ond Cymry di-Gymraeg oedd y mwyafrif helaeth o'r Cymry y gwyddai ef amdanynt – heblaw am un.

* * *

Cerddai Ifor Roberts yn hamddenol tuag at ei gartref nid nepell o orsaf Paddington ar ôl gorffen diwrnod arall o waith. Er nad oedd hi eto'n ddeg o'r gloch yn y bore, roedd eisoes wedi cyflawni'i wâc laeth am y dydd ac yn edrych ymlaen i fwynhau'r brecwast mawr y byddai ei bartner, Elinor, wedi ei baratoi iddo. Roedd ei feddwl ymhell fel y byddai bob amser wrth iddo gerdded adref ar hyd y strydoedd cyfarwydd. Breuddwydiai am brynu gwesty bychan yn Llundain – dyna ddymuniad y ddau ohonynt – ac felly ni sylwodd ar y car mawr yn stopio wrth ei ymyl. Ni sylwodd chwaith ar y ddau ddyn yn neidio ohono cyn iddynt ei wthio'n ddiseremoni i gefn y car.

'Mae Mister Capelo eisiau dy weld,' meddai Ed wrth ollwng ei afael ym mraich Ifor.

'Pam? Dydw i ddim wedi gwneud unrhyw beth o'i le!' atebodd Ifor yn grynedig.

'Pam? Pam?' ceryddodd Ed. 'Oes raid i Mister Capelo roi rheswm?'

Ricky Capelo oedd perchennog wâc laeth Ifor, a sawl wâc laeth arall yn y ddinas. Ricky Capelo oedd perchennog tŷ Ifor ac Elinor hefyd.

Gwthiwyd Ifor i mewn i swyddfa foethus Ricky. Syllodd ar yr wyneb cras, tagellog o'i flaen, y pen bron yn foel a'r ddau lygad didrugaredd.

'Ivor,' meddai Capelo, 'croeso i'm swyddfa fach ddiymhongar. Eistedda. Wy'n siŵr dy fod wedi blino ar ôl diwrnod caled o waith.'

Ufuddhaodd Ifor ar unwaith.

'Nawr 'te, rwyt ti'n Gymro, Ivor, ac rwyt ti'n medru siarad Cymraeg, on'd wyt ti?'

'Ydw,' atebodd Ifor wedi'i synnu gan y cwestiwn.

'Diolch i Dduw. 'Dyw pob Cymro ddim yn deall yr iaith wyddost ti?'

'Na, wy'n gwybod.' Roedd natur y sgwrs wedi drysu Ifor yn lân.

'Nawr 'te, Ivor, fy machgen i, dywed wrtha i beth mae hwn yn ei ddweud,' ac estynnodd y papur melyn i Ifor.

Teimlodd Ifor ei gorff yn ymlacio rhyw fymryn.

'Doeddet ti ddim yn nerfus, oeddet ti? Does dim rhaid iti fod yn nerfus. Ry'n ni'n gyfeillion. Ry'n ni i gyd yn gyfeillion fan hyn, on'd y'n ni, Ed?' Gwenodd Capelo.

'Ydyn, Mister Capelo,' atebodd y llais dwfn o gefn yr ystafell.

'Felly, Ivor, beth mae'r llythyr 'ma'n ei ddweud?'

Edrychodd Ifor yn graff ar y papur a'i ddarllen yn dawel.

'Mae e'n dweud wrth rhywun bod ei fam-gu wedi marw'n sydyn – trawiad ar y galon.'

'Dyna i gyd? Mae 'na'n lot o eiriau dim ond i ddweud 'na. Cyfieitha fe imi Ivor, air am air. Beth yw'r cyfeiriad, er enghraifft? I bwy mae e? Pwy anfonodd e, ac yn y blaen. Dere nawr, Ivor – 'na fachan da.' Gorchymyn yn hytrach nag awgrymu yr oedd Ricky nawr.

Darllenodd Ifor y llythyr am yr eilwaith. 'Does dim cyfeiriad, dim ond gorllewin Cymru, lle cefais i fy ngeni a'm magu. Mae e'n dweud "Annwyl Alun ..." '

'Alun?' gwylltiodd Capelo, 'Wyt ti'n siŵr mai Alun mae e'n ddweud – nid Alan?'

'Yn bendant, Mr Capelo. Alun yn y Gymraeg, Alan yn Saesneg.'

'Beth arall mae'r nodyn yn ei ddweud?'

Darllenodd Ifor y llythyr i Capelo gan ei gyfieithu i'r Saesneg ar y pryd.

'Sir Aberteifi, gorllewin Cymru. Annwyl Alun Morgan. Mae'n ddrwg 'da fi ond newyddion drwg sy gyda fi i ti. Bu dy fam-gu farw'n sydyn wythnos diwethaf. Trawiad ar ei chalon oedd yr achos. Mwy na thebyg na fyddi wedi cael yr hanes gan fod pethau fel y maent. Roedd yr angladd yn y Capel Mawr ac mae hi wedi'i chladdu yn y fynwent gyda gweddill y teulu. Os y cei di gyfle i ddod i'r ardal eto rhywdro, byddi'n gwybod ble mae'r bedd. Mae lan i ti i benderfynu hynny, Alun. Rwy'n sylweddoli pa mor brysur wyt ti. Rwy'n gobeithio y bydd hwn yn dy gyrraedd di fel y mae yn fy ngadael i. Does gen i ddim syniad beth yw dy gyfeiriad ond rwyt ti'n gwybod ble'r ydw i. Byddwn yn hapus i glywed gair gen ti. Dy hen ffrind fel erioed, Sal.'

Sylwodd Ifor fod Capelo'n gwrando'n astud ar y cyfieithiad.

'Diolch yn fawr i ti, 'machgen i, rwyt ti wedi gwneud yn arbennig o dda,' cymeradwyodd Capelo wedi i Ifor orffen. 'Un o ble'n union wyt ti 'te, Ivor?' gofynnodd.

Dechreuodd Ifor egluro ond distawodd Capelo ef gan godi oddi wrth ei ddesg. Mynnodd Capelo ei fod yn dangos y lleoliad cywir ar y map o ynysoedd Prydain a oedd ar y wal. Aeth Ifor draw ato a gosod ei fys ar Gastellnewydd Emlyn.

'Wel, pwy fydde'n meddwl! Oes 'na y ... gapel, beth 'chi'n galw, yn agos – gyda mynwent?'

'Mae 'na un fan hyn, wy'n siŵr o hynny,' a chyfeiriodd tuag at yr arfordir heb fod ymhell o'i gartref.

'Dwyt ti ddim yn digwydd adnabod dyn o'r enw Alan Morgan, neu Alun Morgan, wyt ti, Ivor? Boi tal gyda chraith gas ar hyd ei wyneb?'

Meddyliodd Ifor am eiliad neu ddwy cyn ateb, 'Nac ydw wir, Mr Capelo, mae'n ddrwg 'da fi.'

'Popeth yn iawn, Ivor bach, popeth yn iawn.'

Gafaelodd Capelo yn wyneb Ifor yn dadol a dweud yn

dyner, 'Ivor bach, chredet ti ddim pa mor ddiolchgar yr ydw i, pa mor wirioneddol hapus. Mae arna i ddyled fawr i ti, Ivor, dyled fawr iawn a chofia, dyw Ricky Capelo byth yn anghofio talu ei ddyledion.'

Dros y dyddiau nesaf bu Capelo'n cysylltu â'i weision yng Nghymru ond yr un oedd y stori – dim sôn am neb yn debyg i Alun Morgan, na neb o'i fath, yn unman.

Cyrhaeddodd ei swyddfa ar ddiwedd wythnos arall wedi dod i'r penderfyniad y byddai'n rhaid iddo ef ei hunan fynd i Gymru i chwilio am yr heddwas colledig – er na wyddai ddim o gwbl am y wlad na'i phobl. Roedd Ed yno o'i flaen yn syllu'n graff ar y map mawr ar y wal.

'Wy' wedi bod yn meddwl, Mister Capelo,' meddai Ed heb droi i wynebu'r bòs.

'Wel dyna beth yw rhyfeddod,' atebodd Capelo'n sarhaus.

Anwybyddodd Ed yr ateb. 'Chi'n gwybod shwt y'n ni wedi bod yn cysylltu â'n pobl yng Nghymru ...?' dechreuodd.

'Blydi gwastraff amser,' ebychodd Capelo.

'Digon posib, ond y'ch chi'n gweld yr ardaloedd yma ar y map?' cyfeiriodd â'i fys. 'Y'ch chi'n gwybod beth maen nhw'n ei alw?'

'Twll tin y byd?'

'Na, na, maen nhw'n galw'r rhain yn "anghysbell",' eglurodd Ed.

'Oes 'na wahaniaeth?' gofynnodd Capelo.

'Oes, wrth gwrs. 'Chi'n gweld, ry'n ni wedi bod yn chwilio am Morgan yn y trefi mawrion – ond does 'na ddim llawer ohonyn nhw. Mae llawer iawn mwy o'r ardaloedd 'ma ac o ble y dywedodd ein cyfaill bach Ivor, y boi llaeth 'na, yr oedd e'n dod yn wreiddiol?'

Dechreuodd Capelo dalu mwy o sylw i sylwadau ei was. Cododd o'i gadair ledr ac ymuno ag Ed o flaen y map. Dangosodd iddo ble'r oedd Castellnewydd Emlyn.

'Ie, dyna o'n i'n amau. Does dim un o'n cynrychiolwyr ni yn byw y cylch 'na. Y dref fwyaf yw Aberteifi, ac mae honno siŵr o fod yn shanti town.'

'Ble wyt ti'n meddwl mae e 'te – mewn rhyw dwll yn y ddaear?'

'O, wel, os nad oes diddordeb gyda chi, Mister Capelo ...' dechreuodd Ed ddigalonni. Ymddiheurodd Capelo gan erfyn arno i ddal ati â'i theori.

'Fe gymerwn ni ei fod e'n cuddio rywle yn yr ardal 'na ...' pwyntiodd at y map eto. '... Does dim gwahaniaeth ble'n union, ond ble bynnag mae e, mae'n weddol agos at yr arfordir. Y cyfan sy'n rhaid i ni ei wneud yw ei gael e i ddod i'r wyneb, fel petai, fel pysgodyn at abwyd, ond ... ond dwi ddim yn siwr iawn eto shwt i wneud 'na.'

Safodd Capelo'n dawel am eiliad neu ddwy cyn rhegi'n uchel a dweud, '... Ffycinel Ed, pa mor dwp y gall dyn fod? Mae gyda ni gyswllt yn fan hyn!' Cyfeiriodd unwaith eto at y map. 'Shwt yn y byd y gwnes i anghofio amdano fe, dwed y gwir? Os dwi'n cofio'n iawn mae arno fe ddyled i mi. Wel, Ed, daeth hi'n bryd iddo dalu'r ddyled honno.' Tynnodd ffeil o ddrâr ei ddesg. 'Dyma ni!' gwaeddodd wrth ei hagor a darllen y nodiadau. 'Nawr wy'n gwybod yn union shwt i ddod o hyd i'r diawl.' Tarodd Ed ar ei ysgwydd, gan wenu o glust i glust.

'Shwt?' holodd Ed.

'Rwyt ti'n eitha hoff o ferched ifanc, on'd wyt ti, Ed?'

'Hoff iawn,' atebodd y cawr o ddyn cryf a salw.

'Mae'r ferch 'na'n dal yn gaeth gyda ti on'd yw hi?'

'Ydi, Mister Capelo, wedi blino tipyn erbyn hyn, pam?' Chwarddodd yn greulon.

Eglurodd Capelo beth oedd ei gynllun a chwarddodd Ed unwaith eto wrth sylweddoli mai ei fraint ef fyddai ufuddhau i'w feistr. Yna rhoddodd Capelo ei fraich am ysgwyddau ei ffrind a'i gofleidio.

'Wy'n ffyddiog, Ed, yn ffyddiog iawn â'r cynllun yma. Daeth y dydd. Does dim gwahaniaeth am y gost – gwna beth rwyt ti'n teimlo sy' raid ei wneud. Ond cofia, wy' ishe iti ddod o hyd iddo'n fyw, a phan wnei di hynny, rho alwad i mi. Fi yw'r un i ddelio ag Alun Morgan; fi sy' ishe clywed y diawl yn sgrechian am drugaredd; fi yw'r un sy'n mynd i'w ladd yn y diwedd – a'r tro yma fydd 'na neb yno i'm stopio.' Roedd Capelo'n crynu bron gan orfoledd. 'Cer, cer nawr,' gorchmynnodd, 'a gwna'n siŵr dy fod yn anfon cerdyn post i mi o Gymru – gyda llun o'r wraig 'na a'r het ddu ryfedd,' chwarddodd.

Aeth Capelo'n ôl at ei ddesg a'r wên yn dal i oleuo'i wyneb. Crychodd y papur melyn yn ei ddwrn. O'r diwedd – roedd y disgwyl ar ben.

PENNOD 7

Ringer's A1 Shag Tobacco. Woodbine Cigarettes. Horniman's Tea. Roedd y platiau hysbysebu metel yn dal ar y wal y tu allan i'r siop fach. Gwyddai Morgan yn iawn y byddai'r gloch yn canu'n swnllyd wrth iddo agor y drws, ond pa olygfa fyddai yno'n ei ddisgwyl y tu mewn?

Fyddai ei dad yno yn sgwrsio gyda'r siopwr fel arfer? Fyddai'r ddau yn troi a gwenu arno a'i wahodd at y cownter pren a oedd yn llwythog o nwyddau? Fyddai'r naws gartrefol yn dal yno? Fyddai'r gymysgedd o wahanol aroglau yn dal i godi chwant arno? Ofnai Morgan agor y drws rhag chwalu ei freuddwydion yn dipiau mân.

Do, fe ganodd y gloch, ond dyna'r unig beth oedd wedi para dros y blynyddoedd. Y tu ôl i'r cownter safai siopwr newydd mewn côt frown golau ac o'i flaen roedd pedair gwraig na welsai Morgan mohonynt erioed o'r blaen. Pum pâr o lygaid yn troi fel un tuag ato. Daeth hiraeth trwm drosto – hiraeth am yr hen le, hiraeth am yr hen deimladau, hiraeth am yr hen wynebau cyfeillgar. Bu bron iddo ymddiheuro am dorri ar draws y seiat, troi ar ei sawdl a gadael, ond yn lle hynny gwenodd yn gyfeillgar arnynt a dweud 'Helo'.

'Shwt mae heddi?' meddai'r siopwr yn groesawgar.

Cymro glân gloyw oedd y bachgen bach fu'n sefyll o flaen y cownter gyda'i dad flynyddoedd yn ôl. Cymraeg oedd iaith y lle o hyd ac roedd hi'n mynd yn fwyfwy anodd i Morgan esgus nad oedd yn deall. Roedd hi'n amlwg ei fod wedi bod yn destun siarad cyn iddo gerdded i mewn, er nad oedd neb yn gwybod dim amdano.

'Chi sy'n Awel Deg ie? Chi sy'n aros 'na?' Datganiad yn hytrach na chwestiwn. Torrodd un o'r gwragedd ar draws ei feddyliau a'i Saesneg yn drwm o Gymreictod.

'Ie, 'chi'n iawn.'

'Popeth yn iawn – yn y tŷ wy'n feddwl?' Roedd golwg ofidus ar ei hwyneb.

'Ardderchog,' gwenodd arni cyn troi at y siopwr, 'A fyddai hi'n bosib ...'

'Tŷ crand. Fi yw Mari Troed y Rhiw, gyda llaw,' eglurodd tra oedd y gweddill yn dweud dim, dim ond edrych, gwenu a nodio'u pennau.

'A! Yr ofalwraig! Shwt y'ch chi? Mae'n dda iawn gen i eich cyfarfod chi.' Roedd Morgan bron marw eisiau cyfathrebu â hi yn Gymraeg – byddai hynny wedi bod yn llawer mwy cyfforddus iddi. Dyna'i hiaith naturiol ac roedd y Saesneg yn chwithig ar ei gwefusau.

Estynnodd ei law iddi. Gafaelodd Mari'n dyner yn y llaw gref a bu ond y dim iddi foesymgrymu o'i flaen!

'O! ie,' meddai Mari'n swil ond yn falch o fod â mwy o hawl ar y dieithryn na'i chymdogion.

Trodd Morgan at y siopwr ond cyn cael cyfle i ofyn dim torrodd Mari ar ei draws unwaith eto. 'Mae'n fraint gen i eich cyfarfod, Mister Morris,' meddai â gwên lydan ar ei hwyneb.

Roedd Morgan ar fin ei chywiro pan gofiodd am ei enw dros dro. Gwenodd a chyflwyno'i hun i'w gynulleidfa. Yna daeth hi'n dro Mari unwaith eto.

'Petaech yn dymuno gallwn ddod i lanhau'r tŷ i chi,

Mister Morris. Nawr, dwi ddim eisiau i chi feddwl fy mod i'n, chi'n gwybod ...' Trodd at y menywod eraill, 'Wel, so chi'n gwybod y'ch chi,' ac yn ôl at Morgan, 'Mae'r Capten a Missis Jones yn bobol lân iawn.'

'Mae'n swnio'n syniad da iawn i mi,' atebodd Morgan. 'Mae'n rhaid i mi gyfaddef nad ydw i'n un da iawn am lanhau.' Sylweddolodd ei fod yn dechrau swnio'n ormod o ben bach felly aeth yn ei flaen, 'Fedrwch chi alw – beth ddywedwn ni – ddeuddydd yr wythnos i lanhau'r lle? Faint fyddech chi'n ei godi?'

Atebodd Mari heb oedi a chytunwyd ar y pris.

'Rhagorol! Pryd fedrwch chi ddechrau?'

'Prynhawn 'ma,' atebodd hithau eto yn blwmp ac yn blaen.

'Ardderchog. Mae gennych chi allweddi on'd oes felly fe allwch chi fynd a dod fel y mynnoch. Gadawaf yr arian ar fwrdd y gegin i chi.'

Tawelodd Mari ar ôl setlo'r trefniadau a theimlodd ei hwyneb yn dechrau gwrido. Roedd y tair arall yn dal i wenu a nodio'u pennau ar y dieithryn.

Dechreuodd Morgan deimlo'n chwithig ond roedd Mari, fodd bynnag, wedi hoffi'r Sais hwn. Sylwodd ar y tristwch yn ei lygaid, y blinder ar ei wyneb, y graith ar ei foch. gallai Mari fesur cymeriad mewn chwinciad a gwyddai fod tristwch aruthrol yn poeni'r dyn.

'Hoffwn brynu torth, os gwelwch yn dda,' cofiodd Morgan ddiben ei ymweliad.

'Torth, Mister Morris?' gofynnodd y siopwr fel pe bai bara yn rhywbeth ecsotig iawn.

'Ie, torth o fara. Does dim gwahaniaeth pa fath – gwyn, brown, graneri, un fawr neu un fach.'

'O diar, mae'r bara i gyd wedi mynd – wedi'i werthu, y cyfan wedi mynd, wedi gorffen,' meddai gan chwerthin yn nerfus. 'Chi'n gweld, Mister Morris,' eglurodd, fel athro amyneddgar yn siarad â phlentyn bach, 'mae'n rhaid i chi archebu'r bara ymlaen llaw, y diwrnod blaenorol fel arfer, ac mae'r bara'n dod i mewn yma ar ddydd Llun, dydd Mercher a dydd Gwener. Fel mae'r Beibl yn ei ddweud, "Nid ar fara bydd dyn unig yn byw ..." ' drysodd yr adnod yn lân wrth geisio'i chyfieithu. 'Diawl, nage! Beth yw'r dywediad dywedwch?' gofynnodd i'r lleill.

'Peidiwch â phoeni. Oes 'da chi syniad ble y gallwn i gael bara?' holodd.

'Naill ai draw yn Llandysul, neu Gei Newydd,' awgrymodd Doreen, gwraig y siopwr. 'Neu mae 'na ddwy siop fara yn Aberaeron, neu Aberteifi wrth gwrs. Oes car 'da chi?'

'O, wes, un mawr,' ebychodd Mari yn Gymraeg ac yna yn yr iaith fain. 'Oes wir, mae car mawr posh gydag chi,' cyfieithodd.

Gwenodd Morgan arni, 'Dy'ch chi ddim yn colli llawer y dyddiau 'ma, Mari, nag y'ch chi?'

'Nag ydw, wir, wy' wedi magu lot o bwysau yn ddiweddar, ond sut oeddech chi'n gwybod hynny, Mister Morris? Shwt ddiawl ma' fe'n gwbod?' edrychodd ar y lleill.

'Na hidiwch. Fe welwn ni ein gilydd eto'n fuan,' a gadawodd y siop yn gyflym.

Oedd, roedd y sefyllfa wedi mynd yn drech nag e.

'Wy'n siwr 'mod i'n ei nabod e, chi'n gwybod. Mae 'na rywbeth yn ei gylch e ... ond 'na fe, mae 'nghof i'n mynd. Ddaw henaint ddim ei hunan, sbo,' sibrydodd Mari wrth y lleill.

Cerddodd Morgan heibio i'r tŷ tafarn ac i fyny'r ffordd

tuag at Awel Deg. Gwenodd wrth gofio'r sgwrs yn y siop fach.

'Reit 'te, Cei Newydd neu Aberaeron amdani,' meddai'n dawel ac yna synnodd o sylweddoli ei fod wedi defnyddio'i Gymraeg am y tro cyntaf ers blynyddoedd maith. Cerddodd i'r tŷ a chwarddodd yn llawen am y tro cyntaf ers oes. Edrychodd draw tuag at y pentref a daeth yr hiraeth yn ei ôl.

Am bwy wyt ti'n hiraethu, Alun Morgan? daeth llais ei gydwybod yn ôl i'w holi. Hiraethu am dy ieuenctid byr, addawol wyt ti? Hiraethu am dy rieni? Chefaist ti mo'r cyfle i ffarwelio â'r rhai oeddet ti'n eu caru. Digwyddodd popeth mor gyflym. Do, diflannodd pawb a'th adael a'r ben dy hun ddwy flynedd ar hugain yn ôl.

Weli di nhw nawr? Deimli di nhw yma? Wynebau cyfarwydd dy deulu; y tri yn gwenu yn hapus arnat – dy fam, dy dad, dy fam-gu. Ond mae 'na un arall yng nghysgodion dy atgofion on'd oes, ond nid yw'r wyneb hwnnw ymysg y meirw. Dyma beth yw hiraeth, Alun; dyma beth yw unigedd. Ydi hi'n rhy hwyr iti alaru, Alun Morgan?'

Ond unwaith eto, caeodd Morgan ddrws ei feddyliau'n glep. Gwasgodd yr atgofion o'i ddychymyg a chlirio'i feddwl yn lân. Fedrai hyd yn oed Mari ddim gwneud hynny!

* * *

Yn y sgubor fawr ar ffarm Tŷ Newydd eisteddai un o'r gweision ar y llawr yn cofio'r olygfa erchyll a welodd yn gynharach. Gwelodd y coesau hirion, y dwylo gwyn, y bronnau, yr holl gorff yn noeth. Yn ei ddychymyg roedd y ferch yn fyw ac yn gwenu arno. Wrth iddo feddwl amdani, cododd y ferch oddi ar y graig a cherdded tuag ato.

Symudodd y llanc ifanc ei law, gafael yng ngwregys ei drowsus a datod y bwcl. Yna agorodd y botymau, caeodd ei lygaid a throdd i orwedd ar ei fol.

* * *

Teimlai Sarjant Jones yn weddol fodlon ei fyd wrth barcio'i gar y tu allan i'w swyddfa. Byddai'n dod yn llawer mwy adnabyddus ar ôl yr achos hwn. Roedd rhywbeth mawr wedi digwydd yn yr ardal o'r diwedd a dyma'i gyfle i ddangos ei ddoniau gerbron y byd.

Digon gwir mai CID Aberystwyth oedd yn arwain yr achos ond faint o ddiddordeb oedd ganddyn nhw mewn gwirionedd? A'r Inspector Martyn Ifans 'na. Beth oedd e'n ei ddeall? Cofiodd ef yn dod ato yn gwnstabl ifanc, diniwed tua deng mlynedd yn ôl, heb wybod dim am y gyfraith nac am droseddwyr chwaith, a ble'r oedd e nawr? Ditectif Inspector Martyn Ifans, is-bennaeth CID Aberystwyth (diolch i gyfeillgarwch ei fam a'r Aelod Seneddol lleol, medden nhw!). A Ditectif Cwnstabl Powell, wel, dyna beth oedd oen sugno. O! oedd, roedd y ddau yn edrych yn hollbwysig yn eu cotiau llwyd a'r car mawr du ond doedd gan neb fwy o wybodaeth bersonol am yr ardal a'i phobl nag e. Doedd neb gwell nag e i ddatrys y dirgelwch yma.

Dychmygodd weld ei lun nid yn unig yn y papurau lleol ond ar dudalen flaen y *Western Mail* yn ogystal. Fe fyddai'n cael y clod ar ddiwedd y dydd.

Byddai'r Sarjant yn dal ym myd breuddwydion oni bai i lais ei wraig dorri ar draws ei feddyliau.

'O! John bach, diolch byth dy fod 'nôl. Mae 'na ferch ifanc wedi diflannu o'i chartre ...'

PENNOD 8

'Beth wyt ti'n ei feddwl, merch wedi diflannu o'i chartre?' gwaeddodd yn wyllt ar ôl clywed y newyddion. 'Pwy yw hi? O ble mae hi wedi diflannu? Wnest ti ofyn?'

'Nawr gwranda 'ma, 'sdim ishe gweiddi fel'na arna i. Gwneud ffafr oeddwn i yn derbyn yr alwad ffôn yn y lle cyntaf,' amddiffynnodd Siwsan ei hunan.

'Ie, ie, olreit. Nawr, rho'r manylion i mi,' a cherddodd y Sarjant at ei ddesg.

Synnodd Siwsan at ymateb ei gŵr a'r gwrid tywyll a ddaeth i'w wyneb mor sydyn. Roedd hi'n amlwg fod yr achos hwn yn pwyso arno'n aruthrol ond gwyddai hefyd nad oedd iechyd ei gŵr gant y cant a bod ei bwysedd gwaed yn uchel. Fodd bynnag, pan ddychwelodd o'r gegin gyda disied o de, roedd y Sarjant yn eistedd yn dawel â lliw mwy naturiol a'r ei wyneb.

'Reit 'te, Rhian Dafis yw enw'r ferch,' dechreuodd Siwsan egluro.

'Wnest ti ofyn faint yw ei hoedran hi?' edrychodd y Sarjant ar ei wraig.

'Do, dwy a'r bymtheg.'

'Diolch byth am hynny,' ebychodd y Sarjant yn dawel. Nid hi oedd y corff ar y creigiau felly. Roedd honno'n hŷn.

'Dyma ni,' edrychodd Siwsan ar ei nodiadau. 'Rhian Dafis. Merch ffarm Tŷ Newydd. Marged, ei mam, wnaeth ffonio. Roedd hi'n ypset ofnadwy, yn naturiol ...'

'Ffarm Tŷ Newydd?' torrodd y Sarjant ar ei thraws. 'Nid Tŷ Newydd ...?'

'Tŷ Newydd, Pwll Gwyn. Pam?'

Rhegodd John Jones yn uchel.

'John! Does dim angen iaith anweddus fel'na,' ceryddodd ei wraig.

'Ond Esgyrn Dafydd, fenyw, wy' newydd ddod 'nôl o Bwll Gwyn!' llefodd yn anobeithiol.

Ac felly, am yr eilwaith y diwrnod hwnnw, dringodd Sarjant Jones i mewn i'w gar bach ac anelu tuag at Bwll Gwyn. Roedd blas cas yn ei geg ac am unwaith ni sylwodd ar yr olygfa hyfryd o'i flaen, y caeau ir, y môr gwyrddlas na thawelwch yr ardal.

* * *

Yn gynnar yn y prynhawn gadawodd Morgan Awel Deg yn ei Rover du. Pasiodd Mari ar ei ffordd i lawr i'r pentref a chododd ei law yn gyfeillgar. Gwenodd yr hen wraig arno. Diolchodd yn dawel ei fod wedi cofio cuddio popeth a allai ddatgelu ffeithiau cudd am ei fywyd preifat.

Gyrrodd i fyny'r rhiw tuag at y briffordd. Penderfynodd mai anelu am Gei Newydd ac Aberaeron fyddai orau. Arhosodd i brynu petrol ym Mrynhoffnant cyn mynd yn ei flaen i Synod Inn a throi'r car i'r chwith ac i lawr tuag at y Cei.

Wyt ti'n cofio dod y ffordd yma o'r blaen, Alun Morgan? Faint oedd dy oedran bryd hynny dwed – wyth neu naw? Treuliaist bythefnos yn y Cei gyda dy fam tra oedd hi'n gwella ar ôl rhyw afiechyd. Wnest ti erioed ddarganfod achos yr afiechyd. Rhy hwyr i ofyn, nawr. Dy dad yn mynnu eich bod yn aros mewn gwesty ger y môr. Wyt ti'n cofio, Alun?

Tybed a oedd y gwesty'n dal yno?

Gwyddai'n iawn ble'r oedd y siop fara. Arferai gael ei anfon yno fel gwas bach i nôl bara ffres pan oedd angen, tra byddai ei fam yn gorwedd ar ei gwely. Ond y tro hwn roedd y siop wedi cau am y dydd. Doedd ganddo ddim dewis felly – rhaid oedd mynd ymlaen am Aberaeron.

Gyrrodd o amgylch y pentref gan synnu gweld ambell un o'r trigolion yn codi llaw i'w gyfarch fel pe baent yn ei adnabod. Ni welodd gar arall nes cyrraedd y ffordd fawr yn Synod Inn. Arhosodd am funud i adael i gar arall a ddeuai i fyny o gyfeiriad Aberteifi i fynd heibio. Adnabyddodd y ddau heddwas ar unwaith. Roedd y gyrrwr ifanc yn dal i wisgo'i het a honno wedi'i thynnu dros un llygad. Trodd Morgan ei gar i'r chwith a'u dilyn i gyfeiriad Aberaeron.

Gyrrodd yn araf i lawr tuag at y dref fach gan anelu i'r chwith am yr harbwr a pharcio'r car yn ofalus. Arhosodd i edmygu'r olygfa – doedd e erioed wedi bod yn y fan yma o'r blaen. Ni wyddai am ba mor hir y safodd yno i wylio'r cychod pysgota a'r llongau bach yn siglo'n dawel. Doedd dim sŵn yn unman heblaw am gri'r gwylanod uwch ei ben.

O'r diwedd cofiodd beth oedd diben ei daith a dechreuodd gerdded yn ôl tuag at y dref. Ymhen hanner canllath daeth o hyd i gaffi a oedd yn dal ar agor ac aeth i mewn gan ddewis bwrdd ger y ffenestr. Roedd aroglau tynnu-dŵr-o-ddannedd yn taro'i ffroenau gan dynnu atgofion melys i'w canlyn, heb sôn am dynnu gwacter i'w stumog.

'Be alla i wneud i chi, syr?' daeth llais gwraig o rywle. Yna gwelodd wraig yn ei thrigeiniau mewn ffedog las a gwyn yn sefyll y tu ôl i'r cownter a'i gwallt brith yn bradychu'i hoedran.

'Mae'n ddrwg gen i ...' Nid oedd eto'n barod i fentro'i Gymraeg.

'Beth hoffech i'w fwyta?' newidiodd y wraig ei hiaith heb unrhyw ffwdan a cherddodd tuag ato.

Archebodd Morgan ei fwyd gan wenu'n gyfeillgar arni. Roedd hi'n ei atgoffa o rywun ond methai gofio pwy ar yr union eiliad honno. Roedd hi'n amlwg yn mwynhau ei gwaith ac yn awyddus i sgwrsio. Soniodd am y llu o wobrau a enillodd am ei theisennau a'i bara a bu bron i Morgan gyfaddef fod ei fam-gu yn arfer coginio popeth gartref hefyd, nes iddo gofio cau ei geg a sylwi ar y ddau dditectif a eisteddai yn nghornel bella'r caffi. Ychwanegodd ddwy dorth at ei archeb. Gwenodd y wraig yn gyfeillgar arno. Ei fam-gu! Wrth gwrs, roedd y wraig yr un ffunud â'i fam-gu.

'O, wir! Chi ddynion,' meddai dan chwerthin a gwrido. 'Dim ond bwyd sydd ar eich meddylie chi, o fore gwyn tan nos.'

Gwyliodd Morgan y ddau ditectif yn gadael fel pe na baent wedi sylwi arno o gwbl ond gwyddai eu bod wedi bod yn ei wylio. Llowciodd pob briwsionyn yn awchus fel pe na bai wedi bwyta ers dyddiau ac ar ôl gorffen cododd at y cownter er mwyn talu.

Daeth y wraig allan o'r gegin gyda pharsel yn ei dwylo. Edrychodd dros ei ysgwydd draw tuag at ei fwrdd. 'Mae'n bleser coginio ar gyfer rhywun sy'n gwerthfawrogi ei fwyd,' meddai a gwenodd arno eto.

Ni wyddai Morgan beth ddaeth drosto'r eiliad honno. Edrychodd i fyw llygaid y wraig, rhoddodd ei ddwy law ar ei bochau, plygodd tuag ati a'i chusanu'n ysgafn ar ei gwefusau. Ni fyddai'r wraig byth yn cael gwybod mai cusanu'i fam-gu a wnaeth Morgan fodd bynnag.

'Mae'n ddrwg gen i ond rydych yn f'atgoffa o rywun a oedd yn annwyl iawn i mi,' meddai'n ffwndrus. 'Mae'ch gŵr yn fachan lwcus iawn.'

'O! wel ...' Wyddai hi ddim sut i ymateb. Doedd neb wedi'i chusanu mor dyner erioed o'r blaen, yn enwedig gŵr mor ddeniadol â hwn. Teimlai'n ifanc unwaith eto! 'Dyma'r bara a dwi wedi rhoi potyn o'r jam i mewn i chi hefyd.'

Talodd Morgan yn hael am y bwyd gan wrthod unrhyw newid.

'Na, na, mae hi wedi bod yn fraint eich cyfarfod a, credwch chi fi, fe fyddaf yn galw eto.'

Cydiodd hithau'n ei law. 'Diolch yn fawr, syr,' sibrydodd. Bu bron i Morgan ddweud y drefn wrthi am y 'syr' ond gwelodd bod deigryn yn cronni'n ei llygaid gwyrddlas.

Gadawodd Aberaeron yn hamddenol. Anelodd am Bwll Gwyn gan deimlo'n haelionus braf â'i fol yn llawn.

* * *

'Wyt ti'n meddwl ein bod ni wedi archwilio'r creigiau 'na'n ddigon manwl, Powell?' gofynnodd Martyn Ifans ar ôl iddynt ddychwelyd i'r swyddfa. Heb aros am ateb aeth yn ei flaen, 'Wy' am iti fynd i lawr i Bwll Gwyn fory nesa i wneud rhagor o ymchwiliadau. Chwilia'r creigiau yn fanwl, hola rai o'r bobol leol, mae'n rhaid bod 'na atebion i'r dirgelwch 'ma.'

Mewn gwirionedd, doedd gan Ifans ddim syniad ble i ddechrau ar ei ymchwiliadau. Doedd dim byd fel hyn wedi digwydd iddo o'r blaen yn ystod ei yrfa fer. Pam yn y byd oedd rhaid i'r Siwper fod yn absennol nawr? Oedd e'n ymchwilio i lofruddiaeth? Oedd, wrth gwrs hynny, ond byddai hunanladdiad wedi bod yn llawer mwy cyfleus. Llawer iawn llai o waith ymchwilio, llai o waith papur, llai o ffwdan.

'Hoffwn i i ti fod yn gyfrifol am yr ymchwiliadau, Powell, iawn? Fe fydd yn brofiad da iti os wyt ti am gael dyrchafiad.'

Ni ddywedodd Powell yr un gair ond teimlai ei fod yn cael y cyfle, o'r diwedd, i ddangos ei ddoniau fel heddwas.

PENNOD 9

Wrth iddo adael Aberaeron, daliai meddwl Alun Morgan i grwydro 'nôl i'r gorffennol.

I ble'r ei di nawr, Alun? Yn ôl i ffarm dy rieni? Wyt ti'n gweld y crwt bach yn rhedeg ar hyd y caeau? Wyt ti'n clywed y chwerthin, y gweiddi a'r prysurdeb? Wyt ti'n teimlo'r hapusrwydd oedd yn llenwi dy gartref yn y dyddiau a fu? Wyt ti'n gweld yr hen ddrws cefn? Ydi e led y pen ar agor fel arfer a'r gegin braf â'r bwrdd swper wedi'i lwytho â phob math o fwydydd blasus? Ni allai'r un plentyn ofyn am well magwraeth.

Weli di dy fam-gu yn llenwi'r lle ac yn llawn diwydrwydd yn ei ffedog las a gwyn? Weli di hi'n dy gwrso â llwy bren yn ei llaw? Glywi di ei llais melys a'i chwerthiniad heintus? Ydi dy galon yn meddalu o'r diwedd, Alun Morgan?

Roedd y darlun yn glir yn ei feddwl. Roedd y wraig yn y caffi yn Aberaeron wedi agor llifddorau ei atgofion. Gwelai hi'n iawn, gyda'i gwallt gwyn wedi ei ddal yn ei le gan filoedd o binniau gwallt. Dim ond unwaith erioed y'i gwelodd â'i gwallt yn rhydd a hwnnw'n llifo hyd at waelod ei chefn bron, fel tonnau o sidan gwyn.

Pan gyrhaeddodd Synod Inn, yn hytrach na gyrru ymlaen ar hyd ffordd Aberteifi, yn reddfol bron fe drodd y car i'r chwith ac anelu am Landysul.

Ymlaen ag ef heb weld yr un car. I lawr drwy bentref Llandysul, dros y bont a groesai afon Teifi a thrwy Bontwely. Ymlaen wedyn drwy Bentre-cwrt a'r atgofion clir o dyddiau ei blentyndod yn dal i lifo fel ffilm yn ei ben, cyn iddo sylweddoli ei fod ar y ffordd anghywir. Erbyn cyrraedd Pont Henllan dechreuodd bendroni pam yn y byd y daethai'r ffordd yma? Aeth ymlaen drwy Gastellnewydd Emlyn a chyn hir roedd yn parcio'i gar y tu allan i fynwent Capel Mawr.

Edrychodd ar y giatiau caeedig o'i flaen a'r gadwyn haearn wedi ei rhwymo a'i chloi o'u hamgylch. I gadw bwganod fel ef draw, gwenodd wrtho'i hun. Eisteddodd yn ei gar i gael trefn ar ei feddwl. Roedd y lle hwn yn ddieithr iddo. Cofiai mai dim ond rhyw unwaith neu ddwy y bu yno erioed, a hynny yng nghwmni ei rieni pan fyddai'r teulu bach ar eu ffordd i Bwll Gwyn. Nid oedd ganddynt fawr o achos dod i'r fynwent y dyddiau hynny. Ei dad-cu oedd yr unig aelod oedd wedi ei gladdu yno ar y pryd, a hwnnw wedi marw cyn i Morgan gael ei eni. Roedd hi braidd yn wahanol erbyn heddiw.

Daeth allan o'r car a chwiliodd am fynedfa arall. Ystyriodd ddringo dros y giatiau. Digwyddiad y byddai unrhyw un arall o amgylch y lle yr amser hyn o'r dydd. Ond gwelodd y sticil bren yr oedd wedi chwarae arni unwaith. Dringodd drosti er mwyn mynd i mewn i'r fynwent.

Roedd y dydd yn prysur ddod i ben a hithau'n nosi'n gyflym, ond ble'r oedd bedd y teulu? Ar y dde neu'r chwith? Ceisiodd gofio'r tro olaf iddo ddod yma gyda'i rieni i roi blodau ar y bedd. Edrychodd o'i amgylch. Sylwodd ar gerflun gwyn bychan ar ei law dde ac roedd ganddo frith gof ei fod wedi rhedeg o'i amgylch unwaith. Synhwyrodd fod bedd y teulu yn agos iddo. Cerddodd yn araf rhwng y cerrig beddau gan daflu cipolwg ar yr enwau cerfiedig nad oedd yn golygu dim iddo. Dychmygodd ei fam-gu yn edrych ar yr enwau yn yr un modd ac yn medru dweud hanes amryw un wrtho. Oedd, roedd ei deulu yn perthyn i'r cylch ond estron oedd e erbyn hyn.

Daeth ar draws y bedd a syllodd ar yr enwau o'i flaen. Darllenodd yr enwau euraid ar y garreg fedd ddu. Gwyrodd ymlaen a thynnu ei fys yn dyner dros y llythrennau. Dwy flynedd ar hugain, o leiaf, ers iddo fod mor agos i'w deulu, y pedwar yn anwahanadwy – unwaith. Teimlai'n unig iawn wrth ochr y bedd. Sylweddolodd mai ef oedd yr olaf o'r teulu bach ond doedd dim lle ar ôl ar y garreg i'r un enw arall. Doedd 'na ddim lle iddo ef. Enw ei fam-gu oedd yr olaf ar y rhestr fechan.

Roedd rhywun wedi rhoi blodau ffres yn y pot haearn. Nid oedd chwynnyn i'w weld ar y bedd a'r cerrig bach gwynion yn disgleirio yn y tywyllwch, yn wahanol i sawl bedd arall gerllaw. Tybed pwy oedd yn gofalu am orffwysfan ei deulu? Meddyliodd am Sal, neu tybed a oedd 'na ryw berthynas arall, efallai, yn gofalu am bethau? Daeth ton o euogrwydd drosto wrth sylweddoli iddo osgoi ei gyfrifoldebau ers cyhyd. Fe fyddai hi wedi bod yn ddigon hawdd iddo ddychwelyd i'r ardal o bryd i'w gilydd ond nid dyna'i ffordd ers blynyddoedd bellach.

Crynodd yn sydyn a theimlo rhyw ias fel petai ganddo gwmni yn y fynwent. Edrychodd o'i amgylch ond nid oedd neb i weld – neb byw o leiaf! Ysbrydion efallai? Gwenodd gan obeithio ei fod yn eu hadnabod. Byddai'n rhoi'r byd i gyd am gael cyfarfod o leiaf dri ysbryd y noson honno!

Ar ôl myfyrio am amser uwch bedd ei anwyliaid, a'r nos

yn taflu ei mantell dywyll dros y lle, dechreuodd Morgan gerdded yn ôl tuag at y car. Taniodd y modur gan feddwl troi a galw i weld Sal – ond i ba ddiben? I ddiolch iddi am warchod y bedd? Beth fyddai ei barn bellach tybed, ac yntau wedi torri pob cysylltiad yn llwyr gyda hi a'i gynefin. A sut yn y byd y medrai egluro'r 'gwyliau' hwn, heb air o rybudd i neb?

Cofiodd am y llythyr a anfonodd hi ato gyda'r newyddion drwg am ei fam-gu? Nid oedd wedi ffwdanu'i hateb. Roedd yn rhy brysur yn gwneud rhywbeth arall ar y pryd, neu'n chwilio am esgus i beidio. Roedd hwnnw'n rheswm arall i beidio galw. Cofiodd ei fod wedi darllen y llythyr dro ar ôl tro – dyna'r unig gysylltiad â'i gynefin dros y blynyddoedd ac ni wnaeth unrhyw ymdrech i'w ateb. Beth ddigwyddodd i'r llythyr 'na, tybed?

Dychwelodd i Awel Deg a chymorth y botel.

* * *

Dim ond merched oedd ar ei feddwl! Un yn farw, un ar goll a'i mam a'i thad ar bigau'r drain, pwysau'r byd ar ei ysgwyddau, pen tost, dolur yn ei gylla ar ôl bwyta gormod o fwyd Marged Tŷ Newydd, dyma beth oedd dechrau da i wythnos! Dim ond un peth oedd Sarjant Jones ishe – noson gynnar yn ei wely, ond gwyddai fod ganddo fwy o waith i'w wneud cyn diwedd y dydd. Cysurodd ei hun nad corff merch Tŷ Newydd a ddarganfuwyd ar y creigiau y bore 'ma. Felly pwy oedd honno a ble'r oedd y llall? Gwyddai y byddai'n rhaid rhoi'r ddwy stori i'r papurau newydd a chyn hir byddai haid o newyddiadurwyr yn llenwi traeth Pwll Gwyn, y pentref a'r ardal.

'Dwi ddim yn gwybod pam dy fod di'n becso shwt gymaint. Dyw'r papurau lleol ddim yn dod mas tan dydd Iau ac erbyn hynny bydd yr holl beth wedi'i ddatrys. Felly, tan hynny 'sdim rhaid iti ddweud y stori'n llawn, nag oes e?'

'Wyddost ti beth?' cydiodd y Sarjant yn dyner yn ei wraig, 'Wy'n teimlo ambell waith y byddet ti'n gwneud gwell plismon na fi. Mae mwy o synnwyr cyffredin 'da ti beth bynnag!'

'Cer o 'ma,' atebodd ei wraig yn ddiymhongar ond gwyddai fod 'na dipyn o wirionedd yn ei eiriau.

'Wyddost ti beth wy'n mynd i'w wneud nawr?'

'Beth?' holodd Siwsan.

'Wy'n mynd i ffonio'r Teifi Seid a dweud wrthyn nhw ein bod ni wedi darganfod corff merch ifanc ar draeth Pwll Gwyn, ei fod yn edrych yn debyg i hunanladdiad ond y bydd 'na ragor o fanylion yn nes ymlaen ar ôl inni gael adroddiad y patholegydd.'

'Jiw, jiw, pam na fydden i wedi meddwl am 'na?' cymeradwyodd ei wraig. 'Ond beth sy' wedi digwydd i'r ferch fach arall 'te?' holodd wrth i'w gŵr godi i fynd at y ffôn.

'O, diawl, mae'r gythrel fach 'na siwr o fod wedi mynd i aros gyda ffrind, neu gariad 'falle,' atebodd yn ddideimlad. 'Mae hynny'n amlwg. Roedd hi wedi mynd â bag bach a manion personol gyda hi. Wrth gwrs, fe fydd yn rhaid inni ymchwilio i'w diflaniad hithe hefyd, anfon hysbysiad i wahanol heddluoedd y wlad ac yn y blaen, ond fe gei di weld mai adre y bydd hi cyn i neb droi. Gwastraff amser a rhagor o waith heb ddim diolch ar ddiwedd y dydd.'

Oedd, roedd bywyd yn galed ar brydiau.

* * *

Y noson honno penderfynodd Elisabeth ddechrau ar ei hymdrechion i golli pwysau. Cerddodd cyn belled â Phont Henllan ac i lawr y llwybr tuag at lan afon Teifi. Eisteddodd ar foncyff hen goeden i gael ei gwynt ati gan edrych i lawr i'r dŵr clir. Ond wrth iddi ddechrau nosi, teimlai'n anghyfforddus yn y llecyn unig. Oedd hi'n dechrau drysu? meddyliodd. Teimlai lygaid ym mhob man yn ei gwylio. Cododd yn gyflym gan edrych o'i hamgylch ond nid oedd neb i'w gweld yn cuddio y tu ôl i'r llwyni. Diflannodd y teimladau mor sydyn ag y daethant a chychwynnodd am adre. Wrth groesi'r bont gwelodd gar mawr du yn rhuthro i gyfeiriad Castellnewydd Emlyn, ond ni thalodd lawer o sylw iddo heblaw gweld ei fod yn gar du ac yn fawr.

Dychwelodd i'w chartref clyd i ailddechrau marcio'r llyfrau a adawodd ar lawr y lolfa. Tybiodd unwaith iddi glywed sŵn traed rhywun yn nesáu at ei drws ffrynt a disgwyliodd i'r gloch ganu – ond ni ddaeth yr un alwad. Aeth yn ôl at ei gwaith gan addunedu y byddai'n gwobrwyo'i hunan â bàth twym cyn mynd i'w gwely unig.

Ar yr heol y tu allan i dŷ Elisabeth gyrrodd y car i ffwrdd yn dawel. Teimlai'r gyrrwr ei fod wedi colli cyfle ond fe fyddai'n siwr o ddychwelyd – a'r tro nesaf byddai'n llawer mwy hyderus.

* * *

Draw ar yr arfordir roedd dau lygad didostur yn astudio'r olygfa o'i flaen ac yn cynllunio. Roedd bywydau yn rhad i hwn, boed nhw'n hen neu yn ifanc. Roedd hi'n hen bryd i rywun ddeffro'r ardal fach dawel hon ac ysgwyd tipyn ar fywydau'r trigolion gor-gyfforddus. A dyna'n union oedd ei fwriad – ac yn fuan.

PENNOD 10

Drannoeth roedd hi'n arllwys y glaw a'r gwynt yn chwythu'n gryf ymhell cyn i Morgan ddeffro o'i hunllef. Gorweddodd yn ei wely am bron i awr arall, ei feddwl yn carlamu o un peth i'r llall ond methai wneud synnwyr o unrhyw beth.

Cododd a syllodd arno'i hun yn nrych helaeth yr ystafell ymolchi. Tybiai fod ei lygaid yn dechrau dadflino o'r diwedd ond synnodd wrth weld bod ei farf, er yn drwchus, yn tyfu'n frith ac yn ei heneiddio. Roedd wedi penderfynu tyfu barf er mwyn cuddio'r graith ar ei wyneb ond yn hytrach na'i chuddio roedd y llinell ddi-flew ar ei foch yn ei gwneud yn fwy amlwg. Sylweddolodd mai gwastraff amser oedd yr holl ymdrech i'w thyfu yn y lle cyntaf. Eilliodd y farf heb feddwl eilwaith.

Teimlodd yr awydd i fynd am dro i gael awyr iach. Chwiliodd am ddillad addas rhag y tywydd garw a dod o hyd i'w hen anorac werdd. Diolchodd ei fod wedi dod â hi o Lundain er yr olwg a oedd arni. Roedd hi fel hen ffrind, yn gynnes a chlyd.

Cerddodd yn bwyllog i lawr i'r traeth gan fod y llwybr a'r creigiau'n llithrig. Doedd neb i'w weld yn unman felly cerddodd yn ofalus at y graig ble darganfuwyd y corff. Aeth ar ei gwrcwd a chymerodd amser i archwilio'r lle yn fanwl. Roedd yn ôl yn ei fyd naturiol. Wedi bodloni ar yr hyn a welodd, neidiodd i lawr ar y tywod a cherdded tuag at y môr.

Cyn mynd ymhell gwelodd yr hen Gapten Williams yn nesau â'i ben i lawr. Roedd hi braidd yn hwyr arno'n mynd am ei dro boreol, meddyliodd Morgan.

'Shwt mae heddi?' gwaeddodd yr hen gapten yn gyfeillgar.

'Helo,' atebodd Morgan, gan ystyried yn gyflym a oedd hi'n bryd iddo ddechrau siarad Cymraeg ai peidio.

'Chi sy'n aros yn nhŷ Capten Jones, 'te?'

Penderfynodd fod cael gwared â'r farf yn ddigon am un diwrnod; byddai'n rhaid i'r Gymraeg aros am ddiwrnod neu ddau arall. Ymddiheurodd unwaith eto nad oedd yn deall. Trodd y Capten i'r Saesneg heb feddwl ddwywaith, gyda llond ceg o Saesneg coeth, bron yn gwbl ddiacen. Arhosodd yr hen ŵr o'i flaen i sgwrsio am y newid yn y tywydd gan egluro'r gwahanol arwyddion a'r hen ddywediadau lleol a fyddai'n rhoi rhagolygon llawer mwy cywir nag unrhyw ddyn tywydd swyddogol.

'Awel o'r môr – mae'n siŵr y bydd glaw yn dilyn, er mae'r hen ddywediad yn swnio'n llawer gwell yn y Gymraeg – "Gwynt o'r môr, glaw ar ei ôl".'

Edrychodd y Capten yn graff arno. Ceisiodd Morgan edrych a swnio'n llawn diddordeb ond cofiai ei dad yn dysgu'r union ddywediad iddo flynyddoedd yn ôl.

'Y'n ni wedi cyfarfod o'r blaen?' gofynnodd y Capten yn sydyn.

'Digwyddiad.'

'Mae'ch wyneb yn gyfarwydd iawn. Beth ddwedoch chi oedd eich enw?'

'Wnes i ddim dweud,' atebodd Morgan. 'Ond Morris yw e, Keith Morris ac wy'n dod o Lundain.'

'O, beth ie, dyna ddywedodd Mari Troed y Rhiw wrthyf. Na, dyw'r enw ddim yn golygu dim i mi. Y'ch chi wedi bod ar eich gwyliau yma o'r blaen – mewn carafán neu babell efallai?'

'Naddo, dim erioed.' Methai Morgan edrych i lygaid y Capten wrth ateb. Yn fwriadol newidiodd y sgwrs a dechrau sôn am y llofruddiaeth.

Roedd y Capten yn awyddus i rannu ei brofiadau am y darganfyddiad a rhoddodd fanylion llawn iddo am gyflwr y corff, y lleoliad, faint o'r gloch oedd hi pan gafodd y corff ei ddarganfod, a'r dirgelwch ynglŷn â'r gŵr ifanc a'i gi. Ni sylweddolai'r hen ŵr ei fod yn cael ei holi'n drylwyr gan arbenigwr heb ei ail.

'Tybed am beth mae e'n chwilio heddiw,' sibrydodd wrth syllu dros ysgwydd chwith Morgan.

Trodd Morgan i edrych ar y sawl a oedd wedi tynnu sylw'i gyfaill newydd. Y ditectif ifanc a welodd y diwrnod cynt oedd yno, yn crwydro'r creigiau lle'r oedd ef ei hunan newydd fod yn cerdded rai munudau ynghynt. Sylwodd ei fod yn dal i wisgo'r un got lwyd a'r het wedi'i thynnu dros un llygad.

'Bydd yn llithro ar y creigiau 'na unrhyw eiliad nawr, gewch chi weld,' chwarddodd y Capten ei chwerthiniad fach ryfedd, ac ar yr eiliad honno dyna'n union a ddigwyddodd. Chwarddodd yn uchel gan daro braich Morgan. 'Diawl! Yn union fel y dywedes i!'

'Mae'n well i mi fynd i weld a ydi e'n iawn,' awgrymodd Morgan yn falch o'r esgus i ddod â'r sgwrs i ben.

Rhedodd tuag at y ditectif ifanc a oedd wedi syrthio ar ei ben-ôl i bwll yn y graig.

'Y'ch chi'n iawn?' gofynnodd wrth geisio cuddio'i wên,

‘Fe welais i chi’n cwympo. Mae’r hen greigiau ’ma’n beryglus iawn pan maen nhw’n wlyb.’

‘Ydw, ydw, dwi’n iawn, diolch yn fawr,’ atebodd DC Powell yn llawn cywilydd. Cododd ar ei draed yn araf – ac yn wlyb.

‘Ditectif Gwnstabl Powell, wy’ yma i ymchwilio achos yr hunanladdiad a ddigwyddodd y dydd o’r blaen.’

Roedd hi’n amlwg i Morgan ei fod yn cyflwyno’i hun er mwyn cuddio’i chwithdod yn hytrach nag i bwysleisio’i awdurdod.

‘A phwy y’ch chi?’ gofynnodd.

‘Morris ... Keith Morris,’ atebodd Morgan.

‘Beth y’ch chi’n ei wneud fan hyn, os caf i ofyn?’

‘Fel y dywedais i, fe welais i chi’n cwympo a des draw rhag ofn y byddech chi angen help.’

‘Na, na, dwi’n berffaith iawn. Dim ond gwlychu ’nhrowsus wnes i,’ ffwndrodd y ditectif. Teimlai Morgan drosto, yn enwedig gan fod yr het lwyd erbyn hyn yn debycach i glwtyn golchi llestri ond er hynny fe’i rhoddodd yn ôl ar ei ben. Gallai Morgan gydymdeimlo ag ef gan ei fod yntau wedi cael sawl eiliad annifyr pan oedd a’r drothwy ei yrfa.

Penderfynodd fod yn gymorth i Powell ac yn y fan a’r lle, ac am y tro cyntaf ers blynyddoedd, llithrodd ei famiaith oddi ar ei wefusau.

‘Gwranda,’ dechreuodd yn amheus, ‘wy’n gwybod am y corff. Nid hunanladdiad oedd e. Dyn a ŵyr pam mae dy feistr neu dy feistri wedi dy anfon i lawr fan hyn heddiw achos dwyt ti ddim yn mynd i ffeindio dim byd newydd.’

Rhyfeddodd Morgan pa mor hawdd fu newid o un iaith i’r llall. Er nad oedd yn rhugl, ac er ei fod yn gorfod crafu am ambell air Cymraeg addas, roedd yn fwy na bodlon â'i ymdrechion. Syfrdanwyd Powell yntau gan yr hyn a ddywedodd y dieithryn o'i flaen, yn ogystal â'r ffaith ei fod wedi troi i siarad Cymraeg. Syllodd ar Morgan yn gegagored.

'Shwt, shwt, ym ... ym ... beth ... pwy sy' ...?'

'Hunanladdiad? Byth!' aeth Morgan yn ei flaen. 'Does neb yn lladd eu hunain fel'na. Hollti arddwn, efallai, ond nid gwddf. Dod o hyd i ragor o gliws? Dim gobaith. Mae'r teid wedi dod mewn a mynd mas o leiaf ddwywaith ers i chi ddod o hyd i'r corff. Does dim amdani felly ond derbyn bod rhywun wedi llofruddio'r ferch – a dyna ddylai dy feistr gredu hefyd. Ond y cwestiwn mawr yw, ymhle y cafodd hi ei llofruddio? Nid yn y fan hyn, mae hynny'n amlwg.'

'Shwt ...?' dechreuodd Powell eto.

'Shwt wy'n gwybod? Gofynna i ti dy hunan – faint o waed oedd o gwmpas y lle pan welsoch chi'r corff am y tro cyntaf? Soniodd yr hen gapten unrhyw beth am waed? Na, dim ond dod o hyd i gorff. Pe bai'r ferch wedi'i llofruddio yma byddai llif o waed naill ar y graig neu yn y pyllau bach 'ma.' Cododd Morgan ei law cyn i Powell dorri ar ei draws. 'Ac os yw dy feistr yn meddwl fod y corff wedi'i gario lan o'r môr, wel, mae e'n fwy twp na'i olwg.'

Cymerodd seibiant i feddwl cyn dweud unrhyw beth arall. Roedd Powell yn dal i edrych yn syn arno ond ni ddywedodd yr un gair. Gwenodd Morgan. 'Wy'n iawn, ond ydw i?' Nodiodd Powell ei ben yn araf.

'Wel, dwed di wrth dy feistr, yn dy eiriau dy hunan, cofia, dy fod wedi mesur maint y llanw a hyd yn oed pe bai wedi cyrraedd i'r fan hyn, ni fyddai'n ddigon cryf i gario corff lan at y creigiau. Wyt ti wedi gweld corff ar ôl iddo cael ei hyrddio yn erbyn creigiau erioed? Ie, cael ei hyrddio, cofia, nid cael ei roi i lawr yn ofalus. A pheth arall, roedd y môr yn dawel fel llyn nos Sul. A phan ddaw adroddiad y patholegydd i law, fe gei di weld nad oes llawer o ddŵr môr yn y corff, chwaith. Ond ... beth wy'n ddeall am y pethe 'ma! Wy'n siŵr fod yr un cwestiynau wedi croesi dy feddwl dithau hefyd?'

Roedd hi'n amlwg fod Powell wedi'i syfrdanu gan awgrymiadau Morgan.

'Ym ... do ... wrth gwrs – felly pwy ...?'

'Pwy yw'r llofrudd? Pwy a ŵyr, Ditectif Gwnstabl, gyda chi mae'r corff. Ffeindia mas pwy oedd y wraig ifanc, o ble'r oedd hi'n dod ac yn y blaen. Bydd yr atebion i gyd yn dod i'r wyneb wedyn. Cofia, dim ond dod i roi bach o gymorth wnes i, ac o'm rhan i, dyw'r sgwrs 'ma erioed wedi digwydd.'

Trodd Morgan a cherdded yn ofalus dros y creigiau cyn brasgamu'n hyderus ar draws y traeth. Teimlai wefr gyfarwydd yn llifo drwy'i wythiennau. Cerddodd yn ei flaen gan wyro'i ben nes i dincial y ffrwd fechan dorri ar draws ei feddyliau a'i wahodd ati. Byrlymai i lawr y clogwyn erbyn hyn ar ôl cael ei dyfrio gan y galw, cyn llifo fel nant fach i'r môr.

Eisteddodd Morgan ar graig Carreg y Fuwch a gadael i'w feddyliau garlamu'n rhydd unwaith eto.

* * *

'Yn eich adroddiad gwreiddiol, dywedoch chi wrth Sarjant Jones eich bod wedi dod ar draws corff wedi'i lofruddio ar y creigiau.' Syllai Ron Powell ar yr hen ŵr a oedd yn eistedd wrth y bwrdd gyferbyn ag ef.

'Do,' dechreuodd Capten Williams ddifaru ei fod wedi rhoi gwahoddiad i'r ditectif ifanc ddod i'w dŷ. Fel arfer byddai'n cael diferyn o rywbeth bach 'at yr achos' tua'r adeg yma bob bore ond bu'n rhaid iddo ohirio hynny heddiw.

'Beth wnaeth i chi ddweud hynny?'

'Beth chi'n feddwl, ddyn?' holodd y Capten yn ddryslyd.

'Pam "wedi ei llofruddio" yn hytrach na "wedi lladd ei hunan"?'

Edrychodd y Capten yn syn ar y dyn ifanc, 'Y'ch chi'n drysu, ddyn?'

'Wy' eisiau cadarnhau'r ffeithiau. Nawr 'te, beth wnaeth i chi feddwl mai cael ei llofruddio wnaeth hi?'

'Wel, efallai bod y gwddf wedi'i hollti a'r slashen waedlyd yn rhywbeth i'w wneud ag e.' Methai'r Capten â chredu fod yr heddwas mor ddiniwed.

'Ym ... ie ... fe wela i.'

Roedd Ron Powell yn benderfynol o ymchwilio mor fanwl ag y gallai, ond mewn gwirionedd ni wyddai beth i'w wneud na ble i ddechrau.

'Mae'n siŵr fod darganfod corff marw yn dipyn o sioc i rywun fel chi.'

''Machgen bach i, wy' wedi hwylio rownd y byd fwy nag unwaith ac wedi gweld pethe na fyddet ti'n gallu'u dychmygu. Go brin y byddai'r un corff marw yn sioc i mi bellach.'

Oedodd y Capten am eiliad wrth i ddarlun clir ddod i'w feddwl o bellafoedd ei atgofion. Gwelodd grwt bychan llawen â thrwch o wallt cyrliog. Roedd ei lygaid tywyll yn disgleirio wrth iddynt syllu arno'n llawn edmygedd cyn iddo ofyn, 'Y'ch chi wedi bod i ben draw'r byd, syr?' Clywodd ei hunan yn ateb, 'Do, 'machgen i,' a gwelodd y llygaid disglair yn agor fel dwy soser. 'A shwt le oedd e?' Cofiodd ei ateb parod, 'Dim hanner cystal â'r fan hyn.'

'Beth am y gwaed?' torrodd cwestiwn Powell ar draws ei feddyliau.

'Gwaed, pa waed?'

'Os oedd y ferch wedi cael ei llofruddio a'i gwddf wedi'i hollti, mae'n debyg bod llawer o waed o gwmpas y lle.'

Pendronodd y Capten am eiliad, 'Na, doedd dim gwaed – dim diferyn heblaw am yr hyn oedd wedi sychu ar ei gwddf.'

Cofiodd Powell eiriau Keith Morris. 'Y'ch chi'n adnabod Keith Morris?' gofynnodd.

'Newydd ei gyfarfod e.'

'Dieithryn, mae'n debyg?'

'Ie, dieithryn yw Keith Morris yn yr ardal hon ond wy' ddim yn credu fod ganddo unrhyw beth i'w wneud â'r llofruddiaeth.'

'Pam y'ch chi'n dweud hynny?'

'Erbyn i ti gyrraedd f'oedran i byddi dithau'n medru mesur cymeriad dyn wrth ei olwg. Creda di fi – does gan Keith Morris ddim byd i'w wneud â'r dirgelwch yma.'

'Shwt y'ch chi'n cadw mor dda 'te, Capten?' newidiodd yr heddwas ifanc destun y sgwrs. Roedd yn falch o gael y cyfle i sychu ei ddillad ac roedd wedi clywed bod y Capten ar drothwy ei nawdegau, ond ymddangosai'n llawer iau. Dechreuodd y Capten restru ei resymau a'i gynghorion ac ar ôl hanner awr roedd y Ditectif Gwnstabl Ron Powell wedi hen ddifaru gofyn. Daeth y Capten â'r sgwrs i ben gydag awgrym nad oedd rywsut yn gweddu i'r hyn y bu'n ei drafod, 'Os wyt ti ishe gwbod mwy am Keith Morris, cer i holi Mari Troed y Rhiw.'

Diolchodd yr heddwas iddo'n llaes, gwisgo'i ddillad sych ac anelu am y drws cyn i'r Capten gael cyfle i ailddechrau hel ei atgofion hen longwr.

* * *

Safai Elisabeth Williams yn ei hystafell ddosbarth yn yr ysgol gan edrych allan o'r ffenestr fawr ar yr olygfa wledig o'i blaen – caeau gwyrddion yn ymestyn yn ddiddiwedd tuag at afon Teifi. Roedd plant dosbarth pedwar yn gweithio'n ddiwyd y tu cefn iddi. Gwyliodd y glaw yn sgubo dros yr olygfa a'r cymylau llwyd yn isel yn yr awyr. Cofiai'r sibrwd yn yr ystafell athrawon y bore hwnnw am wraig ifanc a gafwyd yn farw ar yr arfordir. Rhyfeddai sut yr oedd y storïau hyn yn cyrraedd Llandysul mor gyflym. Y dydd o'r blaen roedd rhywun wedi sôn am rhyw ddigwyddiadau eraill mewn rhan arall o'r sir nad oedd eto wedi cyrraedd y papurau newydd.

Gwraig ifanc – meddyliodd am ei merch a'i hwyres fach, nid fod hynny'n gysylltiedig â darganfyddiad corff. Ond roedd ei merch yn blismones. Tybed a oedd hi'n gyfarwydd a delio â chyrff? Hen beth rhyfedd i feddwl amdano!

Yn sydyn dechreuodd ddrysu eto yn union fel ag y gwnaeth y noson cynt. Teimlai ias oer yn gwibio drwy ei chorff gan wneud iddi grynu, er bod rhai o'r plant wedi cwyno fod yr ystafell yn rhy dwym. Daeth pendro gwyllt drosti a theimlodd fel pe bai'n mynd i lewygu. Cerddodd yn araf yn ôl at ei desg ac eisteddodd i lawr.

'Y'ch chi'n iawn, Miss? 'Chi mor wyn â'r galchen,' gofynnodd un o'r disgyblion.

'Ydw, dwi'n iawn diolch. Rhywun yn cerdded dros fy medd!' Gwenodd ar y ferch a dechreuodd deimlo'n well. Tybed beth oedd y digwyddiad rhyfedd? O leiaf mi ddiflannodd mor sydyn ag y daeth.

PENNOD 11

Teimlai Morgan yn hollol ddiffrwyth wrth sylweddoli ei fod yn sefyll yn ei unfan tra oedd y byd yn dal i droi o'i amgylch. Byddai'n gwallgofi heb rywfaint o gynnwrf yn ei fywyd; cynnwrf oedd cyffur ei feddwl a'i enaid, yn rhan o'i fywyd bob dydd yn Llundain, ond yma ym Mhwll Gwyn roedd popeth mor dawel a digyffro. Ceisiai lenwi ei amser yn chwilio am bethau i'w gwneud i drechu'r segurdod.

Crwydrodd fan hyn a fan draw yn ei gar a chafodd hwyl yn ymweld â lleoedd na fu ynddynt pan oedd yn blentyn. Aeth cyn belled ag Abertawe un diwrnod. Ni fu yno o'r blaen gan fod y daith yn rhy bell i gar bach ei dad slawer dydd. Ond er ei bod yn ddinas fawr teimlai Morgan yn hynod hunanymwybodol, ac amlwg hefyd petai unrhyw un yn chwilio amdano.

Gyrrodd i Aberystwyth ar ddiwrnod arall ac ymlaen cyn belled â Machynlleth. Daeth awydd arno i grwydro drwy gefn gwlad ond dechreuodd yr atgofion hallt o oes arall lifo i'w feddwl a throdd yn ei ôl. Trodd ei gefn ar y cyfle i grwydro ar hyd y ffyrdd y bu'n eu dilyn ar ei ben ei hun ddwy flynedd ar hugain yn ôl. Roedd pwrpas i'w daith bryd hynny. Erbyn hyn roedd y pwrpas wedi diflannu o'i fywyd. Trodd ei gefn ar y cyfle i ailgydio yn y darnau o'i ieuenctid a newidiodd ei fywyd am byth. Unwaith eto pallodd droi'r allwedd rydlyd i ryddhau ei atgofion – pallodd wynebu'r bwganod oedd yn cuddio yng nghysgodion ei feddwl.

Roedd wedi bwriadu galw yn y caffi yn Aberaeron ond teimlai'n rhy ddigalon, felly yn ôl ag ef i Awel Deg at gwmni'r botel wisgi.

Ceisiodd fynd i nofio yn y môr ar ôl dod o hyd i drowsus nofio mewn drôr yn y tŷ. Os oedd yr hen Gapten yn nofio bob dydd, roedd yn siŵr y medrai ef wneud hynny hefyd. Ond oer a digroeso oedd y môr ac ar ôl rhai munudau yn unig daeth allan yn crynu. Byddai'r hen forwr yn chwerthin am ei ben petai'n ei weld ond nid oedd neb i'w weld ar y traeth gwag y diwrnod hwnnw.

Dychwelodd i Awel Deg gan ystyried mynd i grwydro unwaith eto yn ei gar, ond roedd y mwynhad o wneud hynny yn diflannu'n raddol gan ei adael heb ddim i'w wneud, heb neb yn gwmni. Fyddai waeth iddo fod mewn carchar ddim, neu efallai y dylai o leiaf chwilio am rywle llai tawel na Phwll Gwyn.

Yn hytrach na gafael yn y botel gyfleus, tynnodd Morgan ei feddwl oddi ar lwybrau hunandosturi a phenderfynu gwneud ychydig o ymarfer corff. Aeth allan a cherdded i gefn y tŷ, a'r tro hwn, yn hytrach nag edrych i lawr ar y traeth, syllodd ar yr ardd. Er bod Mari yn un dda am gadw golwg ar y tŷ, ychydig iawn o sylw a gafodd yr ardd ers misoedd yr hydref.

Aeth draw i chwilio beth oedd yn y garej gan ddod o hyd i beiriant torri porfa yn ogystal ag offer garddio. Methai gofio pryd oedd y tro olaf iddo hyd yn oed ystyried gwneud unrhyw waith corfforol mewn gardd. Teimlai braidd yn swil wrth gerdded allan gyda chaib yn un llaw a rhaw yn y llall – ond doedd neb yno'n ei wylio.

Treuliodd y dyddiau nesaf yn yr ardd, er iddo gael

tywydd digon amrywiol gydag ychydig o haul yn ogystal â chawodydd ysgafn. Roedd y gwaith yn galed ond cofiai mai gwaith fel hyn yr arferai ei dad ei wneud ar y ffarm. Teimlai'r chwys yn llifo i lawr ei gefn; teimlai'r poenau pleserus yn treiddio drwy ei gorff. Cododd ei ysbryd wrth iddo ymateb i'r her newydd. Fe, Morgan, ar ei ben ei hunan yn erbyn dryswch y tyfiant o'i amgylch!

Gwnaeth adduned iddo'i hun: fe fyddai'r ardd hon yn bictiwr cyn iddo adael ei gartref dros-dro. Wrth i'r dryswch glirio yn yr ardd teimlai fod yr un peth yn digwydd yn ei feddwl. A thros y penwythnos hwnnw, am y tro cyntaf ers tro byd, aeth Morgan i'w wely heb ddiferyn o wisgi a chysgodd yn drwm drwy'r nos.

* * *

Diflasai'r ddwy ferch o Lerpwl fwyfwy bob munud. Eisteddent yn y tŷ tafarn yng Nghei Newydd, y ddwy wedi eu siomi'n llwyr â'r lle. Roeddent wedi disgwyl rhywbeth gwell ar noson gyntaf eu gwyliau yng Nghei Newydd – a hithau'n nos Sadwrn! Ond dyma nhw, yn eistedd mewn bar digon diflas yng nghwmni rhyw hanner dwsin o ddynion lleol, a phob un o'r rheiny dros eu hanner cant!

Roedd acen Lerpwl yn dew ar eu tafodau wrth i'r ddwy gwyno'n dawel am y lle. Nid fel hyn yr oedd eu ffrindiau wedi disgrifio Cei Newydd ar ôl dychwelyd o'u gwyliau haf y llynedd. Lle yn llawn hwyl a sbri, byddinoedd o fechgyn ifainc deniadol, tafarnau bach twt, a pharti mewn lle gwahanol bob nos. Dyna oedd gwyliau arbennig, a dyna'n union yr oedd y ddwy wedi'i ddisgwyl, er ei bod braidd yn gynnar yn y flwyddyn i dorheulo.

Roedd hi'n nos Sadwrn, er mwyn Duw! Ond roedd y lle fel y bedd. Dim bywyd o gwbl a'r tywydd y tu allan yn oer a llaith. Cymerodd y ddwy lwnc arall o'u fodca a leim a chwerthin wrth gofio rhybudd gwraig y gwesty iddynt fod yn eu holau cyn hanner nos neu efallai y byddent yn cael eu cloi allan.

Roedd bron pob tŷ tafarn ar hyd y ffrynt ar gau heblaw am y twll yma a doedd dim un bachgen ifanc i'w weld yn unman – heb sôn am un deniadol! Bu'r ddwy yn ysu am gwmni dynion ers cyrraedd, ond nid oeddent wedi sylweddoli fod 'na Geinewydd arall heblaw hwn.

'A beth y'ch chi'ch dwy yn ei wneud fan hyn ar ben eich hunain bach?'

Doedd yr un o'r ddwy wedi sylwi ar y cawr o ddyn yn dod i mewn yn dawel ac yn nesáu at eu bwrdd nhw. Digon gwir ei fod yn edrych yn hŷn na nhw, ond o leia roedd e'n iau na'r dynion eraill wrth y bar ac roedd e'n smart iawn yn ei ddillad drud. Gwenodd y ddwy arno. Roedd 'na awyrgylch hwyliog o'i amgylch – ac roedd e'n Sais!

Ni wyddai'r ddwy ei fod yn eu gwylio wrth iddynt gerdded i lawr y stryd dawel yn gynharach y noson honno. Ni wyddai'r ddwy ei fod wedi aros iddynt yfed eu rownd gyntaf yn y tŷ tafarn. Ni wyddai'r ddwy ei fod wedi rhoi cyffur yn eu diodydd wrth brynu'r rownd nesaf yn y bar.

Parti? Parti ar fwrdd llong allan yn y bae? Llong gyda gorsaf radio answyddogol. Felly dyna lle'r oedd y bobol ifanc yn mwynhau eu hunain – yng nghwmni'r DJ's!

Roedd y dyn yn barod â'i arian, yn barod i brynu diodydd iddynt, ac roedd ganddo gwch i'w cludo i'r parti. Roedd y noson yn gwella, na, roedd pethau wedi newid yn gyfangwbwl ers i'r dyn cydnerth, cyhyrog yma ymuno â nhw. Doedd yr un o'u ffrindiau yn y swyddfa wedi sôn am fod mewn parti ar fwrdd llong – byddai hyn yn newydd.

Ar ôl tair rownd arall o fodca a leim a'r llwch gwyn anweledig, roedd y ddwy ffrind yn fwy na pharod i fynd gyda'r dyn i ble bynnag y dymunai. Arweiniodd y ddwy ferch, sigledig erbyn hyn, i'w gar moethus. Chwarddodd y ddwy yn uchel ar ei awgrymiadau – a oedd bellach yn anghynnil a dweud y lleiaf – gan edrych ymlaen i dreulio'r noson gyfan yn ei gwmni. Roedd rhybudd gwraig y llety wedi hen ddiflannu o'u meddyliau.

Syllodd y dyn arnynt yn y drych wrth i'r ddwy eistedd yn gyfforddus ar y sedd gefn, y ddwy mewn sgertiau byrion ac yn ddigon deniadol yn ei olwg ef – un â gwallt du a'r llall yn gochen. Gwenodd yn ffug. Byddai'r ddwy yn anymwybodol ymhen ychydig funudau.

Rhyw bum munud ar ôl iddynt adael, cerddodd William Arfon i mewn i'r dafarn yn ei dracwisg goch. Archebodd beint.

'Ti'n rhy hwyr, Arfon bach,' meddai un o'r gwŷr lleol. 'Roedd 'na ddwy glagen yma yn chwilio am rywun fel ti, ond maen nhw newydd fynd. 'Na biti, on'd ife? Fe fydde'r ddwy wedi dy gadw'n brysur drwy'r nos!'

Gwenodd Arfon arnynt wrth gymryd llwnc helaeth o'i beint. Roedd newydd ddychwelyd o Drefach Felindre ac er nad oedd wedi cyfarfod Elisabeth, roedd wedi penderfynu i ble y byddai'n mynd a hi am bryd o fwyd. Dwy glagen? Na, nid merched ifainc oedd yn mynd â bryd Arfon mwyach. Roedd ganddo olwg am rywun llawer mwy deniadol a herfeiddiol.

'Gorau i gyd,' atebodd yn chwerthinllyd. 'Mae gwaith 'da fi i'w wneud yfory erbyn dydd Llun.'

PENNOD 12

Roedd dwy noson o gwsg ddialcohol wedi gwneud byd o les i Alun Morgan. Deffrodd ar y bore Llun yn barod i wynebu'r byd a'i bethau gan deimlo'n llawer gwell. Byddai bob amser yn credu mai wynebu problemau oedd yr unig ffordd i'w datrys – nid cuddio fel cachgi mewn rhyw gwt bach o'r neilltu gan ddisgwyl i'r problemau ddiflannu ohonynt eu hunain. Addunedodd iddo'i hun y byddai'n ailgydio yn ei fywyd, er gwaetha'r byd a'i beryglon, a'r cam cyntaf oedd galw i weld Sal. Hi oedd ei unig gysylltiad â'r teulu ac roedd ei chartref yn ddigon agos, a digwyddiad ei bod wedi symud.

Ar ôl brecwast gyrrodd o'r pentref heb weld yr un enaid byw heblaw am Capten Williams yn cerdded ar hyd y traeth. Pan gyrhaeddodd at y groesffordd, ceisiodd gofio pa ffordd fyddai fwyaf cyfleus er mwyn cyrraedd cartref Sal. Gwelodd dractor yn dod i'w gyfeiriad a'r mwd yn tasgu'n gawodydd o'r olwynion cefn. Yna sylwodd ar y llanc ifanc wrth y llyw a chi defaid bodlon yn eistedd yn dalsyth wrth ei ymyl. Syllodd y llanc yn graff ar Morgan wrth fynd heibio, ond pan sylweddolodd fod Morgan yn edrych yr un mor graff arno yntau, trodd ei ben a sbarduno'r injan.

Wel, sa i'n credu y dilyna i ti, gwd boi, meddyliodd Morgan wrth ddychmygu pa fath o lanast fyddai ar ei gar petai'n dilyn y cawodydd baw ar hyd y daith, felly anelodd drwyn y modur tuag at Aberporth.

Heblaw am un camgymeriad bach yn agos i Rydlewis, daeth o hyd i'r ffordd gywir a chyn hir roedd yn parcio'i gar ar y ffordd o flaen y tŷ cerrig gwyngalchog cyfarwydd. Cofiai Morgan fynd yno flynyddoedd yn ôl gyda'i dad a darganfod tad Sal yn farw yn y llofft – y corff marw cyntaf iddo'i weld erioed. Sawl un yr ydoedd wedi'i weld ers hynny, tybed?

Roedd Sal yn hongian dillad ar y lein yn yr ardd fach wrth gefn y tŷ. Er bod henaint wedi britho'i gwallt a thewychu'i chorff, roedd ei hwyneb crwn yr un mor siriol a'i bochau cochion yn adlewyrchu cynhesrwydd ei chymeriad rhadlon. Byddai Morgan wedi'i hadnabod yn unrhyw le. Pan sylweddolodd hithau fod rhywun yn ei gwylio, rhoddodd y gorau i'w gwaith a syllu ar y car mawr du.

Daliodd Morgan ei llygaid wrth gamu allan o'r car. Adnabyddodd Sal ef ar unwaith a chododd ei llaw at ei cheg mewn syndod. Doedd hi erioed wedi dychmygu ei weld yn agos i'r lle byth eto.

'Helo, Sal,' meddai Morgan yn dawel gan wenu'n wylaidd arni.

'Alun,' sibrydodd hithau yn llawn anghredinedd, 'O, Alun bach!' a rhedodd tuag ato.

Cofleidiodd y ddau am eiliadau maith cyn i Sal gamu'n ei hôl i gael gwell golwg arno. 'Wel, diawch erioed, beth ti'n neud fan hyn?' Daeth seibiant cyn i'r dagrau ddechrau cronni yn ei llygaid. 'O, Alun bach!' a llifodd y dagrau i lawr ei gruddiau.

Rhoddodd Morgan ei fraich yn dyner am ei hysgwyddau. 'Dere nawr, Sal. Oes 'na ddisied o de ar gael?'

Daethai Sal yn forwyn i ffarm Dan 'Rallt pan oedd Morgan rhyw wythmlwydd oed ond bu'n debycach i chwaer fawr iddo na gweithiwr cyffredin ar y ffarm. Teimlodd

Morgan yr hiraeth enbyd am y dyddiau gynt yn dychwelyd wrth edrych i fyw ei llygaid.

'Disied o de?' chwarddodd Sal drwy ei dagrau o lawenydd, 'Llo pasgedig wyt ti'n ei feddwl ar ôl yr holl amser 'ma!'

Cerddodd y ddau law yn llaw at y drws cefn. Roedd hi'n dywyll y tu mewn i'r tŷ a chymerodd llygaid Morgan eiliad neu ddwy i ddygymod â'r golau gwan a ddeuai o'r ffenestri bychain ond roedd yr awyrgylch yn gynnes a chartrefol. Edrychodd o'i amgylch a gweld y dodrefn tlawd, hen ffasiwn a'r set deledu newydd yn ddieithr ar yr hen seld dderw.

'Nawr 'te, eistedda fan 'na,' cyfeiriodd at gadair esmwyth wrth y lle tân, 'ac fe wna i ddisied o de i'r ddau o'ni mewn chwinciad.'

Ymlaciodd Morgan yn sŵn cartrefol y paratoadau a ddeuai o'r gegin fach ac arogl y tân coed a'i wres yn poethi'i goesau. Daeth Sal yn ei hôl gyda darnau mawr o fara *one two* a'r menyn ffarm yn dew arnynt.

'Wet ti'n arfer bod yn reit hoff o honna,' meddai gan gyfeirio at y deisen wrth dywallt y te ac eistedd yn nerfus gyferbyn â'i hymwelydd. Cymerodd lwnc nerfus o'i the. 'Faint sy' ers pan weles i ti ddiwetha?'

'Blynyddoedd,' atebodd Morgan â'i geg yn llawn. Roedd y blas yn union fel ag yr oedd yn ei gofio.

'Fe dala i fod 'na,' ochneidiodd Sal, 'ac rwyt ti'n blismon yn Llundain?' Doedd hi ddim yn hawdd dechrau'r sgwrs.

Credai Morgan fod Sal yn ei ddarlunio mewn iwnifform las tywyll a helmed ar ei ben yn cerdded ar hyd strydoedd Llundain megis rhyw Dixon of Dock Green. Cofia fi fel yr oeddwn i, Sal, nid fel yr hyn yr ydw i nawr, meddyliodd a gwenodd arni heb ddweud gair.

Dechreuodd Sal roi crynodeb o hanes pawb y credai y byddai Morgan yn dal i'w cofio, yn union fel pe bai wedi bod i ffwrdd am ddim ond ychydig wythnosau. Rhyw hanner gwrando a wnâi Morgan fodd bynnag. Roedd unwaith eto ynghlwm yn ei hen atgofion a chollodd afael ar ei geiriau.

'Sal,' torrodd ar ei thraws a chyffwrdd ei llaw gan edrych i fyw ei llygaid, 'Diolch am y llythyr.'

'O, Alun bach, doedd 'da fi ddim syniad ble i'w hala fe. Pan na atebaist ti ro'n i'n siŵr ei fod wedi mynd ar goll. Mae shwt gymaint wedi digwydd ers ... ers ...' a thawelodd ei llais.

'Na, fi oedd ar fai,' atebodd Morgan yn benisel.

'Meddylia 'mod i wedi'i anfon i Alun Morgan, Sgotland Iard, Llundain,' chwarddodd. 'A phwy fydde wedi meddwl y byddet ti'n ei gael, a'r holl stesions 'na rownd Llundain. Roedd Da yn credu 'mod i'n dwp ofnadwy.'

Penderfynodd Morgan beidio egluro bod y llythyr wedi'i gyfeirio i'r union fan ble'r oedd e'n gweithio.

'Fe aeth dy fam-gu yn sydyn iawn erbyn y diwedd hefyd. Cofia, roedd ei hysbryd wedi'i dorri o dipyn i beth dros y blynyddoedd – marwolaeth dy fam a dy dad, ac wedyn tithe'n cael dy hala o'ma gan y ddau gythrel 'na. Fe wnaeth hi ei gorau i'w stopio nhw cofia, ond roedd dy ewythr yn bendant fod yn rhaid i ti fynd – a dy fodryb hefyd. Dyna ddyddiau tywyll, Alun bach. Collodd y ddwy ohonon ni deulu cyfan mewn cyfnod byr.'

'Mae pethe'n olreit erbyn hyn, Sal,' gwasgodd ei llaw.

' O, wy'n gallu gweld 'ny. Duwcs, y car mawr sgleiniog 'na sy' 'da ti, beth yw e dwed, i mi gael dweud wrth Da?'

'Rover,' gwenodd.

'Rover,' ailadroddodd Sal yr enw fel pe bai'n rhywbeth hudol. 'Roedd dy dad wastad wedi bod ishe car mawr fel'na, ond 'na fe ... Roedd dy dad yn ddyn ffein iawn cofia ... ' syllodd i fyw y tân ac oedi am eiliad i gael ei hanadl, ' ... a dy fam hefyd, yn fenyw braf – nid yn unig o ran ei golwg ond yn ei chalon hefyd. Roedd hi fel ail fam i mi, nid fel yr hanner chwaer 'na oedd 'da hi, a'r twpsyn gŵr 'na oedd 'da honno. Wyddost ti, unwaith yr aeth dy dad a dy fam, aeth y lle'n ffladach a gorfod iddyn nhw werthu pob dim i dalu dyledion. Wn i ddim a wnaethon nhw dalu'r cyfan o'r rheiny chwaith. Ti ddyle fod wedi cael y cwbl – i ti oedd e i fod ond roeddet ti'n rhy ifanc. Hy! 'Sdim rhyfedd eu bod wedi dy erlid di bant. Dyn a ŵyr lle maen nhw'n nawr. Wyt ti wedi clywed oddi wrthyn nhw?'

'Dim gair, hyd yn oed pan o'n i'n byw 'da Anti Annie.'

'A shwt ma' hi erbyn hyn?'

Sylweddolodd yn syth o weld ymateb Morgan ei bod hithau wedi marw. 'Felly, roeddet ti wrth dy hunan yn Llundain? Alun bach, rwyt ti'n fentrus. Wnest ti briodi?'

'Neb yn ddigon da, Sal. Dim ond ti oedd yn gwbod sut i edrych ar f'ôl i'n iawn,' tynnodd ei choes i ysgafnhau'r awyrgylch drom.

'Cer o'ma'r, bwci! Wy'n siŵr dy fod ti wedi torri sawl calon fach lan yn y ddinas fowr 'na.'

'Un neu ddwy, falle,' cytunodd Morgan. 'Ond beth amdanat ti, a shwt ma' Da?'

'Wel, ma' pawb yn heneiddio, ti'n gweld. Mae e'n dal yn was yn Dan 'Rallt. Rhyw Sais sy'n berchen ar y lle erbyn hyn.'

Roedd hi'n rhyfedd meddwl am Da yn heneiddio. Cawr o ddyn yn barod i wneud unrhyw beth, unrhyw bryd heb adael i ddim ei drechu. O Wlad Pwyl y deuai'n wreiddiol ond fe ymgartrefodd yn Sir Aberteifi a throi'n Gymro pur drwyddi draw.

'Plant?' gofynnodd gan deimlo fod y ddau wedi hen gyfarwyddo â chwmni'i gilydd unwaith eto.

'Dim ond un. Fe golles i'r ddau gyntaf ond dyma ni'n penderfynu cael un tro arall ar bethe – a Gwynfor o'dd, neu yw, y canlyniad. Mae e 'ma yn rhywle. Gwynfor!' gwaeddodd i gefn y tŷ, 'Gwynfor, bachan, dere 'ma i ti ga'l syrpreis!'

Cerddodd gŵr ifanc tua deunaw oed, tybiodd Morgan, i mewn o'r cefn. Sylwodd ar unwaith fod 'na rywbeth bach yn rhyfedd ynghylch y bachgen. Roedd ei gorff yn gam a'i wyneb ar dro rywsut ac eto roedd yr un ffunud â'i dad, yn dal a chydnerth. Llusgai un goes wrth gerdded ac roedd un ysgwydd yn is na'r llall, ond roedd gwên hapus a chynnes yn ymledu ar ei wyneb.

'Dyma ti o'r diwedd,' croesawodd Sal ei mab. 'Wy' ishe iti gyfarfod hen, hen ffrind i mi a dy dad. Dyma Mister Alun Morgan. Mae e'n blismon yn Llundain, yr un fath â'r rhai 'na ti wedi'u gweld ar y teledu. Fe sy' berchen y car mawr 'na tu fas.'

Cododd Morgan i ysgwyd ei law. Plygodd Gwynfor ei ben wrth ei gyfarch.

'Helo, Mr Morgan,' meddai a'i lais dwfn, aneglur yn dangos ei fod, druan, yn brin ei feddwl. Teimlodd Morgan gryfder yn y llaw fodd bynnag.

'Ges ti facrell gan Ianto?' gofynnodd ei fam.

'Deg,' atebodd gan edrych ar ei fysedd.

'Ma' Gwynfor wedi bod draw yn Aberporth ar ei feic i hel macrell inni,' eglurodd y fam a'i llais yn canmol ymdrechion llwyddiannus ei mab.

'Cer i'w rhoi nhw mewn padell o ddŵr oer 'te, neu fe fyddan nhw'n dechre drewi.' Roedd ei llais, er yn gorchymyn, yn dirion.

'Reit.' Trodd Gwynfor a mynd o'r ystafell.

'Dyw e ddim 'na i gyd, y truan, ond roedd Da a finne'n weddol hen yn ei gael e ti'n gweld, er y cariad mawr sy' 'da ni at ein gilydd,' dechreuodd Sal egluro ond ataliodd Morgan hi.

'Bydd yn falch ohono, Sal. Mae ei galon e'n y lle iawn ac mae e wedi'i lenwi â'r cariad 'na, mae hynny'n ddigon amlwg.'

'O, diolch yn fawr iti, Alun bach. Mae 'na lot o bobol rownd ffor' hyn, wel, 'dyn nhw ddim yn rhy siŵr shwt i drafod Gwynfor. Nawr 'te, beth am ginio? Mae gyda ni ddigonedd o facrell ffres ac fe fydd Da 'nôl o'i waith cyn hir ...'

Teimlodd Morgan fod yr ymweliad cyntaf hwn wedi bod yn hen ddigon hir, ac yntau wedi galw'n ddirybudd. 'Na, wir, mae'n rhaid imi fynd – pethe'n galw,' atebodd.

'Ho-ho, pethe neu rywun,' tynnodd Sal ei goes.

'Ie, falle,' a gwenodd arni. 'Ond wnei di un gymwynas â fi?'

'Wrth gwrs 'ny,'

'Paid dweud wrth neb arall am yr ymweliad 'ma, heblaw am Da wrth gwrs.'

'Unrhyw reswm arbennig?'

'Na, na, paid becso, fe wna i egluro popeth iti y tro nesa.'

'Iawn. Fe fydd yn gyfrinach fach rhwng y pedwar ohonon ni. Mae honna'n graith gas ar dy wyneb, gyda llaw ...' Roedd Sal wedi poeni am y graith ers iddi sylwi arni y funud y gwelodd Morgan. 'Ond heblaw am honna, dwyt ti ddim wedi newid dim. Cofia dy fod yn dod 'nôl i'n gweld ni'n glou.'

Ffarweliodd y ddau, gyda Morgan yn addo dychwelyd i'w gweld cyn hir. Dros ginio y prynhawn hwnnw dywedodd Sal yr holl hanes wrth ei gŵr , yn enwedig am y ffordd gyfeillgar yr oedd Morgan wedi ymateb i Gwynfor.

'Gofynnest ti iddo fe am Ifor?' gofynnodd Da iddi.

'Ifor, pa Ifor?'

'Ifor, fenyw! Be sy'n bod arnat ti? Hwnnw sy' â wâc lath yn Llunden.'

'O, Ifor Cambrian Stores ti'n feddwl? Diawch, naddo, 'na dwp o'n i. Falle bod Alun yn ei nabod e'n iawn.'

'Dwyt ti byth yn gwbod,' atebodd ei gŵr ac aeth y tri yn ôl i fwynhau eu pysgod.

* * *

'Mae 'na un neu ddau yn meddwl bod gan y Sais 'na yn Awel Deg rywbeth i'w wneud â marwolaeth y ferch ifanc 'na,' sibrydodd Mari. Eisteddai gyferbyn â'r hen Gapten yn ei lolfa fach. Galwai arno'n aml i sicrhau ei fod yn iawn ac roedd y ddau yn ffrindiau da ers blynyddoedd. 'Roedd y plismon bach ifanc 'na o Aberystwyth yn holi ac yn holi amdano,' aeth yn ei blaen. 'Wel, fe ddywedes i wrtho yn blwmp ac yn blaen nad oeddwn i'n un i fusnesa ond ei fod e'n edrych yn ŵr bonheddig iawn.'

'Chwarae teg i chi, Mari. Gorau i gyd pwy leiaf y'n ni'n ei ddweud – chawn ni ddim diolch am wneud eu gwaith drostyn nhw. Mae John Jones o Aberteifi wedi bod draw sawl gwaith hefyd yn archwilio hyn ac arall. Beth mae e'n ddeall, dyn a ŵyr.'

Bu'r ddau yn dawel am rai eiliadau. 'Y'ch chi'n cael y teimlad eich bod chi wedi'i weld e o'r blaen?' holodd y Capten o'r diwedd.

'Dyna ryfedd eich bod chi'n dweud 'na. Oes, mae 'na rywbeth cyfarwydd yn ei gylch e. Ond wedyn, ble bydden i wedi cyfarfod Sais o'i fath e? Dwi byth yn mynd o Bwll Gwyn.'

'Na,' atebodd y Capten a daeth y tawelwch hamddenol yn ei ôl rhwng y ddau.

'Y'ch chi'n meddwl eich bod chi wedi cwrdd ag e o'r blaen?' gofynnodd Mari ymhen sbel.

'Na, na,' atebodd y Capten yn gelwyddog, 'Ond fel y'ch chi'n dweud, mae 'na rywbeth cyfarwydd amdano, yn ei lygaid falle?'

'Hen graith gas ar ei wyneb.'

'Wes, wes, cas iawn.'

'Shwt gas e honna, tybed.'

'Pwy a ŵyr,' a gwyrodd yn ei flaen i roi darn arall o froc môr sych ar y tân.

PENNOD 13

Roedd Martyn Ifans yn dechrau poeni. Aeth wythnos gyfan heibio ers i'r corff gael ei ddarganfod ym Mhwll Gwyn a nawr roedd yr hanes ar dudalen flaen y *Tivy Side*, y *Western Telegraph* a'r *Cambrian News*. Roedd ôl geiriau Sarjant Jones yn yr adroddiadau yn egluro bod '... yr heddlu yn brysur yn ymchwilio i'r mater'. Diolchodd Ifans nad oedd y gair 'llofruddiaeth' wedi'i ddefnyddio ac ni soniwyd am gyflwr y corff chwaith. Ond beth oedd wedi cael ei wneud i geisio datrys y dirgelwch? Dim byd. Roedd Jones wedi gyrru DC Ron Powell i ymchwilio yn ei le ac wedi osgoi darllen adroddiad y patholegydd yn fanwl. Oedd, roedd hi'n hen bryd iddo wneud rhywbeth. Galwodd Powell i'w swyddfa i gael gwybod beth oedd y datblygiadau diweddaraf.

Gwrandawodd heb ddweud gair wrth i Powell egluro'i ddamcaniaeth iddo. 'Fuest ti draw yn Aberporth a Llangrannog hefyd?' gofynnodd ar ôl iddo orffen.

'Wel, do, ond beth sy' gan hynny i'w wneud â'r peth?' gofynnodd Powell wedi'i siomi gan ymateb ei feistr.

'Paid â digalonni, does dim byd yn bod ar dy esboniad di. Fe allen i fod wedi dod o hyd i hynny mewn unrhyw nofel dditectif – un o storïau Gari Tryfan, falle. Nawr 'te, beth wnes ti ffeindio mas yn Aberporth a Llangrannog?'

'Dim o bwys,' atebodd Powell yn dawel.

'Gad i mi benderfynu beth sy' o bwys a beth sy' ddim, ok?' atebodd Ifans yn ddiamynedd.

Dechreuodd Powell ddarllen ei nodiadau gan geisio swnio mor swyddogol â phosib.

'Dwed wrtha i 'to am y boi 'na welest ti ar ei feic,' gorchmynnodd Ifans, ond cyn i Powell gael y cyfle torrodd y ffôn ar eu traws. Cododd Ifans y derbynnydd a'i ateb mewn llais cras a chaled. Gwrandawodd yn astud a sylwodd Powell fod ei wyneb yn gwelwi'n fwyfwy fel âi'r alwad yn ei blaen.

'Reit, fe fyddwn ni i lawr 'na cyn gynted ag y gallwn ni. Peidiwch â chyffwrdd dim byd nes ein bod ni'n cyrraedd.' Rhoddodd y derbynnydd yn ôl yn ei grud.

'Damo! Uffern dân!' rhegodd yn uchel cyn cofio fod Powell yn eistedd yr ochr draw i'r ddesg. 'Gredi di? Blydi corff arall, yng Ngheinewydd y tro 'ma – wel, yng Nghei Bach i fod yn hollol gywir.' Cododd oddi wrth ei ddesg. 'Dere 'mlaen, 'ngwas i.'

* * *

Roedd tri phlismon yn disgwyl amdanynt ar y creigiau yng Nghei Bach. Dringodd Ifans a Powell i lawr i'r traeth a cherdded tuag atynt.

'Ro'n i wedi gobeithio peidio gorfod galw ar Gaerdydd neu Lundain i ddod draw yma, ond mae dau hunanladdiad mewn wythnos yn gwneud pethe dipyn bach yn gymhleth ac yn ormod o gyd-ddigwyddiad, dwyt ti ddim yn meddwl?' meddai wrth nesáu at y creigiau.

'Y'ch chi'n dal i gredu mai hunanladdiad oedd y cynta 'te?' holodd Powell yn siomedig.

'Dyna mae'r papurau yn ei ddweud, a phwy ydw i i amau bois y wasg?' atebodd Ifans gan osgoi'r cwestiwn. 'Reit 'te, pwy yw pwy?' gofynnodd cyn sylwi ar un yn arbennig. 'Jiw jiw! Shwt mae, Sarjant Jones? Ma' hyn yn dod yn dipyn o arferiad 'da chi.'

Gwrthododd Sarjant Jones fachu'r abwyd. Yn hytrach, cyflwynodd y ddau blismon arall. Syllodd Powell ar y corff. Merch ifanc fel y llall ond gyda gwallt du y tro hwn, y llygaid yn dal ar agor, toriad gwaedlyd ar draws ei gwddf ac yn hollol noeth.

'Llofruddiaeth arall, Inspector,' awgrymodd yn dawel, 'yn union 'run fath â'r llall.'

Plygodd Ifans ar ei gwrcwd i edrych yn fanylach ar y corff. 'Mm ...' ebychodd.

'Ma' hi wedi bod 'ma am ddiwrnod neu ddau,' datganodd Sarjant Jones yn awdurdodol.

'Y'ch chi'n meddwl 'ny, Jones?' gofynnodd Ifans yn sarrug. 'Pam?'

'Wel, ma' cyflwr y corff ...' dechreuodd, cyn sylweddoli nad oedd neb yn cymryd unrhyw sylw o'i eglurhad. 'Meddwl oeddwn i, 'na i gyd,' ac ar ôl seibiant bach ychwanegodd, 'syr.'

'Reit, Powell,' cododd Ifans ar ei draed, 'cer 'nôl i'r car i nôl blanced neu rywbeth i orchuddio'r corff, ac ar yr un pryd galwa am ambiwlans i'w chludo i Aberystwyth inni gael post-mortem arall.' Edrychodd unwaith eto ar y corff. 'Roedd hi'n ferch brydferth on'd oedd hi? Oes 'na un ohonoch chi yn ei hadnabod fel merch leol?'

Ysgydwodd y tri eu pennau i nodi nad oeddent wedi ei gweld o'r blaen, ac unwaith eto roedd Sarjant Jones yn diolch iddo'i hun yn ddistaw bach nad merch ffarm Tŷ

Newydd oedd yn gorwedd yn farw o'i flaen. Edrychodd Martyn Ifans yn graffach ar y corff gan ei symud ychydig i weld a oedd rhywbeth wedi'i guddio oddi tano. Rhedodd cranc bychan ar draws y graig.

'Daliwch e fechgyn, inni gymryd ei *fingerprints*,' chwarddodd Ifans ond doedd neb yn rhannu ei hiwmor. Gwyddai na fedrai osgoi anfon datganiad i Lundain bellach.

Pan ddychwelodd Powell, sylwodd Ifans ar yr olwg ddwys a difrifol ar ei wyneb.

'Ga' i air bach gyda chi, syr ... ym ... gair bach preifat?' sibrydodd Powell.

Neidiodd Ifans i lawr ar y tywod a throi ei gefn ar y graig.

'Pan es i 'nôl i'r car i nôl y blanced fe siarades i â'r swyddfa yn Aberystwyth. Maen nhw wedi bod yn trio cysylltu â ni ers tua hanner awr i ddweud bod corff arall wedi'i ddarganfod, yn Ynys-las y tro 'ma, a bod heddlu Machynlleth ar eu ffordd yno nawr.'

Methai Ifans â chredu ei glustiau. 'Damo, uffern!' ebychodd. 'Ond beth ddiawl sy' gydag e i'w wneud â nhw?'

'Doedd neb ar gael yn ein swyddfa ni,' atebodd Powell.

Rhegodd Ifans yn dawel eto. 'Dere, byddai'n well inni frysio. Cer i ddweud wrth y tri 'na ein bod ni'n dychwelyd i Aber – ond paid â dweud pam. Rho orchymyn iddyn nhw aros yma gyda'r corff nes bod yr ambiwlans yn cyrraedd ac yna i ddychwelyd at eu dyletswyddau arferol. Dwed wrthyn nhw i gadw'n ddistaw am hyn ac fe fyddwn ni'n cysylltu â nhw maes o law. Mae'n rhaid inni gyrraedd Ynys-las cyn bois Machynlleth.'

Ond er eu hymdrechion, roedd heddwas o Fachynlleth wedi cyrraedd yno o'u blaenau ac wrthi'n archwilio'r corff.

Diolchodd Ifans mai dim ond cwnstabl oedd e ond fe wylltiodd pan welodd ei fod wedi amharu ar yr olion yn y tywod o amgylch y corff.

Unwaith eto, yr un oedd cyflwr y corff, er nad oedd hon yn gorwedd ar graig ond yn hytrach ar un o'r twyni tywod. Gwallt coch a llygaid gwyrdd y tro yma, ond gyda'r un toriad gwaedlyd ar draws ei gwddf a'r corff yn gwbl noeth. Safai'r pâr ifanc a ddaeth ar draws y corff ym mreichiau'i gilydd, yn crynu mewn ofn. Edrychodd Ifans ar y corff cyn gofyn y cwestiynau priodol i'r ddau a chymerodd Powell eu manylion cyn gofyn i'r heddwas o Fachynlleth eu hebrwng adref, gyda'r addewid i beidio dweud gair wrth neb. Gan nad oedd y ddau i fod yng nghwmni ei gilydd y prynhawn hwnnw, roeddent yn fwy na pharod i gytuno.

Cyrhaeddodd yr ambiwlans wrth i'r tri adael a chludwyd y corff yn ofalus i mewn i'r cerbyd. Unwaith eto archwiliodd Ifans a Powell y tywod yn fanwl am gliwiau ond fel yn yr achosion eraill, nid oedd dim anghyffredin i'w weld yn unman.

'Tri chorff, myn uffern i, Powell, tri blydi corff!' ochneidiodd Ifans wrth iddynt ddychwelyd i Aberystwyth. 'Wel, 'nôl â ni i'r swyddfa i gysylltu â Sgotland Iard. Os na wna' i nawr fe fydd Machynlleth yn siŵr o wneud. Dyna ddiwedd ein hannibyniaeth ni, Powell bach. Wel, beth am dy ddamcaniaeth di nawr?'

Efallai fod ei feistr yn iawn wedi'r cyfan; efallai mai ceisio ei dwyllo wnaeth Keith Morris, ac o ble y cafodd e yr holl wybodaeth? Yn sydyn, cafodd weledigaeth.

'Fe welson ni e yn Aberaeron, a falle mai ei gar e welson ni yn Synod Inn.'

'Pwy?' holodd Ifans.

'Y boi 'na, Keith Morris o Bwll Gwyn,' atebodd Powell.

'O do, ie, ti'n iawn hefyd,' cytunodd ei feistr yn dawel a dechreuodd ei feddyliau yntau redeg ar ras.

* * *

Roedd Elisabeth Williams wedi bod yn teimlo'n rhyfedd yn ddiweddar. Bob yn awr ac yn y man deuai rhyw deimladau anghyfforddus drosti. Er ei bod yn ymwybodol o'r newidiadau a ddigwyddai i wragedd wrth iddynt heneiddio, credai ei bod hi'n llawer rhy ifanc i hynny. Wedi'r cyfan, doedd hi ddim yn ddeugain eto – wel, ddim am rai misoedd beth bynnag. Efallai mai'r ymarfer nosweithiol oedd ar fai. Roedd hynny'n bendant yn gadael ei ôl a'i choesau'n ddigon poenus bob bore. Ond nid salwch corfforol a deimlai ychwaith, ond rhyw fath o gynnwrf yn ei henaid, rhyw nerfusrwydd fel pe bai mewn perygl neu helynt. Boddodd ei hunan yn ei gwaith, ffoniodd ei merch ym Manceinion i wneud yn siŵr ei bod hithau'n iawn, ac yn raddol ciliodd y teimladau annifyr.

Bob nos byddai'n mynd allan i gerdded milltir neu ddwy i glirio'i meddwl yn ogystal ag i gael gwared â'r pwysau. Felly, doedd neb adref pan gerddodd y dyn at ei drws ffrynt a churo'n dawel arno. Heb gael ateb cerddodd yn ôl i'w gar a gyrru ymaith. Gwyddai y byddai cyfle arall yfory – dyfal donc a dorrai'r garreg.

* * *

'Rwy'n deall mai chi sy'n gyfrifol am lanhau Awel Deg, Mari?'

Roedd Sarjant Jones wedi penderfynu ei bod hi'n bryd iddo ef ei hunan wneud ymdrech bersonol i ymchwilio i helynt y llofruddiaeth ac wedi dod draw i Bwll Gwyn.

'Ie, wir,' atebodd Mari.

'A shwt ddyn yw'r Keith Morris 'ma 'te?'

'Gŵr bonheddig, Sarjant, gŵr ffein iawn.'

'Ry'ch chi wedi dod i'w adnabod e'n dda 'te?'

'Fydda i byth yn ei weld e.'

'Shwt 'ny?'

'O, mae e wastad mas yn rhywle, fan hyn a fan draw.'

'Ac eto ry'ch chi'n credu ei fod e'n ŵr bonheddig?'

'Wy'n adnabod calon dda pan wela i un – mae'r ddawn 'da fi,' edrychodd Mari i fyw ei lygaid.

'Mmm ... fe wela i. Felly, dyw e ddim adre nawr 'te?

'Na, mae e wedi mynd mas yn ei gar,' a gwenodd ar y Sarjant.

PENNOD 14

Teimlai Morgan ei fod yn mynd yn debycach i'r hen Gapten Williams bob dydd. Roedd wedi dechrau rhedeg ar hyd y traeth bob bore, ar ôl gwneud yn siŵr nad oedd yr hen foi o gwmpas, ac yna byddai'n eistedd ar Garreg y Fuwch yng nghysgod y ffrwd.

Beth nesa'? holodd ei hun y bore hwnnw. Mynd am nofiad fach? Na, nid nes bod y dŵr yn twymo dipyn.

Edrychodd allan i'r môr a gweld y glaw yn symud ar hyd y gorwel. Roedd y graig yn lle addas i synfyfyrio'n dawel heb neb i amharu ar ei feddyliau.

Ystyriodd shwt y byddai wedi ymdopi â bywyd cefn gwlad petai wedi cael y cyfle, pe na bai pethau wedi digwydd fel y gwnaethon nhw. Yn bendant byddai ei fywyd wedi bod yn hollol wahanol. Tybed a fyddai ganddo deulu bach? Gwraig a dau blentyn efallai? 'Ond ddaw ddoe byth yn ôl,' sibrydodd yn dawel.

Am beth oedd Sal yn sôn pan dorrodd ar ei thraws ynghanol y sgwrs? Ceisiodd gofio ei newyddion nerfus ond doedd yr enwau'n golygu dim iddo erbyn hyn – yn enwedig gan mai dim ond hanner gwrando yr oedd ar y pryd. Ond na, roedd rhywbeth arall, rhywun arall, rhyw un enw arbennig.

Beth glywaist ti, Alun? Roedd 'na un enw arbennig. Wyt ti'n cofio? Beth wyt ti'n ei osgoi, Alun? Pam wyt ti'n ei osgoi?

Edrycha tua'r môr. Weli di'r bachgen yn sefyll yno ar ei ben ei hunan? Weli di'r tristwch yn ei lygaid duon – yn dy lygaid di?

'Mae Elisabeth 'nôl hefyd,' clywodd y geiriau'n glir. Torrodd llais Sal fel mellten ar draws ei feddwl. 'Mae hi'n athrawes yn Ysgol Llandysul.'

Agor dy feddwl, Alun. Agor dy galon a gad iddi ddod 'nôl – yn ôl i'th atgofion o leiaf.

Elisabeth. Roedd yr enw'n unig yn ddigon i wneud i'w galon garlamu a'i geg sychu'n grimp. Tybed a oedd Sal wedi sylwi? Oedd 'na rywbeth yn ei lais wedi dangos iddi fod yr hen glwyf wedi ailagor, clwyf a fu'n llawer anos ei ddioddef na'r clwyf ar ei wyneb? Nid oedd y graith hon yn weladwy i neb ond ef ei hun.

Elisabeth. Meddyliodd amdani. Disgynnodd llenni'r blynyddoedd a daeth y darluniau cuddiedig i'r golwg fesul un, yn hyfrytach nag erioed.

Beti, Bet neu Lis fel y galwai pawb ond ei rhieni hi. Dim ond Elisabeth oedd hi iddyn nhw. Ond Bwts, neu Bwts fach, oedd hi iddo fe ac iddo fe'n unig. Enw bach preifat; eu cyfrinach nhw ill ddau. Wrth gwrs, roedd yn rhaid iddo fe fod yn wahanol i bawb arall.

Pwy weli di, Alun Morgan, wrth i gymylau dy feddwl glirio? Weli di'r ddau yn sefyll ar y tywod? Y bachgen ifanc â'r gwallt cyrliog a llygaid tywyll a'r ferch brydferth â'i gwallt golau, hir yn chwythu yn yr awel? Weli di eu dwylo ymhleth?

Wyt ti'n gweld pethau fel yr arferen nhw fod, Alun?

Glywi di ei chwerthiniad llawen a'i llais swynol yn cario ar yr awel? Gofi di ei chariad tuag atat?

Ac yna, ar amrantiad, yn y fan honno ar graig galed rhwng y ffrwd a'r môr ym Mhwll Gwyn, gadawodd Morgan iddi o'r diwedd ddod yn rhydd yn ei feddwl, yn rhydd o gadwynau amser. Gwelodd y tynerwch yn ei llygaid gleision, teimlodd lyfnder ei gwallt, ei gwefusau, ei chroen, ei chorff. Teimlodd ei phresenoldeb a'i chariad. Nid rhan o'i fywyd oedd hi; hon oedd ei fywyd. Bu marwolaeth ei rieni'n erchyll, ond roedd colli Elisabeth wedi ei dorri'n llwyr.

El ac Al – felly yr oedd pawb yn eu hadnabod yn yr ysgol fawr yn Aberteifi. Dau blentyn yn cyfarfod am y tro cyntaf. Hi yn ferch i bregethwr yn Aberteifi ac yntau'n fab ffarm, a deg milltir rhwng eu cartrefi. Hi'n gaeth i'w chartref crefyddol ac yntau'n gaeth, yn ystod yr wythnos, o dan fawd gŵr a gwraig ei lety wythnosol yn y dref. Dyna'r drefn y dyddiau hynny. Cyfeillion rhwng naw o'r gloch ar fore Llun a hanner awr wedi tri ar brynhawn dydd Gwener.

Tyfodd ac aeddfedodd y ddau gyda'i gilydd; hi'n ferch brydferth, yn dal ac yn ddeniadol ac yntau'n llanc cydnerth, cryf ac ystwyth. Roedd y ddau yn fythol lawen, yn ysgafnfryd ac yn ymfalchïo'n eu direidi diniwed gyda'i gilydd. Felly y bu blynyddoedd cynnar yr ysgol uwchradd, ac yn araf bach tyfodd y chwerthin a'r chwarae yn gariad dwfn.

El ac Al – ni fyddai un byth heb y llall, er gwaethaf rheolau llym yr ysgol. Ond dau rebel oedd y rhain ymhell o flaen eu hamser. Byddent ar wahân yn ystod y penwythnosau a'r gwyliau ond gydol yr amser ym meddyliau ei gilydd. Dau gorff – un enaid.

Yn raddol tyfodd y cyfeillgarwch yn gariad diniwed rhwng dau blentyn a oedd yn tyfu'n laslanciau gyda'i gilydd. Ni ellid gwahanu'r ddau yn eu paradwys fechan nes i'r toriad eu gorfodi i ddod â'u byd bach tyner i ben. Cafodd ei thad ddyrchafiad; galwad i fugeilio tri chapel arall rywle yng ngogledd Cymru, yn y Bala y dywedodd hi. Diflannodd Elisabeth dros nos – gadael yr ardal a'i adael yntau ac ni chlywodd sôn amdani wedyn, hyd nawr.

Roedd llais Sal yn dal i atseinio yn ei feddwl, 'Mae Elisabeth 'nôl hefyd. Mae hi'n athrawes yn Ysgol Llandysul.'

'O ble 'wedoch chi o'ch chi'n dod yn wreiddiol, 'te?' Torrodd y llais main ar draws meddyliau Morgan a'i ddwyn yn ôl i'r presennol. Trodd ei olwg oddi wrth y môr ac edrychodd i lawr islaw'r graig. Safai Capten Williams ar y traeth a'i wyneb siriol yn edrych i fyny arno.

'Cymro y'ch chi, on'd ife?' gofynnodd yn blwmp ac yn blaen.

Edrychodd Morgan yn syn ar y Capten. Ni wyddai'n iawn sut i ymateb.

'Wyddech chi fod rhai o bobol y pentref, y mwyafrif i ddweud y gwir, yn meddwl fod gyda chi rywbeth i'w wneud â'r ferch fach 'na ar y creigiau? Clonc y pentref, os y'ch chi ishe gwybod. Ond dwi ddim yn un i wrando ar glonc a dwi ddim wedi dweud wrthyn nhw mai Cymro y'ch chi chwaith.' Arhosodd am eiliad i gael ei wynt ato. Ceisiodd Morgan guddio'i syndod. 'Dewch nawr, 'machgen i. Diawch, ry'ch chi 'run ffunud â'ch tad,' aeth y Capten yn ei flaen. 'Ro'n i'n gwbod 'mod i'n eich nabod o rywle. Wel, nid chi wnes i nabod a dweud y gwir, ond eich tad, Dafi. Mab Dafi y'ch chi on'd ife? Wy'n cofio cwrdd â chithe 'fyd pan o'ch chi'n fachgen bach. Wy'n iawn, on'd ydw i?' Lledodd gwên ar draws yr hen wyneb crychlyd.

Sylweddolodd Morgan fod y ddrama ar ben. Pa ddiben

ceisio cuddio dim oddi wrth yr hen foi? Medrai hwn gadw cyfrinach, fe wyddai hynny bellach.

Neidiodd oddi ar y graig a sefyll wrth ochr y Capten. Edrychodd draw ar hyd y traeth. Yn y pellter gwelodd y crwt ifanc yn edrych arno, ei wallt cyrliog yn chwifio'n wyllt yn y gwynt a gwên lydan ar ei wyneb. Cododd y crwt ei fraich i ffarwelio ag ef. Ond doedd neb arall yn medru ei weld ac yn sydyn, daeth y crwt bach yn ddyn.

' 'Chi'n iawn,' cyfaddefodd, 'ond gwrandewch, mae'n rhaid i chi gadw hyn yn gyfrinach. Os dyweda i wrthoch chi pam, rhaid i chi addo peidio dweud gair wrth neb.'

' 'Machgen bach i, mae'r llygaid 'ma wedi gweld, a'r clustiau 'ma wedi clywed llawer mwy na mae'r dafod 'ma wedi'i ddweud dros y blynyddoedd. Does dim rhaid i ti ddweud dim byd wrtha i os nad wyt ti ishe. Ond cofia, beth bynnag yw dy stori wy'n gweld fod 'na ddrycin yn dy enaid sy'n dy boeni di'n ofnadwy.'

Tynnodd Morgan ddarn arall o'r fantell guddiedig i ffwrdd wrth iddo egluro'i sefyllfa i'r hen gapten. Eisteddodd y ddau ar y graig. Er iddo sôn am yr helynt yn Llundain a bygythiad Capelo i'w fywyd, ni ddatgelodd yr holl hanes ac, yn fwriadol, ni soniodd am ei waith na'i bwysigrwydd fel heddwas.

Gwrandawodd yr hen ddyn yn astud. 'Roedd dy dad yn ŵr bonheddig iawn,' meddai ar ôl i Morgan orffen. 'Bob amser yn barod i aros i gael sgwrs pan fyddwn i'n cerdded ar hyd yr hen draeth 'ma neu'n eistedd lan fan 'co,' cyfeiriodd â'i fys dros ei ysgwydd. 'Oedd wir, er i'r rhan fwya yn y pentre 'ma f'anwybyddu am 'mod i'n hen foi bach od. Ond roedd dy dad yn wahanol. Doeddwn i ddim yn nabod dy fam yn dda iawn ond mae'n rhaid ei bod hithe'n ddynes arbennig os oedd hi'n wraig i dy dad.' Edrychodd tuag at y ffrwd. 'Roedd dy dad yn nabod y ddau, ti'n gwybod?'

'Pa ddau?' holodd Morgan gan dybio iddo golli rhan o'r sgwrs.

'Y ddau grwtyn ifanc gafodd eu lladd wrth geisio dringo i fyny'r ffrwd 'ma. Wy'n ei gofio fe'n dweud yr hanes wrtha i. Roeddwn i i ffwrdd ar y môr ar y pryd a'r holl beth wedi hen ddigwydd erbyn i mi gyrraedd 'nôl, ond roedd dy dad yn cofio'r drychineb ac roedd dagrau lond ei lygaid pan ddywedodd e wrtha i beth ddigwyddodd. Roedd e'n eu nabod yn iawn ti'n gweld – yn nabod y ddau deulu. Roedd un crwt bron â chyrraedd y brig yn ôl dy dad – roedd 'na glwmpyn o borfa yn ei ddwrn pan gafwyd hyd i'r cyrff.'

Tawelodd y Capten am eiliad cyn mynd ymlaen, 'Oedd wir,' ochneidiodd, 'clwmpyn o borfa.' Arhosodd am seibiant arall cyn parhau. 'Paid â phoeni, 'machgen i, mae dy gyfrinach yn ddigon diogel o'm rhan i – o barch i dy dad a dy fam ac i'r crwtyn bach wnaeth ofyn i mi unwaith shwt le oedd pen draw'r byd. Wyt ti'n cofio?'

Yna edrychodd yr hen gapten i fyw llygaid Morgan. 'Falle nad wyt ti'n eu teimlo nhw ond wy'n gallu gweld dagrau yn dy lygaid dithe hefyd. Dagrau hiraeth ddyweden i.'

Cododd yn sydyn. 'Dere, wy'n mynd 'nôl neu fe fydd y llanw yn ein dal ninne. Gerddwn ni gyda'n gilydd am dipyn?'

'Bydden i wrth fy modd, Capten,' gwenodd Morgan yn llawen gan deimlo fod pwysau mawr wedi'i godi oddi ar ei ysgwyddau.

'Ond nid y digwyddiadau erchyll 'na oedd ar dy feddwl di pan wnes i dy gyfarch gynne fach ac nid straeon y bobol leol sy'n dy boeni chwaith,' awgrymodd yr hen ŵr.

Oedodd Morgan am eiliad cyn ateb yn dawel, 'Nage, ry'ch chi'n iawn.'

'Wy' wedi ymarfer y grefft dros y blynyddoedd weli di – a wy' bron yn fy nawdegau – galla i ddarllen meddylie pobol yn weddol gywir. 'Sdim rhaid i ti ddweud wrtha i beth na phwy oedd ar dy feddwl, ond cofia dy fod ti'n gwneud rhywbeth ynghylch y peth neu fe fydd hi'n rhy hwyr arnat ti. Ac mae'r cyngor 'na yn rhad ac am ddim, er mai Cardi ydw i i'r carn,' a chwarddodd yr hen forwr yn ei ffordd fach ryfedd ei hun.

Ymunodd Morgan yn y chwerthin. 'Diolch am y cyngor,' meddai. Gwyddai'n dda beth oedd yn rhaid iddo'i wneud nesaf – a'i wneud cyn gynted ag y medrai.

PENNOD 15

Roedd yr alwad ffôn i Sgotland Iard wedi codi ysbryd Martyn Ifans ac roedd geiriau pennaeth y Flying Squad yn dal i atseinio yn ei feddwl bedair awr ar hugain yn ddiweddarach.

'Mawredd Dad, ddyn, y'ch chi'n dweud wrtha i eich bod yn ceisio dal rhywun sy' wedi llofruddio tair merch ifanc ar eich pen eich hun, heb unrhyw gymorth gan neb? Alla i ddim meddwl am yr un heddwas arall fyddai'n barod i wneud y fath beth – ddim ar ei ben ei hunan ta p'un.' Ond fel ag yr oedd y Comander yn llefaru'r geiriau daeth un wyneb cyfarwydd i'w feddwl – ond roedd hwnnw'n cuddio am ei fywyd yn rhywle na wyddai neb ble. 'Wy'n mynd i anfon dau o'm dynion acw i'ch helpu yn syth. Dylsen nhw fod gyda chi fory nesa.'

Pan gerddodd Powell i mewn i'r swyddfa eisteddai Ifans wrth ei ddesg yn llawn hunanbwysigrwydd, er bod geiriau'r Comander wedi gwneud iddo sylweddoli pa mor flêr y bu'r ymchwiliad hyd yn hyn. Pesychodd Powell i geisio dal sylw ei feistr ond parhau i edrych allan drwy'r ffenestr wnaeth Ifans.

Cymerodd gam ymlaen a datgan, 'Wy' wedi gwneud rhagor o ymholiadau, fel y gofynnoch.'

Holltodd ei eiriau y tawelwch fel llafn cyllell. Ymatebodd Ifans yn chwyrn fel pe bai wedi cael ei ddeffro o drwmgwsg. Eisteddodd i fyny'n syth yn y gadair ledr a'i throi i wynebu Powell, gan edrych arno fel petai'n ddieithryn.

'A beth wnest ti ffeindio mas?' gofynnodd o'r diwedd.

'Oes 'na rywbeth o'i le, syr?' holodd Powell.

'Esgyrn Dafydd, nag oes! Tri chorff wedi eu llofruddio a neb yn eu nabod; adroddiad y patholegydd yn dweud dim ond yr hyn sy'n amlwg i bawb; dau foi ar eu ffordd o Lundain i arwain yr ymchwiliad; y wasg ar fy nghefn ishe stori – beth ddiawl all fod o'i le, Powell, mmm ...?' atebodd yn sarrug.

'Mae'n ddrwg gen i, syr, ishe dweud oeddwn i 'mod i wedi gwneud dipyn rhagor o ymholiadau o amgylch Pwll Gwyn a'r ardal,' atebodd Powell yn dawel.

'A beth wnest ti ffeindio mas?' Syllodd Ifans arno â golwg ddigon tywyll yn ei lygaid. Eglurodd Powell fod Keith Morris wedi symud i fyw i Awel Deg dros dro; nad oedd neb yn gwybod yn iawn un o ble'r oedd e ond fod popeth wedi'i drefnu gan chwaer-yng-nghyfraith y perchennog. Roedd e'n edrych yn foi gweddol gefnog, gyda Rover eitha newydd a'i fod yn mynd o le i le yn aml yn y car, ond ni wyddai neb i ble na pham.

'A beth am y boi bach ifanc rhyfedd 'na, yr un welaist ti yn Aberporth?' holodd Ifans heb ddangos fawr o ddiddordeb.

Eglurodd Powell ei fod wedi darganfod pwy oedd y bachgen. Gwynfor oedd ei enw ac roedd yn fab i Bwyliaid. Byddai'n mynd i Aberporth yn aml ar ei feic, gyda'i gi yn gwmni iddo, ond bach iawn oedd ganddo i'w ddweud wrth neb. Prynai bysgod i'w fam pan âi yno. Byddai'n dod yn aml i Bwll Gwyn i fusnesa rownd rhai o'r carafannau ar y clogwyn uwchben y traeth.

'Yn ôl Sarjant Jones mae merch un o'r ffermydd wedi mynd ar goll, neu o leia wedi dianc o'i chartref sy'n agos i Bwll Gwyn. Hyd yn hyn does 'na'r un awgrym fod 'na unrhyw gysylltiad â'r llofruddiaeth – a dyna'r cyfan mewn gwirionedd,' meddai i gau pen y mwdwl ar ei adroddiad.

'Wel, go dda, Powell, fe wna i dditectif o'no ti 'to,' cymeradwyodd ei feistr a gwenodd am y tro cyntaf ers i Powell gyrraedd. Cododd adroddiad y patholegydd a'i daflu i gyfeiriad Powell.

'Tafla gipolwg dros hwnna pan gei di gyfle. Mae un neu ddau beth bach digon diddorol ynddo fe ond dim llawer mwy na hynny. Mae'n rhaid i mi gyfadde fod y brawd Keith Morris 'na'n ddiddorol serch hynny.'

'Ym mha ffordd, syr?' holodd Powell.

'Wel, dos yn ôl at dy ddamcaniaeth wreiddiol ...'

Syfrdanwyd Powell. Roedd wedi dod i gredu bod Ifans wedi llwyr anghofio'i awgrymiadau cyntaf, er mai damcaniaethau Keith Morris oedden nhw mewn gwirionedd.

'Dos yn ôl at y ffeithiau moel. Y ferch gyntaf honno ar y creigiau, yn ymddangos fel petai wedi dod o'r môr – er bod hynny'n amhosib yn dy farn di. Cofia, dwi ddim yn dweud 'mod i'n cytuno â ti, ond i fynd ymlaen. Does neb yn ei hadnabod, neb wedi riportio merch ar goll heblaw am un ac mae Jones wedi cadarnhau nad hi oedd y corff. Keith Morris yn cyrraedd a neb yn ei nabod yntau nac yn gwbod un o ble yw e. Efallai fod y ddau wedi cyrraedd gyda'i gilydd o rywle yn Lloegr, ei fod e wedi'i llofruddio a'i gadael ar y creigiau gan obeithio y byddai'r llanw'n ei chario mas i'r môr yn hytrach na'i chario i mewn ar y traeth. Wedi'r cyfan, mae e'n aros yn Awel Deg sydd ar y clogwyn uwchben y creigiau. Byddai'n ddigon hawdd cario'i chorff i lawr o'r tŷ gyda'r nos a'i osod ar y graig. Welodd neb mohono'n cyrraedd y pentre na'i weld yn y pentre ei hun nes bod y corff wedi'i ddarganfod.'

Arhosodd am eiliad i danio sigarét, heb gynnig un i Powell. Roedd hi'n hen bryd iddo yntau ddechrau smygu, meddyliodd Powell. Byddai sigarét yn gweddu'n berffaith â'r got lwyd a'r het.

'Wedyn,' aeth Ifans yn ei flaen, 'cawsom hyd i'r ail gorff yn y Cei ac fe welson ni Rover du yn dod o'r cyfeiriad 'na. Wyt ti'n cofio hynny – pan oedden ni ar ein ffordd 'nôl o Bwll Gwyn? Roedd honno wedi ei lladd yn yr un modd â'r gyntaf. Pwy sy'n mynd i amau nad Morris laddodd honno hefyd, rhoi'r corff ym mŵt y car a'i chludo i'r Cei? Ond fe sylweddolodd fod Cei Newydd yn rhy brysur iddo wneud ei waith tra bo Cei Bach yn ddigon tawel iddo gario'r corff i lawr a'i osod ar y traeth, neu ar y creigiau unwaith yn rhagor. Wedi'r cyfan, roedd y lle'n wag pan oedden ni 'na ac roedd y ferch wedi'i lladd rai dyddiau cyn i ni ddod ar ei thraws – dwyt ti ddim yn cytuno, Powell?'

Roedd Ifans wedi gorffen ei sigarét a gwasgodd y stwmpyn i'r blwch llwch. Cododd ei aeliau ar y ditectif gwnstabl ond cyn rhoi cyfle iddo ateb, aeth yn ei flaen.

'A beth am y corff yn Ynys-las? Fe ddywedest ti fod Morris yn mynd fan hyn a fan draw yn ei gar. Ry'n ni wedi'i weld yn Aberaeron a mwy na thebyg iddo gael ei ddychryn pan welodd e ni yn y caffi ac felly fe benderfynodd fynd â'r corff nesa ymhellach i ffwrdd, sef i Ynys-las – lle bach dymunol, braf, tawel ac ymhell o bobman. Na, mwya'n y byd wy'n astudio'r ffeithiau, mwya ffyddiog ydw i taw Morris yw'r dyn. Mae pob dim yn syrthio i'w le. Mae'r diafol yn ein plith, Powell, y diafol yn ein plith.' Arhosodd am ymateb Powell, ond ni ddaeth yr un.

'Weli di hon?' Cyfeiriodd Ifans at ffeil fawr ar ei ddesg. 'Casgliad o luniau drwgweithredwyr a llofruddwyr o bob cwr o'r wlad,' eglurodd. 'Wy' wedi bod yn eu casglu'n ddiwyd dros y blynyddoedd. Pethe fel hyn sy'n rhaid i ti eu gwneud os wyt ti am lwyddo yn y busnes 'ma.' Tynnodd Ifans sigarét arall o'i boced a'i thanio.

'Ro'n i'n meddwl eich bod chi wedi rhoi'r gorau i smygu,' mentrodd Powell.

'Fe wnes i, ti'n iawn, ond mae'r diawl Morris 'ma wedi gwneud imi ailddechrau. Wy' ishe iti fynd drwy'r ffeil 'ma i weld a oes 'na unrhyw un tebyg i Morris ynddi. Hynny fyddai'r *final nail in the coffin*, Powell, *the final nail in the coffin...*' meddai eilwaith i bwysleisio'i sylw. Yna sylweddolodd nad oedd ei eiriau'n hollol addas ac fe ychwanegodd yn drwsgl, '... ym ... fel petai.'

'Y'n ni'n mynd i'w arestio fe, 'te?' holodd Powell yn nerfus.

'Pwy a ŵyr, Powell bach, dyw'r awdurdod ddim 'da fi mwyach. Mae blydi Sgotland Iard yn mynd i fachu'r awenau y funud y cyrhaeddan nhw. Wyt ti'n meddwl am eiliad y byddan nhw'n barod i wrando arna i? Er, cofia, roedd Comander y Flying Squad yn canmol f'ymdrechion. Ond mae'n ffitio, ti'n gweld, Powell, mae'n ffitio. Nawr roedd dy ddamcaniaeth di yn un iawn, dwi ddim yn amau 'ny, ond mae f'un i yn ffitio'r tri darn at ei gilydd.'

'Ond roedd dyddiau wedi mynd heibio rhwng y llofruddiaeth gyntaf a'r ddwy arall,' awgrymodd Powell.

'Does 'da hynny ddim byd i'w neud â'r peth. Mwy na thebyg ei fod e'n chwilota ble y gallai e adael y cyrff.'

Gwenodd Ifans yn foddhaol ar ei ymdrechion ef ei hun. 'Wrth gwrs, bydd yn rhaid inni gael warant i chwilio'i dŷ, ond dyn a ŵyr beth wnawn ni ei ddarganfod yno na pha fath o olwg sy' ar y lle erbyn hyn. Mae'n siŵr y down ni o hyd i'r ferch fach 'na sy' wedi diflannu y tu mewn yn rhywle hefyd – neu ei chorff gwaedlyd.'

Cofiodd Powell ei fod wedi anghofio sôn yn ei adroddiad am ei sgwrs â Mari a oedd yn gyfrifol am lanhau'r tŷ. Byddai cymeradwyaeth Mari Troed y Rhiw a chadarnhad Capten Williams am Keith Morris yn ddigon i dorri calon ei feistr, felly penderfynodd Powell arallgyfeirio'r drafodaeth. 'Ond beth am y Gwynfor 'na?' holodd.

'Y bachgen bach diniwed, rhyfedd?' gofynnodd Ifans.

'Ie,' atebodd Powell.

'Diawl, Powell, mae gen ti lot i'w ddysgu. Dwyt ti ddim yn cofio geiriau'r hen forwr 'na? Pwy ddaeth o hyd i'r corff cynta?' holodd, ond cyn i Powell gael y cyfle i ateb, aeth Ifans yn ei flaen. 'Gŵr ifanc a chi ganddo, sef y Gwynfor 'ma. Diflannodd o'r fan a'r lle cyn i neb gael cyfle i'w holi. A shwt, meddet ti? Ar feic, Powell, ar feic, yn ôl i Aberporth i brynu pysgod i'w fam, neu rywbeth tebyg. Ond darllen yr adroddiad am y corff cynta ac fe gei di weld pa mor ddiniwed yw'r boi bach 'na – y mochyn afiach.'

Doedd gan Powell ddim amcan at beth yn union y cyfeiriai Ifans, ac roedd hi'n amlwg fod gan ei feistr ragor o waith i'w wneud cyn i'r ymwelwyr o Lundain gyrraedd, felly cododd yr adroddiad a'r ffeil drwchus oddi ar y ddesg a throdd i adael yr ystafell.

'Cofia astudio'r ffeil 'na'n fanwl – mae'n bosib y down ni â'r hunllef 'ma i ben o fewn rhai dyddiau. Byddai'n braf tasen ni'n medru dala'r diawl cyn i'r bois mawr o'r ddinas gyrraedd, oni fydde fe?'

'Byddai, syr,' atebodd Powell wrth adael yr ystafell. Ond er holl rethreg hunanhyderus Martyn Ifans, teimlai Powell yn anghysurus, a hynny'n bennaf gan ei fod yn teimlo ym mêr ei esgyrn fod Morris ar eu hochr â nhw.

PENNOD 16

Fel arfer doedd Alun Morgan ddim yn un a fyddai'n teimlo'n nerfus am unrhyw beth, ond ar ôl dychwelyd o'r traeth teimlai gymysgedd o nerfusrwydd a chynnwrf, fel crwtyn bach ar fore trip Ysgol Sul! Newidiodd ei ddillad ddwywaith ond roedd yn dal i amau a oedd ei ddewis terfynol yn addas. Ar ôl cinio ysgafn gyrrodd i gyfeiriad Llandysul, at Elisabeth.

Roedd ei hwyneb yn glir yn ei feddwl nawr a'r niwl wedi diflannu. Ceisiodd ganolbwyntio ar y daith. Wedi'r cyfan, nid llanc ifanc oedd e mwyach, roedd yn ŵr ar drothwy'i bedwardegau. Nid hi oedd yr unig ferch fu'n rhan o'i fywyd chwaith. Roedd 'na sawl un wedi rhannu ei gwmni ar hyd y blynyddoedd, ond Elisabeth oedd yr unig un a garodd, yr unig un a gipiodd ei galon. Er yr holl ferched eraill, sylweddolodd yn fuan iawn mai chwilio amdani hi a wnâi bob amser, gan fethu'n llwyr gyda'i ymdrechion. A hyd yn oed ar ôl bron i chwarter canrif, hi oedd yr unig un. Hiraeth? Doedd y gair ddim yn dod yn agos i ddisgrifio'r gwacter fu'n gwasgu'i galon hebddi hi.

Wrth nesáu tuag at yr hen ysgol ar y bryn llifodd ias anghyfarwydd drwy ei gorff a theimlodd ei hyder yn diflannu. Bu bron iddo yrru heibio i'r ysgol i osgoi'r cyfarfyddiad ond gorchfygodd ei nerfusrwydd a pharciodd ei gar yr ochr draw i'r ffordd, gyferbyn â'r giatiau mawr, a'r rheiny, fel arfer, led y pen ar agor. Er ei bod yn ddigon gwyntog ac yn bygwth glaw, teimlai'n gynnes braf yn y car.

Aeth dros ddwy flynedd ar hugain heibio ers y tro diwethaf iddo'i gweld. Ni chawsant gyfle i ffarwelio â'i gilydd bryd hynny. Shwt fyddai pethau rhyngddynt heddiw?

Cofiodd y prynhawn olaf hwnnw. Roedd ei rhieni wedi mynd i ryw gyfarfod neu'i gilydd yn ymwneud â'r capel a hithau wedi ei wahodd i'w chartref. Cofiodd deimlo fel petai'r tŷ yn gartref iddyn nhw a'u bod yn rhydd i wneud fel y mynnent. Cofiodd y cofleidio wrth y drws ffrynt, y cusanu angerddol wrth iddi ei arwain i ystafell wely ei rhieni. Daeth y cyfan yn ôl fel petai wedi digwydd ddoe.

Roedd y ddau yn swil, yn gwybod yn iawn beth allai ddigwydd nesaf, ond roedd gwaed y rebel yn llifo drwy'u gwythiennau ac, o'r diwedd, roedd y rhyddid i orwedd gyda'i gilydd fel dau gariad go iawn o fewn eu cyrraedd. Roedd e, Morgan, bron yn ddeunaw a hithau'n ddwy ar bymtheg, y ddau yn gwbl noeth ac yn awyddus i roi eu hunain yn gyfan gwbl i'w gilydd. Cofiai'r darlun yn berffaith – Elisabeth mor eiddil a phur yn ei freichiau, ei bronnau meddal, tyner, ei choesau hirion; cofiai deimlo'n annheilwng o'i chwmni. Cofiodd ei hwyneb wrth iddi ei dynnu tuag ati. Cofiodd ofyn, 'Wyt ti'n siŵr, Bwts?' a'i hateb pendant hithau, 'Yn berffaith siŵr.'

Buont yn gorwedd yn dawel ym mreichiau'i gilydd am amser maith wedyn. Yna cofiodd am y braw pan glywsant ddrws y ffrynt yn agor a chlywed y lleisiau'n galw o waelod y grisiau. Cofiodd sut yr edrychodd y ddau yn ofnus ar ei gilydd wrth sylweddoli ble'r oeddent, gyda'r diniweidrwydd wedi'i dorri am byth a hwythau heb unman i guddio.

Gwaeddodd ei mam eto cyn cynnig disied o de i'w merch. Cawsant eiliad i wisgo'n gyflym ac yn dawel. Dihangodd Morgan fel rhyw leidr drwy'r ffenestr, gan neidio i lawr ar do sied yr ardd ac oddi yno i ddiogelwch y ffordd fawr ac i ffwrdd ag e. Ond roedd ei rhieni wedi sylweddoli beth oedd wedi digwydd. Cofiodd ei deimladau o euogrwydd wrth iddo ei gadael i wynebu'r ffrae ar ei phen ei hunan. Y bore wedyn, roedd Elisabeth wedi diflannu a dyna'r tro olaf iddynt weld ei gilydd – hyd heddiw.

Ond beth yw pwrpas y disgwyl yma heddiw? Wyt ti'n gobeithio cael maddeuant am ddianc fel y gwnaethost a'i gadael ar ei phen ei hunan bach?

Wyt ti'n siwr fod hyn i gyd wedi digwydd, neu a wyt ti wedi bod yn cyfansoddi breuddwydion yn dy ddychymyg dros y blynyddoedd?

'Dim ond plant y'ch chi,' clywodd eto lais ei fam yn ei geryddu. 'Ry'ch chi'n ifanc a'ch holl fywyd o'ch blaen.'

Cawsant flynyddoedd ar wahân ac mae'n fwy na thebyg fod y ddau wedi newid, yn oedolion a gerddodd lwybrau gwahanol iawn i'w gilydd. Nid oedd ef wedi dod o hyd i neb arall i gymryd ei lle, ond beth amdani hi? Buasai'n ddigon dealladwy petai hi wedi'i anghofio, wedi cyfarfod rhywun arall, priodi a chael plant.

'Elisabeth yn ôl,' oedd geiriau Sal. Yna clywodd lais arall yn dweud 'Ddaw ddoe byth yn ôl'.

Fyddai hi'n ei adnabod, tybed? Fyddai ef yn ei hadnabod hithau? Fydden nhw'n ailgyflwyno'u hunain i'w gilydd, yn siglo llaw yn ffurfiol?

Fe ddylai fod wedi ysgrifennu llythyr bach ati i drefnu cyfarfod yn rhywle cyfleus. Pam na fu'n fwy pwyllog, yn fwy ystyriol? Ond dyma sut un oedd e, Morgan, erbyn hyn, sylweddolodd. Roedd yn rhaid i bopeth ddigwydd ar yr union eiliad honno. Dim cynllunio. Dim oedi.

Yn sydyn, canodd cloch yr ysgol gan dorri ar draws ei feddyliau a daeth y nerfusrwydd yn ei ôl. Edrychodd ar ei oriawr a gweld ei bod yn hanner awr wedi tri. Clywodd sŵn lleisiau plant yn llawn cynnwrf wrth iddynt fynd am adref. Cymerodd anadl ddofn a pharatoi ei hun at y cyfarfyddiad.

'Nawr amdani,' meddai'n dawel.

Gwyliodd y plant yn gadael – rhai'n cerdded yn araf gan sgwrsio â'u ffrindiau; eraill yn rhedeg heibio gan daro hwn a'r llall ar eu ffordd drwy'r giatiau; rhai yn chwerthin, rhai yn gweiddi, rhai yn dawel – pob un mewn gwisg ysgol a'r mwyafrif yn gwisgo cot law las tywyll, y merched â beret ar eu pennau a'r bechgyn â chap glas tywyll a melyn a edrychai braidd yn fach ar bennau'r rhai hŷn.

Synnodd fod sawl un o'r bechgyn a'r merched hynaf yn cerdded law yn llaw. Rhyfedd shwt yr oedd pethau wedi newid dros y blynyddoedd!

Er i'r plant ruthro allan o'r adeilad a brasgamu i lawr y rhiw tuag at bentref Llandysul, nid oedd unrhyw sôn am yr athrawon. Rhegodd Morgan yn dawel ond ni ddaeth yr un athro allan o'r ysgol. Roedd yna sawl car wedi'i barcio y tu mewn i giatiau'r ysgol ac felly fe benderfynodd fod cyfarfod athrawon neu rywbeth cyffelyb yn cael ei gynnal. Eisteddodd 'nôl unwaith eto gan wybod y byddai'n rhaid iddo ddisgwyl fymryn hirach cyn ei gweld.

* * *

Cyrhaeddodd Elisabeth i'r cyfarfod athrawon yn gynnar. Nid oedd wedi ffwdanu dod â'i char bach i'r ysgol y bore hwnnw, felly byddai'n rhaid iddi ddal bws y *Western Welsh* i gyrraedd adref. Ond y gwir amdani oedd ei bod wedi llwyr anghofio am y cyfarfod nes i rywun sôn amdano yn ystod yr awr ginio. Eisteddodd ar gadair yn ddigon agos i'r drws ond cafodd fraw pan eisteddodd William Arfon yn ei hymyl a'i chyfarch yn gyfeillgar.

Roedd Elisabeth wedi'i synnu pa mor gyfeillgar y bu ei chyd-athro ifanc yn ddiweddar. Siaradai â hi bob cyfle a gâi ac yn rhyfedd iawn byddai'n ei weld ym mhob cwr o'r ysgol. Yn wir, fe'i gwelodd yn amlach yn ystod yr wythnosau diwethaf na thrwy gydol gweddill y flwyddyn.

Gwyrodd yr athro ifanc tuag ati gan sibrwd, 'Wyt ti'n ffansio peint bach neu rywbeth ar ôl y cyfarfod, Beti?'

Bu bron i Elisabeth ateb nad oedd hi'n yfed peintiau ond fe sylweddolodd mewn da bryd mai dim ond rhoi esgus iddo ddatblygu'r sgwrs ymhellach fyddai dweud hynny. Doedd bosib nad oedd e'n credu ei bod hi'n gwybod beth oedd yn mynd drwy'i feddwl! Roedd hi'n hen bryd iddi roi terfyn ar ei ymdrechion plentynnaidd.

'Nac ydw, mae'n ddrwg gen i. Ac Arfon ...' edrychodd arno a gosod ei llaw ar ei ben-glin, 'Arfon bach, 'wy'n ddigon hen i fod yn fam iti,' meddai'n dawel.

Daeth y sgwrs i ben a gwridodd William Arfon. Roedd hi'n amlwg ei fod wedi cael cawod ar ôl gwers olaf y dydd ac wedi gwasgaru'r diaroglydd yn helaeth ar hyd ei gorff. Deuai chwa gref o'r persawr rhad dros Elisabeth bob yn awr ac yn y man gan godi cyfog arni.

O'r diwedd, aeth y teimlad annifyr a'r distawrwydd rhyngddynt yn drech na William Arfon ac fe gododd yn drwsgwl, mwmial rhywbeth yn ymddiheurol dan ei wynt a symud draw tuag at ei gyfeillion. Teimlodd Elisabeth hithau yn fwy cyfforddus pan eisteddodd yr athrawes gerdd wrth ei hochr.

Cerddodd y prifathro i mewn yng nghwmni cadeirydd y llywodraethwyr – y ddau yn gorlifo o'u hunanbwysigrwydd arferol. Aeth y cyfarfod ymlaen ac ymlaen nes i Elisabeth gredu ar un adeg na fyddai byth yn gorffen. Gadawodd i'w meddwl grwydro a bu bron iddi gwympo i gysgu. O'r diwedd clywodd lais y prifathro yn diolch i'r cadeirydd am ei gyfraniad gwerthfawr a diolchodd i bawb am wrando mor astud. Roedd 'na un neu ddau fater bach arall i'w trafod ond roedd wedi penderfynu eu gadael tan y tro nesaf. Rhoddodd wahoddiad i'r cadeirydd ddod i'w swyddfa am ddisied o de cyn mynd adref a cherddodd y ddau allan. Clywyd ochneidiau o ryddhad yn ymledu ar draws yr ystafell.

'Yffach, Arfon, ti sy'n arogli fel brothel?' heriodd un o'r dynion. 'Ti'n drewi'r lle mas, achan.'

Cochodd William Arfon. ''Sdim syniad 'da *fi* shwt ma' brothel yn smelo,' atebodd.

'Cymysgedd helaeth o sent, olew iro a chwys,' awgrymodd yr athro Cymraeg.

'Pam olew iro?' holodd un arall.

'Achos y *friction*,' atebodd y cyntaf a chwarddodd pawb – ond doedd gan Arfon ddim syniad yn y byd beth oedd olew iro!

Roedd Elisabeth yn falch nad hi oedd yr unig un a sylwodd ar y persawr cryf. Cododd ar ei thraed ac anelu am y drws ond roedd William Arfon yn benderfynol o roi un cynnig bach arall arni.

'Wyt ti ishe lifft adre, Beti?'

'Nac ydw, Arfon, wy'n iawn, diolch yn fawr,' atebodd

yn bendant. Gadawodd yr ystafell, yn benderfynol y byddai'n aros yn yr ysgol nes ei fod e wedi gadael. 'Sut yn y byd y medra i gael gwared â'r dyn 'ma?' gofynnodd dan ei gwynt.

'Wyt ti'n dod lawr i'r Porth am beint neu ddau cyn mynd adre, Arfon?' holodd Dic a diolchodd Elisabeth yn dawel am y cyfle i ddianc.

'Diawl, 'na syniad da. Wyt ti ishe lifft, 'te?' atebodd yn frwdfrydig.

* * *

Gwelodd Morgan yr athrawon yn dod allan o'r ysgol fesul un neu ddau, gan frysio at eu ceir. Unwaith eto eisteddodd yn syth yn ei sedd i gael golwg graffach ar bob un fel yr oeddent yn dod drwy'r drws. Doedd e ddim wedi meddwl y byddai gan Elisabeth gar ei hunan a damiodd ei esgeulustod unwaith yn rhagor.

Cerddodd tri athro yn hamddenol i'w gyfeiriad. Syllodd y tri arno wrth gerdded heibio gan edmygu'r car. Edrychodd Morgan heibio iddynt – chwilio am ferch neu wraig ifanc yr oedd e. Ar ôl chwarter awr arall roedd y maes parcio yn wag a thybiodd fod pawb wedi gadael.

Roedd yn siŵr nad oedd wedi gweld Elisabeth yn gadael, waeth pa mor wahanol y gallasai edrych ar ôl yr holl flynyddoedd. Gwyddai y byddai wedi'i hadnabod yn syth. Efallai nad oedd hi yn yr ysgol heddiw am ei bod yn sâl? Dechreuodd ddifaru nad oedd wedi gofyn i'r tri athro a aeth heibio beth oedd ei hanes. Pum munud bach arall, meddyliodd ac wedyn ...

* * *

Cymerodd Elisabeth ei hamser i nôl ei bag mawr o'i hystafell ddosbarth er mwyn rhoi cyfle i bawb, ac yn enwedig Arfon, adael o'i blaen. Byddai'n rhaid iddi frysio er mwyn dal y bws, meddyliodd. Pan dybiodd fod pawb wedi gadael, cerddodd heibio i ystafell y prifathro ac anelu at brif fynedfa'r ysgol. Roedd hi wedi dechrau glawio a rhegodd yn dawel. Yna clywodd lais yn galw arni o'r tu ôl a churodd ei chalon yn gyflym wrth iddi feddwl fod Arfon yn dal o gwmpas y lle, ond dim ond y prifathro oedd yno yn diolch iddi am ei chyfraniad diddorol yn y cyfarfod. Doedd hi ddim yn cofio dweud unrhyw beth.

'Popeth yn iawn,' galwodd cyn cau ei chot law, ailgydio yn ei bag a gwneud adduned iddi'i hun, unwaith eto, y byddai'n cario llai o lyfrau 'nôl ac ymlaen rhwng yr ysgol a'i chartref. Sut yn y byd y llwyddai rhai athrawon i ddod i'r ysgol bron heb ddim, holodd ei hunan? A dyma fi, meddyliodd, yr olaf i adael fel arfer. Gwyrodd ei phen rhag y glaw mân a cherdded tuag at y giatiau.

Teimlodd fod rhywun yn ei gwylio.

* * *

Yn sydyn gwelodd Morgan y wraig yn dod allan drwy'r un drws â'r lleill, a daeth arswyd drosto. Gwyddai'n syth, ar ôl dwy flynedd ar hugain, pwy oedd hi.

Roedd hi yno.

Gwelodd hi'n aros am eiliad cyn ailagor drws yr ysgol a gweiddi rhywbeth ar ei hôl. Gwelodd hi'n cau ei chot ac yn ailgydio yn ei bag trwm, a dechrau cerdded â'i phen i lawr yn erbyn y gwynt. Roedd hi'n cerdded tuag ato.

Dringodd Morgan allan o'r car a sefyll o'i blaen. Cododd

hithau ei phen ac fe'i gwelodd hi'n glir – nid yn ei ddychymyg mwyach, nid darlun mohoni. Elisabeth, o'r diwedd, yn cerdded tuag ato.

Shwt yn y byd yr oedd e wedi gallu ei chloi o'i feddwl am yr holl flynyddoedd? Nid oedd wedi gwneud yr un ymdrech o gwbl i ddod o hyd iddi, er y gallai fod wedi gwneud hynny'n ddigon hawdd o ystyried beth oedd ei swydd. Synnodd at ei hunanoldeb a'i fethiant ei hun.

Gwelodd unwaith eto harddwch y ferch ifanc yn yr wyneb oedd o'i flaen. Adnabyddodd gadernid ei chorff, y cerddediad, yr ysgafnder. Doedd dim wedi newid. Gwelodd ei gwallt golau yn chwythu'n rhydd yn y gwynt. Gwelodd ei gwên siriol, y dannedd gwynion, y llygaid yn disgleirio. Doedd y ferch goll ddim wedi heneiddio o gwbl dan bwysau'r blynyddoedd.

Teimlodd ei rhin, teimlodd yr harddwch mewnol a fu ar goll o'i fywyd am yr holl flynyddoedd, ond eto'n gymaint rhan ohono. Teimlodd y cariad yn llifo drosto unwaith yn rhagor. Teimlodd ei geg yn sychu, ei galon yn cyflymu a'i lygaid yn llenwi.

Dyma benllanw pob teimlad – gorfoledd, balchder, sirioldeb, llawenydd, yn ogystal â phoen ingol a'r cyfan yn gymysg i gyd. Cariad angerddol, tyner, dwfn, diderfyn. Ar unwaith teimlodd fod rhyw bwrpas wedi dychwelyd i'w fywyd unig. Diflannodd y creulondeb o'i feddwl a meddalodd y caledrwydd fu'n ei galon cyhyd. Safodd o'i blaen ac aros iddi gyrraedd ato, heb symud o'r fan.

* * *

Cododd Elisabeth ei phen a gweld dyn tal yn sefyll o'i blaen. Tybiodd fod William Arfon wedi oedi cyn mynd i'r dafarn. Er nad oedd ond rhyw hanner canllath rhyngddi hi a'r dyn edrychodd arno ond heb ei weld yn glir. Na, nid Arfon oedd e, roedd hi'n siŵr o hynny. Rhiant efallai. Byddai'n rhaid iddi wneud apwyntiad i fynd i weld yr optegydd, meddyliodd. Gwenodd yn gyfeillgar ar y dyn gan gerdded tuag ato.

Gwelodd Morgan y wên a thybio ei bod wedi'i adnabod. 'Helo, Bwts,' meddai'n gadarn ac yn dyner.

Clywodd Elisabeth y llais er y gwynt cryf a safodd yn syn. Cododd ei phen i edrych ar wyneb y dyn. Crychodd ei llygaid i syllu arno.

Beth glywodd hi? Sut y medrai hyn fod? Ei dychymyg oedd yn chwarae rhyw dric creulon â hi, siwr o fod. Na, yn bendant, roedd hi wedi'i glywed yn ddigon clir. Doedd neb wedi defnyddio'r enw hwnnw ers blynyddoedd. Roedd yn enw arbennig, yn enw cyfrinachol, yn perthyn i oes arall ac i hen atgofion. Roedd hi wedi cuddio'r atgofion hynny ymhell yn nyfnder ei chof – ond doedd hi ddim wedi'u hanghofio.

Edrychodd i fyw ei lygaid a gwibiodd llif o deimladau drwy ei meddwl a'i chorff cyn i'w holl nerth ddiflannu.

Dim ond *un* oedd wedi'i galw'n Bwts erioed yn ei bywyd, a hynny mewn llais mor gadarn, mor dyner, mor annwyl.

Diflannodd y blynyddoedd coll mewn eiliad.

'O, na ... O, na ...' sibrydodd. Roedd hyn yn amhosib. Collodd ei gafael yn ei bag swmpus a chododd ei llaw at ei cheg. Gwelodd Morgan y dagrau'n cronni yn y llygaid gleision hardd.

'Alun?' meddai'n ddagreuol, 'Alun, ti ...?' a llifodd y dagrau i lawr ei gruddiau. Nid dychmygu hyn yr oedd hi bellach.

Roedd e yno. Roedd e'n sefyll o'i blaen.

Teimlodd ei choesau'n crynu a bu'n rhaid iddi eistedd ar y ffordd wlyb, gan ddal i edrych ar y dyn a'i galwodd yn Bwts.

Carlamodd ei chalon, carlamodd ei meddwl yn ôl dros y blynyddoedd. Edrychodd arno drwy ei dagrau. Gwyddai, ar ôl yr holl amser, mai fe oedd o'i blaen a'i fod, o'r diwedd, wedi dod yn ôl.

Cerddodd Morgan ymlaen tuag ati. Plygodd i lawr a'i chodi'n dyner. Plethodd ei freichiau amdani ac edrychodd y ddau i fyw llygaid ei gilydd yn ddagreuol. Yna dechreuodd y ddau chwerthin.

'Ti, Alun?' gofynnodd eto.

'Fi, Bwts,' atebodd yntau.

Gwyrodd i mewn i'w gorff. 'Dal fi, Alun, dal fi'n dynn,' meddai wrth iddynt gofleidio a gwasgu ei gilydd, yn dyner i ddechrau ond yn sydyn daeth angerdd y blynyddoedd yn ôl.

Blasodd Morgan ei dagrau ar ei wefusau ond nid oedd am adael iddi fynd o'i freichiau eto – byth.

Anghofiodd am ba hyd y bu'n aros amdani.

Gorlifodd y dagrau gan olchi hiraeth y ddau ymaith o'u bywydau unig. Yna seibiant.

'Pwy ddywedodd nad ydi dynion mawr fyth yn llefen?' gwenodd Morgan yn swil.

Chwarddodd y ddau yn ddagreuol ac yn nerfus ac edrych i lygaid ei gilydd yn anghrediniol.

'Wyt ti eisiau lifft i rywle?' gofynnodd yn dyner. Ni

wyddai beth arall i'w ddweud. Roedd Elisabeth yn ôl yn ei freichiau, yn ôl yn ei fywyd.

'Ydw, os gweli di'n dda,' atebodd hithau mewn llais bach gwan wrth wasgu'i chorff yn ei erbyn unwaith eto. Rhoddodd Morgan ei fraich am ei hysgwyddau, cododd ei bag a cherddodd y ddau, ynghlwm yn ei gilydd, tuag at y car. Dwy galon, un enaid, un cariad.

PENNOD 17

'Mae'r dystiolaeth braidd yn amgylchiadol, ond wy'n cytuno â chi y dylen ni ei gymryd i mewn i glywed beth sydd ganddo i'w ddweud drosto'i hunan. Wedi'r cyfan, Inspector, os oes llofrudd allan 'na'n rhywle, dwi ddim yn credu eich bod chi ishe iddo fe fod yn rhydd am eiliad yn fwy nag sy' rhaid.'

Eisteddai'r ddau ditectif o Sgotland Iard o flaen desg enfawr Martyn Ifans, gydag yntau ar ei orsedd o awdurdod ar yr ochr arall. Un diwrnod bach arall ac fe fyddai wedi llwyddo i ddod â'r Keith Morris 'na o flaen ei well, ond nawr y ddau Sais 'ma fydd yn cael y clod i gyd. Dychmygodd y stori yn y papurau: *'Scotland Yard detectives assisted by the local constabulary ...'*

Dyma'r tro cyntaf i J-J fod yng Nghymru a diolchodd mai yn Llundain roedd yn byw. Roedd y wlad yn hyfryd ond yn llawer rhy dawel iddo fe. Shwt yn y byd oedd lle fel hyn wedi creu llofrudd? Mae'n rhaid bod Ifans yn iawn. Mae'n rhaid mai'r Keith Morris 'na oedd y lladdwr – wel, doedd neb arall yn cael ei amau.

Daeth plismones ifanc i mewn â llond hambwrdd o de a bisgedi. Gwenodd yn siriol ar bawb. Anwybyddodd Ifans hi fel pe bai hyn yn ddigwyddiad arferol yn ei swyddfa ond nid felly J-J wrth ddiolch i'r ferch siapus a thaflu winc fach i'w chyfeiriad.

'Ma' swyddogion hyfryd gyda chi rownd ffor' hyn, Martyn,' awgrymodd wrth i'w lygaid ddilyn y blismones ifanc allan o'r swyddfa.

Anwybyddodd Ifans ei sylw a chwiliodd am gadarnhad i'w ddamcaniaeth, 'Felly, y'ch chi'n meddwl fod gyda ni ddigon i'w arestio?' gofynnodd yn eiddgar.

'Hen ddigon. Os arestiwn ni fe heno, fe fydda i wedi cael cyffes ganddo erbyn y bore. Fel'na ni'n gwneud pethe yn y Iard – ynte Pengwin?' Trodd at ei gyfaill wrth ddefnyddio'r ffugenw, y ffugenw a oedd yn wrthun i'r Ditectif Gwnstabl John Pennington o Sgotland Iard.

* * *

Ni wyddai Elisabeth beth i'w wneud. Ar y naill law roedd hi'n difaru derbyn cynnig Morgan i fynd â hi adref. Bu bron iddi ofyn iddo stopio'r car a'i gadael i ddal y bws, a threfnu cyfarfyddiad arall cyn hir er mwyn iddi gael amser i ymdopi â'r hyn oedd newydd ddigwydd. Ond ar y llaw arall roedd hi mor falch o fod yn ei gwmni.

Ers faint o flynyddoedd wyt ti wedi gorwedd yn dy wely unig gyda'r nos yn breuddwydio am hyn? Sawl gwaith wyt ti wedi clywed ei lais yn galw ar y gwynt? Sawl gwaith dorraist ti dy galon dy hun drwy dybio ei fod wedi marw? Sawl gwaith wnest ti ddychmygu bod yn ei freichiau unwaith eto? A dyma fe, wedi cyrraedd; dyma fe, dy gariad, yn eistedd wrth dy ymyl.

Wyt ti'n cofio dy ymateb pan glywaist ei lais rai munudau'n ôl. Wyt ti'n cofio'r ymateb yn dy feddwl, yn dy galon, yn dy gorff pan sylweddolaist pwy oedd yn sefyll o dy flaen yn y glaw? Wyt ti wir yn credu y medri di gerdded allan o'r car 'ma i ddal y bws a'i adael unwaith eto? Bydd yn onest rŵan, Elisabeth Williams.

'Sut ddest ti o hyd i mi, 'te?'

Trodd ei phen wrth ofyn y cwestiwn a gweld Alun yn canolbwyntio ar yrru'r car ar hyd strydoedd cul Llandysul. Oedd, roedd yntau wedi heneiddio, ei wallt yn dechrau britho a chrychau mân ar ei wyneb. Ac roedd y fflach yn y llygaid bron â diffodd. *Beth sy' wedi digwydd iti, Alun? Ble wyt ti wedi bod? Beth fuest ti'n ei wneud? Faint wyt ti wedi newid?*

'Digwydd clywed wnes i dy fod ti'n ôl ac yn dysgu yn Llandysul.'

Chlywaist ti ddim 'mod i wedi bod yn chwilio amdanat ti, wedi ysgrifennu llythyrau rif y gwlith i dy hen gyfeiriad ond heb dderbyn yr un ateb? Clywais y newyddion ofnadwy am dy rieni. Clywais dy fod dithau wedi gadael yr ardal ar ôl ... ar ôl ... a neb yn gwybod i ble'r est ti. Wyddost ti sawl gwaith y gwelais i rywun tebyg i ti, gan feddwl mai ti oedd o, cyn sylweddoli mai breuddwydio oeddwn i? Wyddost ti 'mod i wedi cymryd blynyddoedd i dderbyn y ffaith ein bod wedi gwahanu am byth? Ac eto ...

'A beth wyt ti wedi bod yn ei wneud dros y blynyddoedd?' gofynnodd Elisabeth iddo.

'Ymunes i â'r heddlu – yn Llundain – wy'n dal 'na,' gwenodd arni.

'Plismon bach, 'te?'

'Plismon bach.'

'Be wyt ti'n neud bob dydd, cerdded i fyny ac i lawr y strydoedd mewn lifrau glas a helmed?'

'Ie, rhywbeth fel'na. A beth amdanat ti?'

Cwestiynau arwynebol, oer a'r ddau yn ofni gofyn yr hyn oedd yn gwasgu yn eu calonnau.

'Dysgu hanes.'

'Diddorol.'

'Nac ydi, ond dwi'n hoffi gweithio gyda phlant.' Dyna beth twp i'w ddweud. Pam dechrau sôn am blant? 'Pam wyt ti'n mynd y ffordd yma?' gofynnodd Elisabeth yn sydyn wrth iddo droi i'r dde ar sgwâr Pentre-cwrt. Diolch byth fod y cyfle wedi dod i newid y pwnc.

'Nid dyma'r ffordd i Drefach?' holodd yntau.

'Wel, ia, ond mae 'na ffordd gynt.'

'Pwy sy' ishe bod yn gyflym? Wy'n mwynhau'r cwmni a beth yw'r acen y gogledd 'na wy'n glywed yn dy lais?' Roedd y ddau yn dechrau ymlacio ac Elisabeth yn falch nad oedd wedi dal y bws.

'Mi dreuliais i dipyn o amser yno,' atebodd yn dawel. 'Mi ddyweda i'r hanes wrthat ti rhyw ddiwrnod ond nid rŵan.'

Pam yn y byd roedd hi wedi cynnig dweud ei hanes, meddyliodd? Oedd arni hi eisiau agor yr hen glwyfau ar ôl dod i delerau â bywyd hebddo o'r diwedd? Faint o obaith fyddai yna i berthynas a ddaeth i ben mor sydyn flynyddoedd maith yn ôl?

'Fe es i i fyny i'r Bala ar dy ôl di ond doedd neb wedi clywed amdanot ti na dy deulu.'

'Dim rŵan, Alun,' meddai'n dawel.

Paid, paid â holi, plis. Ddaw ddoe byth yn ôl; fedrwn ni ddim gobeithio i hynny ddigwydd.

Gyrrodd Morgan ymlaen ar hyd y ffordd tuag at Bont Henllan. 'Roedd un neu ddau wedi clywed am Thomas Charles, ond doedd e ddim adre chwaith.'

Chwarddodd Elisabeth. 'Alwaist ti ddim gyda Mari Jones am baned, 'te?'

Beth wyt ti'n neud, ferch, yn ei annog i siarad am y Bala? Penderfyna sut wyt ti'n mynd i ymdopi â'r sefyllfa – y naill ffordd neu'r llall.

'Rhy brysur yn darllen ei Beibl!' Chwarddodd y ddau ac am un eiliad fach roedd y ddau yn gwbl gyfforddus yng nghwmni ei gilydd.

Daeth eiliad o dawelwch. Roedd meddwl Elisabeth yn llawn dryswch, yn methu penderfynu beth i'w ddweud nesaf.

'Wyt ti wedi priodi, 'te?'

Torrodd y cwestiwn fel mellten ar draws ei meddyliau – cwestiwn nad oedd wedi'i ddisgwyl o gwbl. Fyddai'r Alun ifanc erioed wedi bod mor agored. Pa hawl oedd ganddo i ofyn y fath beth?

Bu bron i Morgan gnoi ei dafod wrth i'r geiriau ddod allan mor lletchwith, mor sydyn. Teimlai y dylai ymddiheuro.

'Na, na, doedd neb eisiau perthynas â ...' stopiodd yn sydyn, '... rhywun fel fi,' ychwanegodd yn dawel. Pam na ddewisaist ti ateb gwell, meddyliodd?

Sylwodd Morgan ar yr ateb rhyfedd ond roedd yn rhy llawen i feddwl eilwaith am yr hyn a ddywedodd Elisabeth ar ôl deall ei bod hi'n dal yn ddibriod. Fyddai 'na obaith yn y dyfodol, tybed? Teimlodd fod mur wedi dod rhyngddynt unwaith eto gan rwystro'r cyfathrebu felly penderfynodd beidio pwyso gormod arni.

'Felly, Miss Williams wyt ti o hyd?' gofynnodd yn ysgafn.

'Miss Williams ydw i o hyd,' atebodd hithau yr un mor ysgafn, 'A be amdanat ti?'

'Mister Morgan,' atebodd â gwên ar ei wyneb.

Edrychodd Morgan arni a daliodd ei llygaid. Roedd mor falch o glywed ei chwerthin braf, a phenderfynodd beidio â holi rhagor am y tro.

'Wel, mae'n dda gennyf eich cyfarfod unwaith eto, Mister Morgan,' gwenodd arno. Doedd e ddim wedi colli ei hiwmor beth bynnag.

Roedd Elisabeth ar dân eisiau clywed hanes y graith ar ei wyneb, eisiau gwybod am bopeth a oedd wedi digwydd iddo, ond ni ofynnodd yr un dim i Morgan am ei orffennol.

'A phe byddech chi mor garedig â pharcio'ch car draw wrth y tŷ acw, yr un efo'r drws coch, rwy'n siwr y derbyniech wahoddiad i mewn am baned.'

Dilynodd Morgan hi i mewn i'w chartref a chaeodd y drws ar ei ôl. Aeth i mewn i'r lolfa fach gyfforddus.

'Gwna dy hun yn gartrefol. Rŵan, be gymeri di i fwyta?' Sylweddololodd Elisabeth nad oedd ganddi syniad pa fath o fwyd oedd at ddant Morgan.

'Na, na, paid â mynd i unrhyw ffws na ffwdan ar fy rhan i. Mae disied fach o de a biscîen neu ddwy yn fy llaw yn hen ddigon,' atebodd yn gwrtais.

'Ella ei fod o'n ddigon i ti, ond dwi ar lwgu. Be am frechdan cig moch a thomato?'

'O! ti'n gwbod yn iawn na fedra i wrthod y fath wledd.'

'Alun,' rhybuddiodd yn ysgafn yn erbyn y coegni. Daliodd ei lygaid; roedd arni awydd ei gofleidio unwaith eto, teimlo ei freichiau cryfion amdani, teimlo ei gorff yn ei herbyn, ond yn lle hynny aeth drwodd i'r gegin fach. Eisteddodd Morgan ar y gadair wrth y tân. Sgwrsiodd y ddau o'r naill ystafell i'r llall am bethau hollol difater.

Gwrandawodd Morgan ar synau cartrefol y paratoadau yn y gegin a chafodd yr un teimlad ag a brofodd yng nghartref Sal – y teimlad o fod yn perthyn. Edrychodd o amgylch yr ystafell. Roedd ffotograffau ar y seld a chododd i gael cipolwg fanylach arnynt. Er bod Elisabeth yn parhau i siarad, dim ond hanner gwrando a wnâi Morgan bellach gan fod un llun arbennig wedi hoelio'i sylw – llun o ferch ifanc mewn gŵn graddio yn gwenu'n hapus, ac roedd llun arall o'r un ferch mewn ffrog briodas hefyd. Teimlodd ias ryfedd yn gwibio drwy'i gorff. Roedd rhywbeth cyfarwydd ynghylch y ferch; y wên ar ei hwyneb; rhywbeth yn ei llygaid. Teimlai ei fod yn adnabod y ferch landeg hon ond methai'n lân a meddwl ymhle y gallasai fod wedi'i gweld o'r blaen.

Gan na chafodd ymateb i'w chwestiwn olaf, aeth Elisabeth 'nôl i'r lolfa. Gwelodd Morgan â llun Morwenna yn ei law. Damia, roedd y gath hanner y ffordd allan o'r cwd! Pam na fyddai hi wedi cuddio'r llun ar y ffordd i'r gegin? Ond roedd hi'n rhy hwyr bellach. Trodd Morgan ati a'r llun yn dal yn ei law. Safodd Elisabeth yn llonydd a golwg swil ar ei hwyneb. Gwelodd Morgan y tebygrwydd rhyngddi hi a'r ferch yn y llun.

'Pwy ...?' dechreuodd holi, ond roedd eisoes yn gwybod yr ateb.

Gafaelodd Elisabeth yn y llun a throi ei chefn arno. 'Damia ti, Alun, nid fel hyn yr oedd hi i fod. Pam na faset ti wedi fy rhybuddio i dy fod ti'n dod? Mi fuaswn i wedi cuddio'r llunia 'ma i gyd a dweud wrthat ti pan fyddai'r amser yn iawn?'

'Dy ferch?' gofynnodd yn dawel. Roedd ei feddyliau ar wib. Felly, roedd 'na rywun arall *wedi* rhannu'i bywyd wedi'r cyfan. Ond doedd hi ddim wedi priodi, fe ddywedodd hynny wrtho. Beth oedd wedi digwydd?

Marwolaeth? Oedd Elisabeth yn wraig weddw? Oedd rhywun wedi'i siomi rhyw dro a'i gadael ar ei phen ei hun a hithau'n feichiog? Teimlodd gymysgedd o chwerwedd a chenfigen yn berwi'n ei fynwes.

'Ein merch,' atebodd Elisabeth wrth droi i edrych i fyw ei lygaid.

'Pwy, ti a dy ŵr? Ond fe ddwedaist ti dy fod heb ...' ond gadawodd y cwestiwn heb ei orffen, cyn ychwanegu, 'Fe wela' i,' ac yna tawelodd. Pa hawl oedd ganddo i ddisgwyl bod Elisabeth wedi aros yn ffyddlon iddo fe am dros ugain mlynedd. Mawredd Dad, Morgan, ble mae dy feddwl di, wir? cyhuddodd ei hunan.

'Dwyt ti'n gweld dim, fel arfer,' ceryddodd Elisabeth yn dyner. Yna cydiodd yn ei fraich. 'Ein merch ni, Alun ... ti a fi,' a gwenodd arno'n swil.

Doedd e ddim wedi disgwyl yr ergyd honno. Ni wyddai beth i'w ddweud; ni wyddai beth i'w wneud. Oedd e wedi clywed yn iawn? Daeth tawelwch rhwng y ddau wrth iddynt ystyried beth i'w ddweud nesaf. Edrychodd Morgan i fyw llygaid Elisabeth cyn edrych unwaith eto ar y llun yn ei dwylo. 'Ein merch ...?' gofynnodd â'i dafod ynghlwm. Nodiodd Elisabeth ei phen.

'Beth yw ei henw?' gofynnodd yn dawel o'r diwedd. Ni wyddai beth arall i'w ddweud.

'Morwenna,' atebodd Elisabeth yr un mor dawel.

'Morwenna – 'run enw â Mam,' teimlodd ei lygaid yn llenwi. 'Faint yw ei hoedran hi?' gofynnodd â'i lais yn crynu.

'Faint wyt ti'n ei feddwl? Roedd hi'n ddwy a'r hugain y mis diwetha.'

Gafaelodd Morgan yn dyner yn Elisabeth. 'O, Bwts, 'y nghariad fach i, madde i mi.' Gwasgodd hi'n dynn i'w fynwes. Methai ddweud yr un gair gan fod ei enaid yn un cymysgedd o dristwch a hapusrwydd – tristwch o feddwl bod ei gariad wedi gorfod dioddef ar ei phen ei hun ar hyd y blynyddoedd, heb ei gymorth ef i gario'r baich, a hapusrwydd am fod eu cariad angerddol wedi bod yn fwy na chwarae plant.

'A dyna beth dechreuaist ti ddweud yn y car – nad oedd neb ishe perthynas â mam ddibriod?' Teimlodd ei phen yn nodio yn erbyn ei gorff. 'Wel, Miss Elisabeth Williams,' rhoddodd ei law o dan ei gên a chododd ei phen i edrych arno. Roedd bron â drysu eisiau dweud 'Dwi ishe dy briodi di. Dwi wastad wedi bod ishe dy briodi di a dwi'n dal ishe dy briodi di nawr, Bwts. Dwi ishe inni hala gweddill ein bywydau gyda'n gilydd, yn ŵr a gwraig'. Ond yr unig beth y llwyddodd i'w ddweud oedd, 'Felly ry'n ni'n fam a thad.'

'Mae'n waeth na hynny, Alun,' dywedodd Elisabeth yn dawel wrth roi'r llun yn ôl ar y seld.

'Beth wyt ti'n feddwl?' gofynnodd Morgan mewn syndod.

'Rydan ni'n nain a thaid, neu'n hytrach yn fam-gu a thad-cu,' a gwenodd yn hapus gan daflu ei breichiau am ei wddf. Chwarddodd y ddau yn llawen.

'O diawl, mi fydd y tegell wedi berwi'n sych!'

Rhedodd Elisabeth yn ôl i'r gegin gan adael Morgan â'i feddwl yn ddarnau.

'Wyddost ti be? Dyma un o'r prydau bwyd cynta inni ei gael efo'n gilydd ar ein pen ein hunain – dim ond ti a fi,' meddai Elisabeth wrth i'r ddau eistedd wrth fwrdd bach y gegin.

'Mae rhywbeth rhamantus iawn am frechdanau, on'd o's e?' gwenodd Morgan. 'Wyddost ti be, hogan? Do'n i rioed 'di sylweddoli dy fod di'n medru coginio cystal, wst ti, 'te, tach,' tynnodd ei choes mewn acen ogleddol fras.

'Paid ti â dynwared f'acen i, gwd boi, neu dyma'r pryd olaf fyddi di'n ei gael mewn heddwch yn y tŷ 'ma,' heriodd hithau. Bu bron iddi ddweud rhywbeth am ei acen yntau ond peidiodd. Gwyddai nad oedd y Gymraeg yn dod yn naturiol iddo mwyach.

'Beth yw enw ein beth-ti'n-galw, 'te?' gofynnodd ar ôl cymryd llwnc o'i de.

'Wyres wyt ti'n feddwl? Anwen. A dim ond un babi tlysach fu ar wyneb y ddaear 'ma erioed.'

'Anwen. Ar ôl dy fam di, felly?'

'Ia, druan,' atebodd gan wyro'i phen. 'A chyn iti ofyn, mi fu hi farw chwe mlynedd yn ôl – yn dawel yn ei chwsg.'

'Mae'n ddrwg gen i.'

Daeth tawelwch rhwng y ddau. Roedd cymaint o bethau wedi digwydd yn ystod y blynyddoedd a hwythau ar wahân. Edrychodd Elisabeth ar Morgan. Gwelodd fflach o'r bachgen ifanc yn dod yn ôl i'w wyneb. Teimlai rywsut fod disgleirdeb hapusrwydd yn ymwthio'n ôl i'r llygaid tywyll. Oedd 'na gysgod gwên ar ei wefusau, neu ai dychmygu pethau yr oedd hi? Ond gwyddai nad oedd hi'n dychmygu un peth. Roedd hi wedi bod mewn cariad ag ef pan oedd y ddau yn blant, a gwyddai ei bod hi'n dal mewn cariad ag ef heddiw. Dim ond Alun fu yn ei chalon erioed ac roedd e'n dal yno, er gwaethaf rhwystrau'r holl flynyddoedd. A ddeuai ddoe yn ôl? Na, fe wyddai hynny, ond fe allent rannu'r dyfodol. Pa ddiben fyddai iddi ymladd yn erbyn ei theimladau?

'Beth mae hi'n ei wneud, 'te?' torrodd ar draws ei meddyliau.

'Pwy, Anwen? O, crio, sugno a llenwi'i chlôs, a chysgu a deffro a chrio a sug ...'

'Elisabeth! Morwenna, o'n i'n feddwl.'

'O, iawn,' atebodd hithau gan ffugio'i thwpdra. O'r diwedd teimlai'n hollol gyfforddus yn ei gwmni. 'Mae hi'n debyg iawn i ti,' atebodd. 'Dros y blynyddoedd, fel roedd hi'n tyfu, ro'n i'n medru dy weld di fwyfwy yn ei chymeriad, yn ei chwerthiniad, yn yr olwg fach 'na yn ei llygaid ac yn ei gwên.' Bu bron iddi gyfeirio at y graith gas ar wyneb Morgan ond penderfynodd beidio am y tro, gan ychwanegu, 'Lawer gwaith ro'n i'n teimlo 'mod i'n edrych arnat ti yn hytrach nag arni hi, dy fod ti gyda fi,' ac yna tawelodd. Roedd arni eisiau iddo gydio'n ei llaw ond ni chymerodd y cyfle.

'Beth yw ei gwaith hi, 'te?' holodd Morgan eto.

'Mam lawn-amser ydi hi ar hyn o bryd.'

'A chyn hynny?' parhaodd Morgan i ymchwilio.

'O, be feddyliet ti? Merch ei thad i'r carn – plismon, neu blismones, os mai dyna'r gair iawn.'

'Cer o'ma! Wyt ti o ddifri?' Bu bron i Morgan dagu ar ei de.

'Ydw. Ond graddio yn y Gymraeg wnaeth hi ac wedyn penderfynu ei bod hi eisiau ymuno â'r heddlu.'

'Ymhle?'

'Manceinion,'

'A'i gŵr ?'

'Paul? Rhywbeth neu'i gilydd yng nghanol y ddinas – cyfreithiwr dwi'n credu,' atebodd yn sydyn, braidd yn rhy sydyn yn nhyb Morgan.

Arhosodd yntau am eiliad cyn gofyn, 'Dwyt ti ddim yn rhy hoff o dy fab-yng-nghyfraith 'te – y Paul yma?'

'Be sy'n gwneud iti ofyn hynny?' edrychodd Elisabeth arno.

‘Sylwi wnes i mai dim ond lluniau o Morwenna sy’ ar y seld – dim un o’i gŵr. Wy’n cymryd ei fod e’n bresennol yn y briodas ’fyd?’ gwenodd arni’n ddireidus.

Gwelodd Elisabeth yr Alun ifanc yn gwenu arni unwaith eto. ‘Rargian, ditectif ddylet ti fod, nid plismon,’ atebodd.

‘Wy’n gweithio’n ffordd lan mewn gobaith,’ chwarddodd Morgan.

‘Wel, dyma dy gyfle – dos allan i ddal y llofrudd sy’n lladd y merched ifainc yn y cyffiniau ’ma.’

‘Y ferch ym Mhwll Gwyn wyt ti’n feddwl?’ awgrymodd.

‘Ia, a’r ddwy arall.’ Holltodd geiriau Elisabeth ar ei draws fel mellten.

‘Beth wyt ti’n feddwl, pa ddwy arall?’

‘Wel, yr un yn Cei Bach ar llall yn Ynys-las, O, Alun! Dwyt ti ddim yn darllen y papurau newydd?’

Cyfaddefodd Morgan nad oedd wedi gafael mewn papur newydd ers wythnosau ac aeth Elisabeth i nôl y papur diweddaraf iddo. Dechreuodd ei feddwl redeg ar wib wrth iddo ddarllen yr erthygl a theimlodd ias oer yn carlamu drwy’i gorff.

Daeth yr atebion i’w feddwl yn gyflym. Gwelai’r darlun yn glir. Dychwelodd ei feddwl i Lundain. Gweithgareddau’r isfyd oedd y rhain – cipio gwystlon pan oeddent yn chwilio am rywun arbennig. Ond roedd ’na un a oedd yn hollol ddidrugaredd ac yn barod i ddefnyddio unrhyw ddull a modd i daro’i nod, a Capelo oedd enw’r diawl hwnnw. Sawl merch arall fyddai’n cael ei lladd cyn i Capelo ddod o hyd iddo fe, Alun Morgan. Gwyddai fod ei fywyd cudd bellach ar ben.

‘ ’Sdim ffôn ’da ti, oes e?’ gofynnodd gan geisio cuddio’r braw yn ei lais.

'Oes, wrth gwrs, ond be sy'n bod? Rwyt ti cyn wynned â'r galchen,' gofynnodd Elisabeth.

'Rhywbeth wy' newydd ei fwyta, falle,' atebodd gan obeithio y byddai'r jôc fach wan yn cuddio'r gwir.

'Be sy', Alun?' gofynnodd Elisabeth eto gan ymestyn ei llaw tuag ato. Y tro yma cydiodd Morgan ynddi'n dyner.

'Paid â gofyn, Bwts. Mae hi'n stori hir ac fe gaiff gadw tan y tro nesa. Lleia'n y byd wyt ti'n ei wybod am nawr, gorau'n y byd. Ffôn?'

Arweiniodd Elisabeth ef i'r cyntedd a gadael llonydd iddo. Clywodd sŵn ei lais ond methai ddeall yr hyn a ddywedai. Aeth munudau maith heibio ac, er nad oedd yn clustfeinio, roedd hi'n siŵr ei fod wedi gwneud mwy nag un alwad ffôn. Pan ddaeth yn ôl i'r gegin roedd 'na wên ryfedd ar ei wyneb – ac roedd rhyw galedwch wedi cymryd lle'r tynerwch yn ei lygaid.

'Mae heddiw wedi dod i ben, on'd ydi?' Roedd ei chwestiwn yn debycach i ddatganiad.

'Na, na, dim o gwbwl, fe helpa i â'r llestri 'ma,' atebodd Morgan.

'Alun, be yn union ydi dy swydd yn Llundain?' gofynnodd Elisabeth ar ôl bod yn hel meddyliau tra oedd Morgan ar y ffôn.

Gafaelodd Morgan ynddi'n dyner rhwng ei freichiau. 'Dim ond plismon bach yn cerdded lan a lawr strydoedd Llundain gan obeithio bod yn dditectif rhyw ddydd,' atebodd. Teimlai'n euog am guddio'r gwirionedd oddi wrthi. Rhoddodd gusan fach ar ei thalcen. Sylweddolodd Elisabeth nad oedd yn mynd i ddweud dim mwy wrthi ar hyn o bryd.

'Dos, mae hi wedi chwech ac mae gen i lwyth o waith i'w

wneud cyn y bore. Mae fory'n ddiwrnod prysur ofnadwy i mi – dysgu drwy'r dydd heb yr un wers rydd.'

'Pryd ga' i dy weld eto, 'te?' gofynnodd.

'Pryd wyt ti isio?'

Meddyliodd Alun am yr alwad ffôn a gwyddai y byddai yntau hefyd yn brysur dros y dyddiau nesaf, ac eto, roedd ar dân eisiau treulio mwy a mwy o amser yn ei chwmni.

'Beth os biga' i di lan fore Sadwrn ac fe awn ni am dro i rywle?' awgrymodd.

'Iawn,' atebodd Elisabeth, 'ond rhag ofn y byddi di isio cysylltu â fi ...' a throdd i gyfeirio at y rhif ffôn.

'Wy'n gwbod y rhif, Bwts. Mae e eisoes ar lech fy nghalon,' a gwenodd arni cyn troi i gyfeiriad y drws ffrynt.

'Hei, dwyt ti ddim wedi anghofio rhywbeth?' meddai Elisabeth ar ei ôl. Cerddodd ato a rhwymo'i breichiau am ei wddf cyn ei gusanu'n angerddol. Ni phoenai faint o wirionedd oedd yn ei eiriau; gwyddai'n iawn ei fod yn cuddio pethau rhagddi, ond beth oedd ots? Roedd hi'n ei garu ac os mai dyma'r tro olaf iddi ei weld am ugain mlynedd arall, roedd hi'n benderfynol o ffarwelio ag ef yn iawn y tro yma.

'Cymer ofal,' meddai'n dyner. Gwyliodd ef yn mynd i'r car a chodi ei law i ffarwelio â hi.

'Mae e wedi mynd, 'merch i, waeth iti dderbyn hynny.' Llais ei mam yn dychwelyd dros rychwant y blynyddoedd. Roedd hi'n ferch ifanc unwaith eto, yn sefyll yng ngardd y mans a'i mam yn gwneud ei gorau i'w chysuro. *'Hen bethe fel'na yw dynion; dim ond un peth sy' ar eu meddylie nhw. Dyna wers fach iti fan'na – gwers galed, fe wn i, ond mae'n rhywbeth y dylet ti ei ddysgu. Ddaw e byth yn ôl, ond dyna fe, mae'r drwg wedi'i wneud a does dim diben*

pwyso ar y peth. Gwneud y gore o'r gwaetha ...'

'Fe ddaw e'n ôl, Mam, wy'n gwybod y gwnaiff e. Er nad oes ganddo syniad ble'r ydw i – fe ddaw e'n ôl. Waeth i chi a Dad dderbyn y ffaith. Wy'n ei nabod e a wy'n gwybod y daw e'n ôl rhyw ddydd. A wyddoch chi beth? Pan ddaw e, fe dderbynia i e fel ag y mae e, waeth beth mae e wedi'i wneud, na ble mae e wedi bod – fe dderbynia i e achos 'mod i'n ei garu e, Mam. Fe fydda i wastad yn ei garu e a wy'n gwybod ei fod e'n fy ngharu inne.'

Cofiodd y ferch ifanc feichiog yn troi a dychwelyd yn ôl i mewn i'r mans yng ngogledd Cymru – yn benderfynol o aros yn ffyddlon i'w chariad. A nawr, ddwy flynedd ar hugain yn ddiweddarach, roedd ei chariad wedi dod yn ôl i'w bywyd, ac oedd, roedd hi'n fwy na pharod i'w dderbyn.

2

TYWOD

PENNOD 18

Roedd byd Morgan wedi ei droi ar ei ben mewn un prynhawn. Daliai i deimlo presenoldeb Elisabeth yn agos iddo, roedd ei phersawr hyfryd yn llenwi'i ffroenau a gallai deimlo'i chorff yn ei erbyn ef o hyd. Ac roedd un peth yn bendant, er holl ymdrechion Capelo, gwyddai na fyddai'n colli ei gariad byth eto.

Meddyliodd am y galwadau ffôn a wnaeth o dŷ Elisabeth. Ffonio CID Aberystwyth a wnaeth yn gyntaf i gael gair â Ron Powell ond roedd e allan ar y pryd. Ffoniodd Sarjant Jones yn Aberteifi wedyn a chafodd hwnnw ei synnu wrth glywed y Sais yn siarad Cymraeg – er yn fratiog.

'Peidiwch â phoeni pwy ydw i. Oedd 'na farciau ar y corff, Sarjant?' Roedd y llais mor awdurdodol fel na allai'r rhingyll ymatal ei hunan rhag ateb.

'Dim ond marciau'r creigiau ar ôl iddi gael ei thaflu yn eu herbyn gan y llanw,' atebodd hwnnw.

'Ble'r oedd y marciau?'

'Dros ei chorff i gyd wy'n meddwl; ry'ch chi'n gwbod pa mor greulon y gall y môr fod.'

Er mai dim ond un o'r ddwy ferch arall yr oedd y rhingyll wedi'i gweld, cadarnhaodd nad oedd yr un marciau ar honno. 'Fel y dywedais i, mae'n rhyfedd beth mae'r môr yn gallu ei wneud – troi a thaflu corff fan hyn a fan draw ...'

'Ac eto, ei osod yn daclus ar y creigiau fel petai'n gorwedd ar wely. Ie, rhyfedd iawn, Sarjant.'

'Pwy yn union y'ch chi, Mister Morris?' dechreuodd y Sarjant ond roedd y ffôn wedi'i diffodd.

Gwyddai Morgan bellach fod sail i'w amheuaeth gyntaf a gwyddai pwy oedd y truan ar y creigiau ym Mhwll Gwyn o leiaf. Roedd hi'n amlwg bod y greadures wedi dioddef artaith dychrynllyd dan law Capelo a'i griw.

Galwad ffôn i'r Comander oedd yr un olaf. Torrodd eu cytundeb i beidio â chysylltu â'i gilydd nes bod y perygl drosodd ond byddai hynny'n amhosib tan i Capelo ac yntau gwrdd – a gorau i gyd po gynted y digwyddai hynny. Ond os hynny roedd yn rhaid iddo fe ei hunan gymryd yr awenau – dyna'i ffordd; dyna'i natur; dyma'i fyd. Yn anffodus nid oedd Elisabeth yn perthyn i'r byd hwnnw.

Gwenodd Morgan wrth gofio ymateb y Comander pan sylweddolodd pwy oedd ar ben arall y ffôn, ar ôl iddo'i alw ar ei rif personol. Bu bron i hwnnw fynd yn wallgof pan awgrymodd Morgan ei gynllun iddo. Cymerodd funud neu ddwy i feddwl am y peth a gwyddai Morgan nad oedd diben torri ar ei draws – unwaith y byddai wedi penderfynu fyddai dim troi'n ôl. Y Comander oedd y Comander, a'i benderfyniad ef oedd yn ben bob amser. Roedd mynd yn groes i orchmynion y Comander yn dorcyfraith – ond ar y llaw arall roedd Morgan yn ddigon parod i wneud hynny y tro hwn, os oedd raid.

Ochneidiodd ei bennaeth yn dawel wrth ofyn am fwy o fanylion ac o'r diwedd daeth y cytundeb. Diolchodd Morgan i'r Nef pan gadarnhaodd y Comander, yn erbyn ei holl egwyddorion, mai ef, Alun Morgan, fyddai o hyn ymlaen yn gyfrifol am yr holl ymchwiliadau ynglŷn â'r llofruddiaethau. Ditectif Chief Superintendent Alun Morgan oedd â'r awdurdod, a holl awdurdod y gyfraith, i wneud yr hyn fyddai raid ei wneud ac i arwain unwaith eto. Roedd Alun Morgan wedi dychwelyd i'w fyd naturiol.

Dychwelodd grym y gyfraith yn ôl i'w fywyd a theimlodd yr hen wefr gyfarwydd yn llifo fel cyffur drwy ei gorff.

'Wyt ti wedi dod ar draws Keith Morris rywdro?'

Syfrdanwyd Morgan gan y cwestiwn ond aeth pethau'n waeth pan ofynnodd i'r Comander pam oedd yn holi.

'Am ryw reswm neu'i gilydd mae'r enw'n gyfarwydd,' atebodd y Comander, 'Ond ar fy llw alla i ddim cofio pam – henaint ni ddaw ei hunan ... Ta waeth, fe yw'r prif dramgwyddwr mae'n debyg ac maen nhw ar eu ffordd i'w arestio fe heno am lofruddio'r merched 'na. Mae'r achos braidd yn wan ond rwyt ti'n deall ffordd J-J yn well na neb. Mae'r boi lleol wedi gwneud ei orau i wneud pethe ar ben ei hunan – y blydi ffŵl .'

Eglurodd y Comander eu bod ar eu ffordd i 'P-w-l-l G-w-y-n', sillafodd yr enw yn hytrach na cheisio'i ddweud, 'Ble bynnag mae fan'ny, i ddal y boi.' Cymeradwyodd Morgan eu hymdrechion a chytunodd i'w cyfarfod yn y fan a'r lle. 'Fe adawa' i i ti egluro'r drefn iddyn nhw – mae'n rhy hwyr i mi gysylltu â nhw erbyn hyn – ond, Alan,' (pam yn y byd nad oedd y Sais yn gallu dweud ei enw'n iawn, meddyliodd Morgan) 'er mwyn Duw, cymer ofal ohonot ti dy hun.'

* * *

Cyrhaeddodd Morgan i Bwll Gwyn heb sylweddoli ei fod yno bron. Roedd hi'n noson glir yn nherfyn y gwanwyn a phenderfynodd alw yn y Ffrwd Wen am beint cyn mynd yn ôl i'w dŷ. Parciodd ei gar y tu allan i'r tŷ tafarn gan gofio am y sigâr a gafodd wrth brynu'r Rover ac er nad oedd yn ysmygu fel arfer, chwiliodd amdani yn y blwch menig. Roedd hon yn noson i ddathlu, a cherddodd i mewn i'r bar.

Tri gŵr ifanc oedd yr unig gwsmeriaid yn y lle, a'r tri'n sgwrsio'n fywiog gyda'r perchennog. Distawodd y sgwrs yr eiliad y cerddodd Morgan i mewn. Talodd am ei beint, cymerodd lwnc ac aeth i eistedd yng nghornel bellaf yr ystafell a dechreuodd y pedwar ailddechrau sgwrsio unwaith eto. Doedd dim amheuaeth mai ef oedd y pwnc trafod erbyn hyn. Gwenodd wrth gymryd llwnc arall gan dybio eu bod hwythau hefyd, mwy na thebyg, yn meddwl mai ef oedd y llofrudd. Taniodd ei sigâr a chlywodd un o'r bechgyn yn sôn am Winston Churchill. Oedd, roedd y sigâr braidd yn rhodresgar!

Gyda hynny cerddodd llanc arall i mewn a daeth yn amlwg o'r croeso a gafodd mai gweision ar wahanol ffermydd yn y cylch oedd y pedwar. Clustfeiniodd Morgan ar y sgwrs a chlywodd y perchennog, wrth iddo dynnu rownd arall o gwrw, yn gofyn 'A beth mae Duw-Duw wedi'i neud nawr?'

Roedd hi'n amlwg mai un o ogledd Cymru oedd y pedwerydd yfwr yn wreiddiol. Daeth Elisabeth yn ôl i feddwl Morgan eto.

'O, diawl, fasach chi byth yn credu be wnaeth o heddiw 'ma,' atebodd cyn cael ei annog i ddweud yr hanes gan ei dri chyfaill. 'Dwi rioed wedi cyfarfod y ffasiwn goc oen yn 'y mywyd. Heddiw, reit, roedd o wedi diflannu i rywle, a dyma *fo* – y Chief 'de – yn fy anfon i i chwilio amdano fo. Mi chwiliais i bob twll a chornel,' cymerodd lwnc o'i ddiod, 'nes imi ddod o hyd iddo fo. A wyddoch chi lle'r oedd o, neu'n hytrach be oedd o'n neud?'

'Iesu, mae hon fel pregeth Fethodistaidd,' awgrymodd un o'r gweision eraill.

'O, wel, os nad wt ti isio gwbod,' ebychodd y storïwr.

'O, dere 'mlan, Gogs bach, dwed glou – wy'n marw am bishad,' meddai un o'r lleill.

Roedd Morgan hefyd eisiau clywed diwedd y stori.

'Mi ddois i o hyd iddo fo yn y llofft sgubor. Dyna lle'r oedd o yn sefyll yn noeth lymun a'i ... a'i ...' dechreuodd chwerthin, '... a'i gwd yn ei law, wrthi fel yr andros wrth syllu allan drwy'r ffenest!'

'Cer o' ma,' ebychodd un o'i ffrindiau.

'Wir yr,' atebodd Gogs, 'ac mi ffrydiodd dros y lle fel ro'n i'n edrych arno fo!' Edrychodd Gogs rownd a gweld Morgan a'i sigâr am y tro cyntaf.

'Mae'n iawn, Sais yw e,' eglurodd un o'r lleill wrth fynd allan i'r tŷ bach.

'Ar bwy oedd e'n edrych 'te? Merch y lle? Cofia, ma' hi'n bishyn bach reit neis. Fydde dim gwahaniaeth 'da fi ...' a phwysodd y cyfaill yn ôl ar y bar gan gymryd llwnc arall o'i ddiod.

'Wel, naci,' atebodd Gogs, 'Ma' honno wedi rhedeg i ffwrdd on'd do? Na, na, ei mam oedd yn digwydd bod yn yr ardd gefn ar y pryd yn 'i throwsus reidio, ac maen nhw braidd yn dynn arni, rhaid cyfadda. Mae'i phen ôl hi'n reit amlwg ynddyn nhw a deud y lleia!'

'Fel talcen tŷ,' awgrymodd un.

'Be wnes ti wedyn 'te?' holodd un arall, 'Wedes ti rywbeth wrtho fe?'

'Asu, naddo, mi heglais i o'no a deud wrth y Chief 'mod i wedi methu dod o hyd iddo fo. Ti'n gweld, ma' hi wedi dod yn arferiad i'r cob bach ddiflannu weithia yn ystod y dydd a dychwelyd efo'r ci fel petai dim byd o'i le.'

'Druan o'r ci,' chwarddodd un.

'Ia. Ond wyddoch chi be glywais i fel ro'n i'n gadael y sgubor?'

Plygodd y pedwar yn nes ato i gael ei glywed yn iawn.

'Duw-Duw yn gweiddi "Duw! Duw!"' Chwarddodd y criw yn uchel a bu bron i Morgan ymuno â nhw ond cofiodd mewn da bryd nad oedd i fod i'w deall.

Rhewodd llaw Morgan â'r gwydr yn ei geg wrth weld pedwar cwsmer arall yn cerdded i mewn i'r dafarn. Adnabyddodd dri ohonynt ar unwaith ond nid oedd yn siŵr pwy oedd y pedwerydd, er ei fod yn amau ei fod wedi'i weld o'r blaen, rywbryd yn y gorffennol. Wrth lwc fe anelodd y pedwar yn syth am y bar a chlywodd un ohonynt yn archebu peintiau o gwrw.

Gwenodd wrth sylwi fod Powell yn dal i wisgo'i got law lwyd a'r het ar ei ben yn gorchuddio un llygad, ond yn ogystal â hynny roedd sigarét yn hongian o gornel ei geg. Edrychai yr un ffunud â Humphrey Bogart ifanc! Gafaelodd Powell yn ei beint ac fel yr oedd yn cymryd y llwnc gyntaf trodd i bwyso'i gefn yn erbyn y bar. Daliodd Morgan ei lygaid a bu bron i Powell dagu yn y fan ar lle. Pesychodd ei sigarét o'i geg a cheisiodd roi ei wydryn yn ôl ar y bar wrth i Ifans daro'i gefn a'i geryddu. Ar yr un pryd roedd Powell yn cyfeirio dros ei ysgwydd at Morgan ac edrychodd Ifans yn syth arno cyn troi'n ôl at Powell. Rhoddodd y pedwar eu pennau ynghyd gan sibrwd ymysg ei gilydd. Yna trodd y pedwar fel un â'u pennau i lawr a dechrau cerdded yn hamddenol tuag at Morgan.

'Wel, wel, Mr Morris,' datganodd Ifans.

Ar yr un pryd yn union gwenodd Inspector Jim James a dweud, 'Helo, gyf. Beth ddiawl wyt ti'n ei wneud 'ma?'

'Pam ddiawl y'ch chi'n dweud "gyf"? Dyma fe – dyma Keith Morris yn ôl Powell,' a throdd i wynebu ei was a oedd yn nodio'i ben.

'O, dwi ddim yn meddwl 'ny, Martyn. Gadewch i mi gyflwyno Alan Morgan, neu Ditectif Chief Superintendent Alan Morgan o'r Flying Squad, Sgotland Iard, i fod yn fanwl gywir.'

Syfrdanwyd y ddau Gymro. Ac yna cofiodd Powell ei fod wedi gweld yr wyneb yn ffeil fawr Martyn Ifans, ond yn y cefndir wrth i amryfal ddrwgweithredwyr gael eu harestio. Cododd Morgan o'i sedd ac estyn ei law i Ifans.

'Mae'n dda 'da fi eich cyfarfod o'r diwedd, Inspector.'

Gafaelodd Ifans yn y llaw gref a'i hysgwyd fel pe bai mewn breuddwyd.

'Mae'n braf dy weld unwaith eto, J-J,' gwenodd Morgan ar ei gydweithiwr.

'Ie, ond, ie, ond ...' oedd yr unig beth y medrai Ifans ei ddweud.

'Keith Morris?' holodd Morgan. 'Fi yw hwnnw hefyd, felly peidiwch â beio Powell yn ormodol. Roedd e'n llygad ei le y tro 'ma.'

'Gwrandewch, mae'n ddrwg gen i dorri ar eich traws, ond allwch chi egluro i Pengwin fan hyn a finne beth ddiawl sy'n mynd 'mlaen?' gofynnodd J-J yn ddryslyd.

'Pengwin?' holodd Morgan.

'Pennington, gyf, Ditectif Gwnstabl John Pennington. Mae'n dda gen i eich cyfarfod fan hyn ... ym ... wy' wedi clywed llawer amdanoch chi ac ro'n i'n ... wel, hynny yw ... wel mae fan hyn braidd yn wahanol i Goodmayes ...'

'Mae'n dda 'da fi dy gyfarfod, Pennington,' torrodd Morgan ar ei draws gan anwybyddu diwedd ei frawddeg. Gwenodd yn gyfeillgar ar y dyn ifanc ond sylwodd ar ei wyneb yn chwysu a'r olwg slei yn ei lygaid. 'Y'n ni wedi cyfarfod o'r blaen?' ategodd.

'Dwi ddim yn meddwl. Fe fyddwn yn siŵr o fod yn cofio,' atebodd Pennington ond gwyddai Morgan eu bod wedi cyfarfod yn rhywle neu'i gilydd ond methai'n lân â chofio ymhle. Awgrymodd eu bod yn ail-lenwi eu gwydrau cyn cael cyfarfod bach anffurfiol i ddod i adnabod ei gilydd yn well. Rhoddodd bapur pumpunt yn llaw Powell.

'Iawn, syr,' gwenodd Powell o glust i glust.

'Ron,' edrychodd Morgan i fyw ei lygaid, 'galwa fi'n Alun, neu Morgan, neu gyf, ond paid byth â'm galw yn "syr" – iawn?'

Edrychodd Powell a'r J-J i chwilio am gefnogaeth, a rhoddodd hwnnw winc fach gyfeillgar iddo.

'Iawn, gyf,' ac fel gwas ffyddlon, aeth i nôl y rownd nesaf.

PENNOD 19

Roedd Morgan yn sefyll ar y graig yn y tywyllwch ond yn methu'n lân â symud wrth iddo wylio Elisabeth yn cerdded yn araf i fyny llwybr yr ardd tuag at ddrws ffrynt Awel Deg. Gwaeddodd arni i aros ble'r oedd hi ond chwythodd y gwynt ei rybuddion draw dros y tonnau. Cerddodd yn ei blaen tuag at y drws a oedd nawr led y pen ar agor. Roedd Morgan yn erfyn arni i sefyll; gwyddai am y peryglon y tu mewn i'w gartref.

'Tro, Bwts, paid â mynd ymhellach,' gwaeddodd. Trodd hithau ei phen o'r diwedd a'i weld yn sefyll ar y graig. Gwenodd arno a chododd ei llaw i'w gyfarch ond roedd y gwynt yn rhy gryf iddi glywed ei rybuddion. Ceisiodd Morgan redeg yn gyflym ar hyd y graig ond roedd honno'n ddiderfyn ac yn ymestyn allan i'r môr. Gwelodd Morgan ddau ddyn yn sefyll wrth y drws yn disgwyl iddi gyrraedd. Adnabyddodd un ohonynt yn syth – Ricky Capelo. Dychmygodd y wên greulon ar ei wyneb. Ceisiodd neidio i lawr oddi ar y graig ond roedd hi'n rhy uchel. Ceisiodd weiddi unwaith eto ond roedd hi'n rhy hwyr, roedd Elisabeth wedi cyrraedd y drws ac yn gwenu'n llawen ar Capelo. Cydiodd Capelo yn ei braich. Yna roedd Morgan ar y llwybr, ond yn rhy hwyr. Gallai weld y gyllell yn llaw Capelo ond methai ag atal Elisabeth rhag mynd i mewn i'r tŷ. Na, nid cyllell oedd yn ei law. Gwelodd bicell finiog gwydr y botel. Clywodd y dyn arall yn chwerthin yn uchel a gallai weld ei wyneb yn glir erbyn hyn – John Pennington.

'Mae fan hyn braidd yn wahanol i Goodmayes, gyf,' gwaeddodd Pennington yn groch wrth gydio ym mraich arall Elisabeth a'i thynnu i mewn i'r tŷ. Dechreuodd Morgan weiddi. Roedd mor agos ati ond caewyd y drws yn ei wyneb. Clywodd y ddau ddyn yn chwerthin yn greulon y tu mewn ac yna clywodd Elisabeth yn galw arno cyn clywed y sgrech erchyll.

Deffrodd Morgan o'i hunllef i sŵn sgrechian y gwylanod y tu allan i'w ffenestr. Cofiai bellach ble'r oedd wedi gweld Pennington o'r blaen – y mis Hydref diwethaf, pan oedd Capelo'n anelu ei wn tuag at ei ben. Pennington oedd yr un a'i rhybuddiodd rhag saethu.

'Felly dyna pwy wyt ti, y diawl bach,' sibrydodd Morgan yn dawel.

Ond roedd yr hunllef wedi bod yn ddigon clir i'w gynhyrfu'n llwyr a chymerodd gryn dipyn o amser i ddod ato'i hunan. Neidiodd o'r gwely gan gofio bod hwn yn mynd i fod yn ddiwrnod prysur iawn.

Cymerodd fàth twym ac ar ôl brecwast syml brysiodd i lawr y ffordd tuag at y pentref cyn i neb arall ym Mhwll Gwyn ddeffro'n iawn – neb heblaw am un. Gwelodd Morgan Capten Williams yn cerdded ar hyd y traeth a rhedodd draw i'w gyfarch. Holodd ef unwaith eto am ddarganfyddiad y corff cyntaf ac roedd yr hen forwr yn ddigon bodlon i ailadrodd yr holl hanes wrtho. Cafodd ganiatâd i ddefnyddio'i ffôn yn ei gartref pa bryd bynnag y byddai'n dymuno gan nad oedd un yn Awel Deg.

'Â chroeso, 'machgen i, pryd bynnag rwyt ti ishe. Rwyt ti'n gwbod ble wy'n byw a rhyngon ni'n dau, dyw drws y cefen ddim yn cloi.' Diolchodd Morgan iddo, aeth i'w gar a dechreuodd ar ei daith i Aberystwyth.

Roedd y pedwar yn ddigon bodlon y noson gynt pan glywsant y newyddion mai ef fyddai'n gyfrifol am yr ymchwiliad o hyn ymlaen, yn enwedig gan fod damcaniaeth Martyn Ifans wedi ei thorri'n ddarnau. Yn fwriadol nid oedd wedi datgelu ei gynlluniau wrthynt, er ei fod yn gwybod yn iawn beth oedd yn mynd i ddigwydd yn y dyfodol agos, ond y cwestiwn oedd, pa bryd?

Arweiniodd y blismones ifanc ef i swyddfa Martyn Ifans a synnodd mai ef oedd yr olaf i gyrraedd, er ei fod wedi bwriadu bod yno cyn pawb arall.

'Reit 'te, wy' ishe i chi'ch dau ffonio o amgylch pob gwesty yn y cylch – o Gei Newydd i fyny hyd at Ddolgellau,' meddai wrth y ddau Gymro. 'Holwch a oes un, neu efallai ddwy ferch wedi diflannu'n sydyn heb dalu eu bil. Wy' am ffeindio mas pwy oedd y ddwy olaf i gael eu lladd – falle eu bod nhw'n ffrindiau – ac o ble ro'n nhw'n dod yn wreiddiol. Mae rhywbeth yn dweud wrtha i eu bod nhw gyda'i gilydd cyn diflannu.'

'Y'ch chi'n gwbod pwy oedd yr un gyntaf, felly?' holodd Ifans wedi ei synnu.

'Mae rhyw syniad 'da fi pwy oedd hi.'

Wedi iddynt adael, pwysodd Morgan ar ysgwyddau Pennington i'w ddal yn ei gadair a gofynnodd i J-J fynd i chwilio am ddau blismon i'w gludo'n ôl i Lundain.

'Pam? holodd Pennington yn ofnus, 'Beth ydw i wedi'i wneud?'

'Wy'n gwbod pwy wyt ti, Pennington. Fe gofiais i ble'r oedden ni wedi cwrdd o'r blaen – ac nid yn Goodmayes oedd e. Roedd hi'n dipyn bach o fonws i ti ddod ar fy nhraws i neithiwr, on'd oedd e? Doeddet ti heb ddisgwyl 'na wy'n siŵr. Felly wy'n dy arestio di am ymosod ar aelod o'r heddlu 'nôl ym mis Hydref y llynedd. Nawr 'te, wy'n mynd i roi un cyfle iti wneud pethe'n haws i ti dy hun – dwed wrtha i ble mae Capelo.'

Erbyn i J-J ddychwelyd roedd Pennington wedi cyfadde'r cyfan, gan gyfeirio hefyd at y ffaith nad oedd wedi cael cyfle i hysbysu Capelo ei fod wedi darganfod ei brae. Yna, estynnodd Morgan y ffôn iddo.

'Wel, dwed wrtho nawr,' gorchmynnodd, ac fel oen bach, ufuddhaodd Pennington i ddymuniadau Morgan cyn cael ei dywys i ffwrdd ar ei daith yn ôl i Lundain.

Eglurodd Morgan y cyfan i J-J a gofynnodd iddo gadw llygad ar Elisabeth – roedd yr hunllef yn dal yn fyw yn ei gof. Yna trodd ei sylw at adroddiadau'r patholegydd a chan ei fod yn hen gyfarwydd â dogfennau o'r fath roedd wedi gorffen eu darllen mewn byr o dro. Teimlai'n flin dros y merched, yn enwedig y gyntaf. Roedd y patholegydd wedi cynnwys rhestr o'i hanafiadau a gwyddai Morgan ei bod wedi dioddef yn aruthrol cyn cael ei lladd. Nid felly y ddwy arall, er ei bod yn amlwg fod eu breichiau wedi cael eu clymu, yn ogystal â choesau un ohonynt. Dros y blynyddoedd roedd Morgan wedi caledu yn erbyn y fath greulondeb ac ar ôl gorffen darllen aeth i chwilio am ddisied o de. Daeth o hyd i'r blismones ifanc wrth y ddesg flaen.

'Oes 'na obaith cael disied yn y lle 'ma?' gofynnodd.

'Wel, oes wrth gwrs,' atebodd Gwenda, 'Fe af i baratoi teboted ichi nawr.'

'Na, na, fe fydd myg o de cryf yn hen ddigon a falle bisgîen fach neu ddwy,' awgrymodd.

‘Ond beth am y lleill?’ holodd yn eiddgar.

‘Gad iddyn nhw edrych ar ôl eu hunain,’ gwenodd Morgan yn ddireidus.

Gwenodd hithau yn ôl arno, ‘Dynion fel chi sy’n creu helynt i mi.’

Dechreuodd Morgan gerdded ar ei hôl i’r gegin.

‘Fe ddof ag e lan i chi mewn munud,’ meddai Gwenda dros ei hysgwydd. ‘Gyda llaw, mae un neu ddau o fois y wasg wedi cyrraedd.’

Trodd Morgan er mwyn dychwelyd i’w swyddfa, ‘Reit, fe fydda i’n barod i’w gweld nhw ar ôl y te ar bisgedi,’ ac i ffwrdd ag ef. Roedd Ifans a Powell yno’n ei ddisgwyl.

‘Mae ’na ddwy ferch wedi diflannu o Gei Newydd, gyf,’ meddai Ifans gan bwysleisio’r ‘gyf.’ Cymerodd Morgan y nodiadau o’i law a’u rhoi ar y ddesg o’i flaen. Eisteddodd ac amneidiodd arnynt hwythau i eistedd hefyd.

‘Pam y’ch chi ishe arestio’r Gwynfor ’ma?’ gofynnodd yn ddirybudd gan bwyso ymlaen ar y ddesg.

‘Ry’n ni’n ffyddiog taw fe oedd y bachgen ddaeth o hyd i’r corff ym Mhwll Gwyn. Mae e yn y pentre’n aml gyda’i feic a’i gi, ac mae ’na *bethe* ar y corff,’ atebodd Ifans yn awdurdodol.

‘Pethe? Pa bethe? Marciau y’ch chi’n feddwl?’ holodd Morgan.

‘Wel nage, ry’ch chithe wedi darllen yr adroddiad fel ninne. Mae ’na chi’n-gwbod-beth dynion ar y corff, ym ... peth ... ’ pallodd Ifans â’i eglurhad.

‘Had dynol – semen y’ch chi’n ei feddwl?’

‘Ie, gyf’ cytunodd Powell yn awyddus i fod yn rhan o’r drafodaeth.

‘Ar y corff, nid y tu mewn i’r corff, cofiwch,’ eglurodd

Morgan wrth i Gwenda gerdded i mewn gyda'r te a bisgedi. Edrychodd Morgan arni, 'Diolch yn fawr i ti ...' a chododd ei aeliau i ddangos ei fod eisiau gwybod ei henw.

'Gwenda, syr,' atebodd hithau.

'Reit 'te, dwed wrtha i, Gwenda, shwt ma' had dynol yn glanio ar gorff merch ifanc yn hytrach na'r tu mewn iddi? '

'Syr?' gofynnodd Gwenda wedi'i syfrdanu gan y cwestiwn, ond o'r olwg yn ei lygaid synhwyrodd nad cwestiwn siofinistaidd er mwyn codi cywilydd arni hi oedd hwn. Tarodd y 'syr' ar glustiau Morgan fel tân poeth.

'Galwa fi'n Alun, neu Morgan, neu gyf, ond paid byth â'm galw i'n "syr",' rhoddodd y cyngor cyfarwydd am yr eilwaith mewn llai na diwrnod, 'yn enwedig gan dy fod yn rhan o'r tîm yma nawr.'

Edrychodd Gwenda ar Ifans. 'Fe yw'r gyf,' atebodd hwnnw y cwestiwn oedd ar ei hwyneb, 'am nawr' ategodd yn dawel.

Cymerodd Morgan lwnc o'i de. 'Ardderchog,' ebychodd. 'Reit, beth wyt ti'n feddwl ynglŷn â'r cwestiwn?'

Cochodd Gwenda. 'Y'ch chi o ddifri?' Doedd neb wedi gofyn am ei barn hi o'r blaen.

'Wrth gwrs 'y mod i o ddifri,' atebodd Morgan â'i wyneb yn llawn difrifoldeb.

'Wel, mae'n dibynnu'n union ble'r oedd yr ... ym ... yr had.'

'Oes ots ble'r oedd e?' gofynnodd Ifans.

'Wel, gyf, os y'ch chi'n cael *coitus int* ...' dechreuodd Gwenda egluro.

Daeth rhyw sŵn bach rhyfedd o gyfeiriad Ron Powell a dechreuodd yr heddwas wingo yn ei sedd. Torrodd Morgan ar ei thraws. 'Ar ei bronnau, a gyda llaw, dylet ti gael gwbod fod y ferch wedi'i llofruddio cyn i'r semen lanio ar ei chorff.'

'Felly mae rhyw lanc wedi bod yn chwarae â'i hun dros y corff,' eglurodd Gwenda gan orchfygu ei swildod. Bu bron i Powell gwmpo oddi ar ei gadair wrth glywed ei heglurhad.

'Ti'n iawn, Ron?' gofynnodd Morgan.

'Fyddai ots 'da chi 'mod i'n cael sigarét fach, gyf?' gofynnodd yn daer.

'Byddai,' atebodd Morgan.

'Beth am ddisied o de, 'te?' holodd Ifans.

'Dim eto, fe gei di nôl un dy hunan mewn munud fach,' atebodd ei feistr dros-dro. 'Da iawn, Gwenda, diolch yn fawr i ti.'

Gwenodd Gwenda arno a chododd i fynd allan.

'Ac i ble wyt ti'n meddwl wyt ti'n mynd?' stopiodd Morgan hi. 'Eistedda i lawr. Fel y dywedais i, rwyt ti'n rhan o'r tîm nawr.'

Eisteddodd Gwenda'n dawel heb unrhyw syniad sut y dylai ymateb i'r dyn rhyfedd yma.

'Mae'n well i rywun ddweud wrth iwnifform fod Gwenda'n ymuno â ni, neu mi fydd 'na le 'ma,' awgrymodd Ifans. Cynigiodd Powell fynd i wneud y trefniadau, yn falch o'r esgus i adael y swyddfa.

'A wyddoch chi beth?' gwenodd Morgan, 'Wy'n gwybod yn iawn pwy yw'r diawl wnaeth amharu ar y corff.'

Er i Ifans agor ei geg i ddweud rhywbeth torrodd Morgan ar ei draws. 'Ar ôl i chi gael eich disied o de, wy' ishe i ti a Powell fynd i lawr i Gei Newydd i holi yn y gwesty am fanylion llawn y ddwy ferch. Wedyn ewch draw i Bwll Gwyn oherwydd mae 'na ferch ifanc wedi diflannu o ryw ffarm yn yr ardal. Ffoniwch Sarjant Jones yn Aberteifi, mae'r manylion gyda fe. Ar y ffarm mae 'na fachgen ifanc sy'n cael ei alw'n Duw-Duw – mwy na thebyg gan mai Dewi yw ei enw iawn. Os y'ch chi ishe dod ag e 'ma i'w holi, pob croeso ond falle y byddai hi'n well mynd ag e'n syth i Aberteifi. Fe yw'r gŵr ifanc ddaeth o hyd i'r corff; fe yw'r gŵr ifanc wnaeth yr hyn wnaeth e ar y corff, a falle'i fod e'n gwbod rhywbeth am ddiflaniad merch y ffarm hefyd.'

'Shwt ddiawl y'ch chi'n gwbod ?' gofynnodd Ifans yn gegrwth.

'Mae'n rhyfedd faint o wybodaeth sy' i'w gael mewn tŷ tafarn,' gwenodd Morgan.

'Ond beth am ...?' dechreuodd Ifans wrth i Powell ddychwelyd.

'Gwynfor? Na, na, mae Capten Williams – y'ch chi'n ei gofio fe? – wel, ma'r hen gapten yn gyfarwydd iawn â Gwynfor. Fe fydde fe wedi ei enwi fe os taw Gwynfor ddaeth o hyd i'r corff. A nawr mae'n bryd cael disied arall o de, felly i lawr â ni i'r gegin fach. Ydi'r wasg yn dal i ddisgwyl, Gwenda?'

'Ro'n nhw'n dal 'ma pan ddes i lan â'ch te, gyf.'

'Iawn. Rho dipyn bach o bowdr ar dy wyneb a lipstic ar dy wefuse, Gwenda, achos bydd dy lun di ar dudalennau blaen y papurau newydd fory. Ond cyn i ni fynd, mae'n rhaid i mi alw rhywun ar y ffôn. Peidiwch disgwyl amdana i, fe ddilyna i chi i lawr wedyn.'

Gwyddai Morgan ei bod yn ddyletswydd arno adael i'r Comander wybod beth oedd y datblygiadau diweddaraf. Roedd ar ganol crynhoi'r ymchwiliad pan ddychwelodd Gwenda â mygaid arall o de iddo. 'Mae hwnna'n edrych yn berffaith, 'nghariad i,' meddai gan roi ei law dros y ffôn. Daliodd ati i siarad â'r Comander cyn sylwi fod Gwenda'n dal i sefyll o'i flaen a golwg ryfedd ar ei hwyneb. 'Arhoswch am eiliad, mae rhywbeth wedi codi fan hyn,' meddai. 'Oes 'na rywbeth yn bod, Gwenda?' holodd gan edrych arni a hithau'n amlwg braidd yn swil o'i flaen.

'Na, na,' atebodd gan fethu edrych i fyw ei lygaid.

'Mae'n amlwg bod 'na. Beth yw'r broblem?'

'Wel, syr ...' dechreuodd.

'Gyf.'

'Sori, gyf, eich ymddygiad ...'

'Mae'n ddrwg gen i, Gwenda, dechrau cael ailafael yn yr iaith yr ydw i. Dwi ddim yn dy ddeall.'

'Dy'ch chi ddim yn debyg i'r lleill, yn eich hymddygiad, eich sgwrs, ry'ch chi'n hollol anffurfiol ym mhob agwedd o'r gwaith ...'

'Wastad wedi bod, bach, wastad wedi bod,' meddai. Dechreuodd anesmwytho gan ei fod yn cadw'r Comander i ddisgwyl amdano ar ben arall y lein. 'A go brin y bydda i byth yn newid, felly waeth i ti fy nerbyn i fel hyn, neu ...' a gadawodd y frawddeg ar ei hanner er mwyn dod â'r sgwrs i ben.

'Ond,' dechreuodd Gwenda eto.

Ymddiheurodd Morgan i'r Comander a chytuno i'w ffonio'n ôl mewn eiliad. 'Ond beth?' Gwahoddodd Gwenda i eistedd wrth roi'r derbynnydd yn ôl yn ei grud.

'Na, na, fi sy'n dwp,' meddai a daeth gwrid i'w hwyneb.

'Gwenda, os oes rhywbeth ar dy feddwl di, mas ag e. Cofia, fe alli di ddod ata' i unrhyw bryd i sgwrsio am bethe yn hytrach na'u cadw nhw i ti dy hun. Mae hynny'n rhan o'm swydd i – nid dim ond dod o hyd i'r llofrudd. Wy' 'ma i ofalu am y tîm cyfan hefyd.'

'Wel, dyna fe – beth yw eich swydd chi?' gofynnodd hithau heb edrych arno.

'Beth wyt ti'n feddwl?'

'Wel, gyf, fe wnaethoch chi gerdded i mewn fan hyn heb ddweud gair pwy oeddech chi a chymryd yr awenau heb unrhyw dyst i'ch cefnogi. Chawson ni yr un alwad oddi wrth Sgotland Iard i ddweud pwy oeddech chi fel yn achos y ddau arall a … a …' collodd ei gafael ar y ddadl.

Dechreuodd Morgan chwerthin a chododd Gwenda i adael, yn siŵr ei bod wedi rhoi ei throed ynddi hyd at ei phen-glin os nad ymhellach. 'Na, na eistedda i lawr,' gwenodd Morgan arni. 'Wyddost ti, ti yw'r unig un i holi ynghylch hyn. Wnes inne ddim sylweddoli chwaith a dyna ddangos i ti pa mor hunanol dwi'n gallu bod. Mae J-J yn fy nabod wrth gwrs, ond rwyt ti'n iawn, fe yw'r unig un.' Tawelodd ac o'r diwedd cododd Gwenda ei llygaid i edrych ar y dyn a oedd yn gwenu arni yr ochr arall i'r ddesg. 'Mae 'na rywbeth arbennig amdanat ti, Gwenda, a phaid byth â'i golli. Fe ga' i gadarnhad i ti nawr.'

Cododd y derbynnydd eto a galw'i feistr yn ôl. 'Na, na, does 'na ddim problem. Mae rhywun yma ishe cael cadarnhad pwy ydw i, dyna i gyd. Fedrwch chi egluro i aelod newydd y tîm pwy ydw i yn union?'

Pasiodd y ffôn i Gwenda. 'Fy nhyst,' meddai a gwenodd yn ddireidus arni.

Gafaelodd Gwenda yn y ffôn a bu bron iddi fynd drwy'r llawr pan sylweddolodd pwy oedd ar y pen arall. Gwrandawodd heb ddweud gair wrth i'w hwyneb gwridog welwi. 'Iawn, syr, diolch yn fawr, syr,' meddai'n dawel wrth roi'r ffôn yn ôl i Morgan.

'Wy'n cytuno â chi, gyf,' meddai mewn eiliad neu ddwy, 'Fe ddyweda' i wrthi nawr, peidiwch â phoeni am 'ny.' Rhoddodd y derbynnydd yn ôl yn ei grud yn araf ar ôl ffarwelio â'r Comander a gofynnodd i Gwenda eistedd.

'O, diawl erioed, maddeuwch i mi, gyf. O, uffern dân!' ebychodd cyn i Morgan gael cyfle i ddweud gair.

'Oes 'da ti fwy o regfeydd cyn 'mod i'n dechrau siarad?' gofynnodd yn siriol.

'Chi, chi, yw ...' methodd Gwenda orffen ei brawddeg wrth sylweddoli pwy oedd yn eistedd gyferbyn â hi.

'Ie, ond paid â phoeni am 'na nawr. Mae'r Comander ishe i mi dy wahodd i ddod i ymuno â ni yn Sgotland Iard am dreial bach unwaith y bydd yr achos 'ma wedi'i ddatrys. Ac rwy'n cytuno ag e.'

'Beth, fi yn mynd i Lundain i weithio yn Sgotland Iard?' Roedd y cynnig yn anghredadwy.

'Mae dy dalent yn cael ei wastraffu 'ma yn Aber. Pa ddyfodol sy' 'ma i ti? Gwneud te i ymwelwyr? Eistedd wrth ddesg y dderbynfa drwy'r dydd? Dyw merched fel ti ddim yn cael eu parchu ddigon yn Llundain heb sôn am fan hyn yng Nghymru. Ac mae gen ti'r potensial i fod yn blismones dda. Nid twp oeddet ti nawr, na dewr chwaith – defnyddio tipyn o synnwyr cyffredin wnest ti ac mae synnwyr cyffredin yn beth prin mewn sawl plismon y dyddiau 'ma, hyd yn oed yn y rhai mawr. Mae gen ti'r hyder i ofyn cwestiynau, i archwilio'r pethe dwyt ti ddim yn rhy siŵr ohonyn nhw yn hytrach na chymryd pethe'n ganiataol. Paid â gwastraffu dy hun. Meddylia am y peth ac fe gei di roi dy ateb imi yn nes 'mlaen.'

'Diolch, gyf,' gwenodd Gwenda cyn codi'n simsan o'i chadair a rhoi cusan ar ei foch.

'Nawr, mae hynna'n beth dewr iawn,' a chwarddodd y ddau wrth i J-J gerdded yn ôl i mewn.

'Wps, sori,' ymddiheurodd. Eglurodd Morgan y sefyllfa

iddo gan awgrymu y dylai gael sgwrs â Gwenda ynghylch y gwaith yn Llundain. Yna canodd y ffôn yn y swyddfa arall ac aeth Gwenda i'w ateb.

PENNOD 20

Yn Llundain roedd Ifor Roberts y Llaeth wrthi'n mwynhau ei frecwast pan ddarllenodd y newyddion syfrdanol yn un o bapurau newydd Llundain.

'Wyt ti wedi gweld hwn, Elinor?' gofynnodd.

'Beth yw "hwn", cariad bach?'

Darllenodd gynnwys y golofn fechan ar dudalen pedwar yn uchel ond ychydig iawn o ddiddordeb a ddangosodd Elinor, er bod yr achosion wedi digwydd yn agos iawn i'w chartref.

'Wel, meddylia am y fath beth. Lwcus ein bod ni wedi symud lan 'ma. Ma' hi'n llawer mwy diogel,' awgrymodd hithau.

'Mm ... wy' ddim yn rhy siŵr am 'na.' Cofiodd Ifor am ei deimladau greddfol wrth fynd i gyfarfod Capelo. Cymerodd lwnc o'i de a chegaid arall o'r brecwast blasus pan ganodd cloch y drws ffrynt.

'Pwy ddiawl sy' 'na nawr a finne'n barod i fynd i 'ngwely?' gofynnodd yn grac.

'Wel, cer i weld,' awgrymodd Elinor ac wedi grwgnach dipyn rhagor aeth i agor y drws.

'Helo, Wncwl Ifor,' meddai'r ferch ifanc mewn llais bach eiddil, 'Ga' i ddod i mewn?'

'Rhian?' meddai'n anghrediniol a'r olwg oedd arni'n codi braw arno. Roedd ei gwallt yn flêr, ei dillad yn frwnt, ei hwyneb yn welw ac yn dangos ôl dagrau. 'Be ti'n neud fan hyn? Dere mewn, dere mewn.'

Bu bron i Rhian gwmpo i mewn i'w freichiau. Wrth yfed disied o de twym dechreuodd egluro sut y gadawodd ei chartref, dal y trên cynnar o Aberteifi a newid fan hyn a fan draw cyn cyrraedd Caerdydd i chwilio am ei ffrind yn y brifysgol, ond methodd yn lân â dod o hyd iddi. Ar ôl deuddydd o chwilio daliodd drên arall a chyrraedd Paddington. Crwydrodd y strydoedd gan geisio cofio ble'r oedd Ifor ac Elinor yn byw. Cysgu hwnt ac yma yng nghanol y ddinas gyda phobol ifanc ddigartref cyn cyfarfod dyn llaeth a oedd yn adnabod ei hewythr a chael ei gyfeiriad ganddo – a dyma hi. Synnwyd y ddau gan ei hantur.

'Ond pam wnest ti redeg bant yn y lle cynta? Cwmpo mas â dy fam?'

'Na, na,' atebodd Rhian. 'Ro'n i wedi danto ar y ffarm ac wedi cael digon o'r ardal – does 'na byth ddim byd yn digwydd 'na.'

'Yn ôl y papur newydd mae tipyn wedi bod yn digwydd 'na'n ddiweddar,' atebodd Ifor. Roedd hi'n amlwg nad oedd y ferch wedi clywed am y llofruddiaethau ac am yr eildro y bore hwnnw, darllenodd ei hewythr yr erthygl yn uchel.

Brawychwyd Rhian gan y newyddion. 'Odych chi'n meddwl fod Mam yn meddwl taw fi o'dd un o'r merched?'

'Beth, dwyt ti heb gysylltu â dy rieni i ddweud dy fod ti'n ddiogel?' holodd Elinor yn siomedig.

'Naddo,' cyffesodd Rhian yn dawel.

'O, Rhian!' ebychodd y ddau yn gyhuddgar.

'Wel, do'n i ddim yn ddiogel, o'n i? Doedd 'da fi ddim syniad lle'r o'n i. Y'ch chi'n gallu dychmygu ymateb Mam pe bydde hi'n gwbod 'mod i'n cysgu ar y stryd?'

Cytunodd y ddau efallai bod eu nith yn llygad ei lle. Er mai cefnder i'w mam oedd Ifor, roedd yn adnabod Marged yn dda ac fe allai ddychmygu'r helynt fyddai ar ffarm Tŷ Newydd ar ôl clywed y newyddion.

'Reit 'te, ar ôl i ti orffen bwyta fe awn ni i lawr i'r ciosg i gysylltu â dy fam,' awgrymodd Ifor.

'Ond dwi ddim ishe mynd gartre,' llefodd Rhian.

'Wyt ti wedi dweud y cyfan wrthon ni, Rhian?' holodd Elinor yn amheus. Erbyn hyn roedd Rhian yn beichio crio a rhoddodd Elinor ei braich am ei hysgwyddau yn dyner. 'Beth sy'n bod, 'nghariad i, beth sy' wedi digwydd?'

Rhwng ei dagrau eglurodd y ferch sut yr oedd un o weision y ffarm wedi bod yn ei dilyn ac wedi ceisio amharu arni fwy nag unwaith. Y diwrnod cyn iddi ddianc roedd e wedi ei denu i mewn i'r sgubor gyda rhyw esgus fod 'na gathod bach i fyny yn y llofft.

'Ro'n i'n ddigon twp i wrando arno. Roedd e yno'n disgwyl amdana i ... yn sefyll yno'n borcyn a'i ... a'i chi'n gwbod beth yn ei law ac yn ei rhwbio o 'mlaen i.'

'Y cythrel!' ebychodd Ifor.

'Wnest ti ddweud rhywbeth wrth dy fam a dy dad?' holodd Elinor.

'O, naddo, roedd gormod o gywilydd arna i ac fe fydde 'Nhad wedi'i flingo fe'n fyw.'

'Reit, wel dyna beth arall sy'n rhaid inni ddweud wrth dy fam. Nawr, dere 'mlaen.'

'Wnaeth e ddim byd arall i ti, 'do fe?' gofynnodd Elinor.

'Beth y'ch chi'n feddwl?' gofynnodd Rhian yn ddiniwed.

'Wel, ti'n gwbod, wnaeth e ddim ...?'

'O, wy'n gweld,' atebodd y ferch, 'O naddo ... o ych a fi, naddo.'

'Diolch i'r Nef am hynny,' meddai Ifor gan edrych lan i'r nenfwd. 'Wyt ti'n barod? Cofia 'mod i wedi bod ar fy nhraed ers oriau mân y bore.'

Wedi cael bàth twym a benthyca dillad glân roedd Rhian yn barod i siarad â'i mam. Cerddodd y tri i lawr y stryd at y ciosg. Bu llefain a dagrau fel y môr ac Ifor yn llwytho'i arian mân i mewn i'r peiriant. Eglurodd i Marged pam y bu i'w merch ddianc a gofynnodd ei mam pwy oedd y troseddwr. Pan glywodd ei enw ni chafodd ei synnu.

* * *

Mewn cornel fach dywyll yr ochr arall i Lundain roedd rhywun arall newydd roi'r ffôn i lawr ac wedi penderfynu ei fod, heb unrhyw amheuaeth, yn mynd ar ei ben i Bwll Gwyn.

Eisteddodd Capelo 'nôl yn ei gadair a throdd i edrych ar y map unwaith eto. 'Dwi wedi dy fachu di, Morgan, o'r diwedd, y diawl uffernol,' meddai'n uchel. Cododd oddi wrth ei ddesg a cherdded yn bwrpasol tuag at y map ar y wal.

* * *

Canodd y ffôn yng ngorsaf heddlu Aberteifi. Plygodd Sarjant Jones i'w hateb, 'Heddlu Aberteifi, Sarjant Jones yn siarad. Shwt alla i'ch helpu chi?' atebodd yn swyddogol.

Gwrandawodd yn astud ar lais siriol Marged. 'Wel, diolch byth am 'ny, Marged fach,' cydymdeimlodd wrth glywed y newyddion da fod Rhian ar glawr ac yn fyw ac yn iach, 'Dyna'r newyddion gore wy' wedi'i gael ers tro.'

Aeth Marged yn ei blaen i sôn am y digwyddiad yn y sgubor gan enwi'r bachgen euog.

'Ydi e'n gwbod eich bod chi'n gwbod am y pethe 'ma?'

'Na, dim ond wrthoch chi wy' wedi sôn,' atebodd. 'Mae Bob wedi mynd i Gastellnewydd.'

'Ydi'r mochyn ar y ffarm nawr?'

'Ydi.'

'Y'ch chi'n meddwl y gallwch chi 'i gadw fe 'na nes 'mod i'n cyrraedd?' gofynnodd Jones yn obeithiol.

'Galla'n iawn. Fe gloia' i fe yn y sgubor os bydd angen.'

'Na, na, peidiwch â gwneud dim fydd yn gwneud iddo fe amau bod unrhyw beth o'i le, Marged. Fe fydda i 'na mewn rhyw hanner awr i fynd â'r diawl o'ch ffordd.'

'O, diolch ichi, Sarjant, diolch yn fawr. Wy'n edrych 'mlaen i'ch gweld.'

Rhoddodd Sarjant Jones y ffôn yn ei grud a gwaeddodd yn uchel, 'Llwyddiant! Blydi llwyddiant o'r diwedd!' Brysiodd i ddweud y newyddion da wrth ei wraig cyn mynd draw i Bwll Gwyn ac i ffarm Tŷ Newydd i arestio Dewi Davies, neu Duw-Duw fel y galwai ei ffrindiau ef.

Braidd yn annisgwyl felly oedd ymweliad Ditectif Inspector Ifans a Ditectif Gwnstabl Powell ar ffarm Tŷ Newydd y prynhawn hwnnw ar ôl iddynt gael gwybodaeth am y cyfeiriad gan PC Dai Rees, er na wyddai hwnnw ble'r oedd y Sarjant ar y pryd. Ni thawelodd eglurhad Marged fawr ar gynnwrf yr Inspector ond fe wnaeth y ddwy disied o de a'r deisen gartre fyd o les i bawb – yn ogystal â'r trowsus tynn yr oedd hi yn ei wisgo.

'Iawn 'te,' cododd Ifans ar ôl gwrthod pedwerydd darn. 'Mae'n well i ni fynd i lawr i Aberteifi i weld Sarjant Jones. Dere 'mlaen Powell,' ochneidiodd yn ddwfn.

PENNOD 21

Fel arfer byddai Elisabeth wedi codi ymhell cyn hanner awr wedi saith y bore ond ar ôl cael bàth twym a noson gynnar, cysgu'n hwyr wnaeth hi fore dydd Iau. Deffrodd yn sydyn gan sylweddoli ei bod wedi anghofio gosod y cloc larwm. Edrychodd arno'n llawn syndod wrth weld ei bod bron yn wyth o'r gloch. Brysiodd i ymbaratoi i fynd i'w gwaith ond roedd popeth yn mynd o chwith. 'Mwya'r brys, mwya'r rhwystr,' meddai wrthi'i hun ac yn y diwedd penderfynodd ymbwyllo a chymryd ei hamser. Fedrai hi ddim dal y bws felly byddai'n rhaid iddi fynd i'r ysgol ei char. Cyrhaeddodd am ddeng munud i naw ar ei ben gan feddwl y byddai ganddi ddigon o amser i barcio'n ofalus a chael paned fach o de cyn mynd i'r gwasanaeth boreol. Ond roedd y prifathro'n disgwyl amdani y tu allan i'w swyddfa.

'A, Miss Williams, ry'ch chi wedi cyrraedd o'r diwedd,' croesawodd hi'n sarrug.

'Dwi ddim yn hwyr, Mr Lewis, ydw i?' holodd â golwg ddiniwed ar ei hwyneb.

'Mae hi bron yn naw o'r gloch,' atebodd yntau.

'Ond ddim cweit yn naw eto, Mr Lewis, neu mae 'na rywbeth o'i le ar y cloc 'cw.'

Doedd Elisabeth erioed wedi bod yn rhy hoff o'r prifathro ac roedd y straeon a glywsai amdano gan yr athrawesau ifanc yn ystod y tair blynedd a hanner a aeth heibio yn cadarnhau ei barn amdano. Roedd ei ffugenw'n addas iawn – Lewis Llaw Rydd.

'Fe hoffwn gael gair bach â chi rywbryd heddiw i siarad am un neu ddau o bethau,' eglurodd.

'Wel, dwi'n dysgu drwy'r dydd,' meddai gan obeithio y gallai osgoi'r cyfarfod.

'Fe gawn ni gyfarfod ar ôl yr ysgol 'te, Miss Williams,' meddai'n benderfynol.

'Oes 'na rywbeth arbennig yr hoffech chi ei drafod, Mr Lewis?' gofynnodd gan geisio cuddio'i syndod.

'Na, na, gallwn ddod i gytundeb yn fuan, wy'n siŵr, Miss Williams,' a gwenodd yn awgrymog arni. Gyda hynny canodd cloch yr ysgol ac roedd hi'n rhy hwyr i Elisabeth gael paned. Anelodd yn syth am ei dosbarth cofrestru.

Treuliodd y bore cyfan yn dysgu, yn benderfynol na fyddai'n gadael i'r digwyddiadau amharu ar ei meddyliau. Ond fel yr âi'r bore yn ei flaen poenai fwyfwy am y cyfarfod gyda'r prifathro. Doedd neb arall ar y staff wedi cael yr un gwahoddiad nac yn gwybod dim am y peth. Ceisiodd gofio a fu unrhyw helynt ymhlith ei disgyblion ond ni ddaeth dim i'w chof. Ceisiodd feddwl tybed a oedd hi wedi addo cyflawni rhyw waith a hithau wedi anghofio popeth amdano, ond yr un oedd y canlyniad. Aeth ei meddwl yn ôl i'r cyfarfod athrawon y noson o'r blaen a'r hyn a drafodwyd, ond na, ni allai feddwl am un dim nad oedd hi eisoes wedi'i gyflawni. Yn y diwedd penderfynodd mai rhywbeth hollol newydd, neu hollol ddieithr, oedd achos y cyfarfod.

Roedd yn dal i boeni am y peth wrth afael yn ei bag mawr a brysio, yn hwyr, ar hyd y cyntedd tuag at swyddfa Lewis Llaw Rydd a churo'n dawel ar y drws.

'Dewch i mewn!' meddai gorchymyn awdurdodol y prifathro.

'A, ie, Miss Williams,' croesawodd y prifathro hi'n sarrug â'i lygaid ar ei oriawr. 'Eisteddwch am funud.'

Eisteddodd Elisabeth yn y gadair a oedd yn amlwg wedi'i gosod ar ei chyfer hi wrth ymyl y ddesg er mwyn iddi fod yn agos ato – fymryn bach yn rhy anghyfforddus o agos yn ei thyb hi. Yr eiliad honno cwympodd ei bag a phlygodd i'w godi. Trodd Elisabeth yn ôl yn sydyn ac er iddo geisio troi ei olygon yn gyflym, gwyddai Elisabeth fod y prifathro wedi cael ei ddal yn sbecian ar ei choesau. Daeth sŵn bach rhyfedd o'i geg.

'Iawn 'te, am beth ydych chi isio sgwrsio?' gofynnodd Elisabeth yn gadarn i ddangos ei bod wedi'i weld.

'Mater bach personol, Miss Williams, yn ymwneud â digwyddiadau y noson o'r blaen – echnos i fod yn fanwl gywir.'

Trodd Elisabeth ei meddwl yn ôl i echnos a chofiodd am y cyfarfod athrawon.

'Na, nid y cyfarfod athrawon ei hun, ond fel y'ch chi'n siŵr o fod yn cofio, roedd un o'r llywodraethwyr yn y cyfarfod.'

Cofiodd Elisabeth fod Richard Owen y cyn-feddyg wedi bod yn bresennol ond ni allai gofio dim am ei gyfraniad na'i bod hi wedi siarad ag ef hyd yn oed. Efallai y dylai fod wedi mynd ato'n unswydd am sgwrs, ond pam, tybed?

'Yr hyn yr hoffwn ei drafod â chi, Miss Williams, yw'r *digwyddiad* ar ôl i'r cyfarfod orffen. Roedd y ddau ohonom ni, Mr Owen a finnau, yn sefyll wrth y ffenest pan oeddech chi'n gadael yr ysgol – pan oeddech chi'n cerdded tuag at giatiau'r ysgol ...'

ALUN! Daeth yr olygfa'n ôl iddi fel mellten. Y cofleidio, y cusanu, y dagrau – doedd dim rhyfedd bod Lewis mor sarrug! Beth oedd wedi mynd drwy feddyliau'r ddau wrth iddynt wylio'r perfformiad ar fuarth yr ysgol, tybed? Sut yn y byd y medrai hi egluro i hwn ac yntau mor gul, mor barod i farnu, mor barod i'w galw hi'n bob math o enwau brwnt mae'n siwr, er ei fod ef ei hun yn mwynhau rhythu ar goesau'r athrawon benywaidd a'u dadwisgo â'i lygaid.

'Mr Lewis, mi fedra i egluro ...' dechreuodd.

'Dewch nawr, Miss Williams ... Elisabeth ... fyddai 'na ddim problem petai Mr Richard Owen heb fod yma, ond doedd e ddim yn hapus, ddim o bell ffordd. Ond fel yr awgrymais i y bore 'ma, wy'n siŵr y medrwn ni'n dau ddod i ryw fath o gytundeb – ie, cytundeb bach addas, rhwng y ddau ohonom ni.'

Cododd ar ei draed a cherddodd o amgylch y ddesg nes dod i sefyll y tu ôl iddi. Teimlodd Elisabeth ef yn gosod ei ddwy law ar ei hysgwyddau. Gwyntodd arogl chwys ei gorff – roedd e'n ddigon i godi cyfog arni. Iechyd, Alun, beth wyt ti wedi'i ddechre? meddyliodd.

'Fy mrawd,' meddai'n uchel gan wyro ymlaen er mwyn rhyddhau ei hun o'i afael.

'Eich brawd? Beth y'ch chi'n feddwl?' gofynnodd Lewis yn siomedig.

'Ie, fy mrawd,' meddyliodd yn gyflym, 'fy unig frawd. Doeddwn i ddim wedi clywed dim amdano ers y rhyfel. *Lost in action, believed dead* oedd yr unig newyddion gawsom ni amdano ar y pryd. A dyna fo, ddydd Mawrth, yn sefyll o 'mlaen i. Meddyliwch ...'

Cododd ar ei thraed i wynebu'r prifathro gan obeithio nad oedd e'n cofio'r holl gusanu angerddol. Digwyddiad, hefyd, nad oedd e wedi darllen yr un nofel â'r un roedd hi newydd ei gorffen rai dyddiau'n ôl!

Daeth yn amlwg fod yr eglurhad wedi taflu Lewis oddi ar ei echel.

'Eich brawd?' holodd eto.

'Ie, Elgan ... Elgan Williams. Roedd o'n gwneud rhyw waith cyfrinachol i'r fyddin yn ystod y rhyfel 'chi'n gweld, a bu rhyw fath o ddamwain yn ... yn ... yr Almaen a phan daethon nhw o hyd iddo ro'n nhw'n meddwl ei fod o wedi cael ei ladd. Ond sylwodd rhywun ei fod o'n dal yn fyw ac fe gafodd ei gludo i ysbyty yn Rwsia.'

Eisteddodd Lewis yn ôl yn ei gadair gan wrando'n astud. Ymlaciodd Elisabeth ychydig cyn parhau â'r stori.

'Yn anffodus roedd o wedi colli'i gof a chan ei fod yn gweithio i'r gwasanaethau cudd doedd neb yn gwybod pwy oedd o. Bu bron i'r Rwsiaid ei saethu gan feddwl ei fod yn un o'r gelyn ond wrth lwc fe sylweddolon nhw mai Cymro oedd o. Wrth gwrs, ar ôl y rhyfel a'r Llen Haearn, roedd o'n gaeth yn Rwsia – tan rŵan ...'

Gostyngodd Elisabeth ei llygaid er mwyn osgoi llygaid y prifathro a gwelodd y papur newydd dyddiol yn gorwedd ar ei ddesg. Bu bron iddi dagu pan welodd y llun ar y dudalen flaen.

'Ie, a beth ddigwyddodd wedyn?' holodd Lewis wedi'i gyffroi gan y stori.

Dim ond hanner clywed y cwestiwn wnaeth Elisabeth gan fod ei holl sylw bellach ar dudalen flaen y papur. Beth yn y byd oedd llun Alun yn ei wneud ar dudalen flaen y *Times?* Oedodd i hel ei meddyliau at ei gilydd cyn parhau ag antur ei 'brawd'.

'O, roedd 'na ryw gytundeb yn ddiweddar – dwi ddim

yn rhy siŵr o'r manylion gan ei fod yn fater cyfrinachol iawn – ac fe gafodd Alun ... ym ... Elgan ei rhyddhau. Mae o wedi bod yn chwilio amdana i ers iddo gyrraedd 'nôl i Gymru a dydd Mawrth daeth i'm cyfarfod am y tro cynta – a hynny y tu allan i'r ysgol. Fe wyddoch weddill y stori.'

'Wel, Miss Williams fach, mae'r peth yn anghredadwy – yn wyrthiol. Fe fydd ei hanes yn y papurau newydd mae'n siŵr,' awgrymodd Lewis gan estyn am y papur.

'Na,' atebodd Elisabeth yn gyflym, 'Na, mae arna i ofn, ac i ddweud y gwir dwi ddim yn rhy siŵr a ddylwn i fod wedi dweud wrthoch chi. Mae'r peth yn gyfrinachol iawn 'chi'n deall – y Swyddfa Dramor, y Swyddfa Ryfel, MI5 a hyn ar llall.'

'Peidiwch chi â phoeni, Miss Williams, ac fe gewch chi ddweud wrth eich brawd fod ei gyfrinach yn hollol ddiogel. Duw, wy'n edmygu ei ddewrder e cofiwch. Dyna yn union beth oeddwn i eisiau ei wneud yn ystod y rhyfel ond, wel, roeddwn i'n athro 'chi'n gweld ac felly ...' gwenodd fel pe bai'n chwilio am gydymdeimlad. 'Wel, diolch yn fawr, Miss Williams, am egluro'r sefyllfa i mi. Maddeuwch i mi am godi'r peth yn y lle cyntaf ond chi'n deall shwt roedd pethe'n edrych ... A pheidiwch â phoeni, fe eglura i i Richard Owen; fe feddylia i am stori i'w dweud wrtho. Wy' ddim mor onest â chi, Miss Williams, wy'n gallu dweud celwyddau pan fo angen,' chwarddodd yn uchel gan ryddhau ton o arogl drwg o'i geg tuag ati.

'Fe gofia i 'na,' tynnodd Elisabeth ei goes a gwyro i hel ei bag, yn ymwybodol ei fod yn gallu gweld i lawr ei blows. Clywodd Elisabeth y sŵn bach rhyfedd yn dod o'i gyfeiriad unwaith eto.

'O, ga' i ofyn ffafr â chi?' gwenodd arno wrth godi. 'Ga'

i fenthyg y papur newydd 'na. Dwi ddim wedi cael cyfle i brynu un heddiw 'ma?'

'A chroeso, Miss Williams. Bach iawn o obaith fydd i mi allu ei ddarllen – mae gen i gyfarfod arall heno. Hen beth ofnadwy yw'r holl lofruddio 'ma, on'd ife?' ychwanegodd wrth ei thywys allan i'w char. 'Ond fe glywes i si y bore 'ma fod yr heddlu'n gwbod pwy yw'r llofrudd. Rhyw Sais sy' newydd symud i'r cylch, medden nhw. Maen nhw ar fin ei arestio, a diolch i'r Nef ddyweda' i.'

Ochneidiodd Elisabeth yn uchel wrth yrru i ffwrdd o'r ysgol ac roedd yn dal i wenu wrth gofio'i chelwydd wrth ymlacio yn ei lolfa fach gysurus yn ddiweddarach y noswaith honno. Tybed beth fyddai ymateb Alun? Trodd y wên yn chwerthiniad.

Gyda Alun yn fyw yn ei meddwl, cododd i 'nôl y papur newydd o'i bag.

PENNOD 22

'Dychmyga dy fod yn un o'r merched 'na o Lerpwl. Pa dŷ tafarn fyddet ti'n mynd iddo fe pe byddet ti 'ma ar dy wyliau ac yn chwilio am hwyl ar nos Sadwrn?' holodd Morgan.

Roedd Gwenda ac yntau i lawr yng Nghei Newydd yn dilyn galwad ffôn oddi wrth berchennog tŷ tafarn yn y pentref.

'Hwn'co fan'co,' atebodd Gwenda, yn falch mai hi oedd dewis cyntaf Morgan i fynd gydag ef yn hytrach nag un o'r lleill.

'Ie, a finne. Rhyfedd eu bod nhw wedi dewis y llall. Ond dyna fe, dyna ferched Lerpwl iti. Iawn, dere 'mlaen, gad inni cael gair gyda'r perchennog.'

Cerddodd y ddau i mewn i'r tŷ tafarn a chyflwyno'u hunain.

'O, ie, fe welais i lun y ddau ohonoch chi yn y papur newydd y bore 'ma,' atebodd Wil Mathews. 'Roeddech chi'n edrych yn bâr bach reit agos yn y llun – os y ca' i ddweud,' edrychodd yn ddireidus ar Morgan. Gwrthododd Morgan yr abwyd a safodd yn ei unfan heb ddweud gair ond penderfynodd fod rhywbeth yn amheus ynghylch y dyn.

'Diolch yn fawr am eich galwad ffôn, Mister Mathews,' dechreuodd Gwenda, a hithau hefyd wedi anwybyddu sylw'r tafarnwr, 'Nawr 'te, wy'n deall bod y ddwy ferch o Lerpwl wedi bod yma ar y nos Sadwrn.'

'Do wir, dwy glagen yn chwilio am ddynion – roedd hynny'n ddigon amlwg.'

'A beth fedrwch chi ddweud wrthym am y noson?'

Disgrifiodd Mathews yr hyn a ddigwyddodd yn y dafarn y noson honno; disgrifiodd y ddwy ferch yn fanwl, eu hosgo, eu sgertiau byrion, beth a faint oedd y ddwy wedi'u hyfed a'u hymateb i'r dyn a ymunodd â nhw.

'Fedrwch chi ddisgrifio'r dyn?' gofynnodd Gwenda a oedd yn brysur yn ysgrifennu nodiadau yn ei llyfr bach.

'Rhywun eitha tebyg i chi,' cyfeiriodd tuag at Morgan. 'Tua'r un taldra, 'wedwn i. Sais o Lundain yn ôl ei acen, golwg gyfoethog arno ac yn barod am hwyl. Roedd y tri i'w gweld yn dod 'mlaen yn iawn. Fe wnaeth y tri ymadael yng nghwmni ei gilydd. Roedd y ddwy ferch wedi'i dala hi erbyn 'ny ac roedd hi'n amlwg i ni i gyd i ble'r oedden nhw'n mynd – y diawl lwcus.'

'I ble?' holodd Gwenda, yn prysuro i'r un farn â'i meistr am Mathews.

'O, i'r gwely agosa, heb os – rhai fel'na yw'r Saeson 'chi'n gweld.'

'Beth oedd yn gwneud i chi feddwl mai dyna oedd yn mynd i ddigwydd?' Dyma'r tro cyntaf i Morgan agor ei geg ers i'r cyfarfod ddechrau.

'Roedd e'n ddigon amlwg – wy'n deall y pethe 'ma.'

'Oes cwch 'da chi, Mister Mathews?' gofynnodd Morgan gan edrych allan drwy'r ffenestr.

'Oes, pam?'

'Dim ond gofyn. Pa mor aml fyddwch chi'n ei defnyddio?'

'Dwi ddim yn cael llawer o gyfle y dyddiau 'ma. Fi yw perchennog y tŷ tafarn drws nesa hefyd, 'chi'n gweld.'

'Ble mae'r cwch? I lawr yn yr harbwr?'

'Ie ... wel nage ... hynny yw, dyna lle mae e fel arfer ond, ond ... heddiw wy' wedi rhoi 'i fenthyg e i gyfaill ac mae e wedi mynd mas ag e i rywle.' Roedd hi'n amlwg fod Mathews am geisio osgoi'r pwnc.

'Wel, diolch yn fawr i chi. Wnawn ni mo'ch cadw chi o'ch gwaith. Dydd da.' Trodd Morgan ar ei sawdl a cherddodd allan.

'Ie, diolch yn fawr, syr,' ategodd Gwenda, braidd yn siomedig fod Morgan wedi dod â'r cyfweliad i ben mor gyflym. 'Ac os cofiwch chi unrhyw beth arall, cysylltwch â ni yn Aberystwyth.'

'Siŵr o wneud, cariad bach, ond dere i lawr ar dy ben dy hunan y tro nesa ac fe wna i'n siŵr dy fod yn cael amser da 'ma.' Gallai Gwenda weld ei fod yn ei dadwisgo yn ei feddwl bach brwnt gan lyfu'i wefusau ar yr un pryd. Cerddodd allan o'r dafarn gan wneud adduned i anfon Powell yno y tro nesaf pe bai angen.

'Beth y'ch chi'n feddwl, gyf?' gofynnodd wrth fynd i mewn i'r car.

'Mae'r boi 'na'n cuddio rhywbeth. 'Sdim amheuaeth fod y ddwy ferch wedi bod 'na ond i ble'r aethon nhw wedyn a gyda phwy, dyn a ŵyr. Dere 'mlaen, gad inni fynd draw i Gei Bach.'

Ar ôl clywed disgrifiad Mathews o'r dyn o Lundain, gwyddai Morgan nad Capelo ydoedd – roedd Capelo ymhell o fod yn dal.

* * *

Gwely cynnar oedd bwriad Morgan ar y nos Wener. Er iddo geisio ffonio Elisabeth fwy nag unwaith cyn gadael y swyddfa yn ystod y deuddydd diwethaf, ni chafodd ateb. Roedd bron yn siŵr ei bod adref pan oedd yn galw ond cysurodd ei hun ei bod wrthi'n gorffen ei gwaith ysgol cyn dydd Sadwrn.

Rhoddodd y radio ymlaen ond doedd ganddo fawr o amynedd gwrando ar y rhaglenni sgwrsio arwynebol felly trodd i'r rhaglen gerddoriaeth glasurol. Tywalltodd wydraid helaeth o wisgi iddo'i hun cyn ymlacio'n ei gadair a throi ei feddwl yn ôl at ddigwyddiadau'r dyddiau diwethaf. Gwelodd Gwenda'n gwenu arno a gorfododd ei hun i beidio meddwl amdani. Roedd hi'n bendant yn ferch annwyl ac yn ddigon cyfforddus yn ei gwmni ond er ei bod yn ddeniadol iawn, amheuai ei fod yn ddigon hen i fod yn dad iddi. Meddyliodd am ei ferch a phenderfynodd orffen y botel gan mai dim ond mymryn bach oedd ar ôl.

Caeodd ei lygaid a gadawodd i synau per y gerddoriaeth ei swyno. Aeth yn ei ôl unwaith eto i ganol y brwyn ar Ynys-las. Roedd y traeth yn wag heblaw amdano ef a Gwenda. Safai'r ferch rhyw ddeg llath o'i flaen â'i chefn tuag ato. Roedd hi'n dweud rhywbeth wrtho ond ni allai Morgan ei chlywed oherwydd sŵn y môr a'r gwynt cryf. Tybiai ei bod yn gofyn rhywbeth iddo, ond ni fedrai yntau ei hateb. Roedd hi'n gwneud rhywbeth â'i dwylo. Gwelodd hi'n tynnu ei siaced a sylwodd fod defnydd ei blowsen wen yn disgleirio yn yr haul gwanwynol. Yn araf tynnodd y flowsen hefyd i ddangos ei hysgwyddau noeth, ei chroen dilychwin a'i chefn glân, golau. Gwelodd Morgan ei bysedd yn ceisio datod ei bronglwm a gwaeddodd arni i stopio ond parhaodd i ddadwisgo â'i chefn tuag ato. Nid oedd hyn yn ddim llai nag artaith, meddyliodd! Daeth ei sgert yn rhydd a thynnodd weddill ei dillad i gyd ar yr un pryd. Safai o'i flaen yn borcen. Teimlodd Morgan ei chwant yn tyfu, aeth ei geg yn sych wrth syllu ar ei phen-ôl crwn, meddal, sidanaidd. Gwyddai fod arno ei heisiau yn y fan a'r lle; roedd ei hangen arno. Ysai i ruthro amdani fel anifail gwyllt ond roedd rhywbeth yn ei ddal yn ôl. Clywodd lais dyn yn galw rywle yn y pellter – Ifans a Powell wedi cyrraedd o'r diwedd, efallai. Ond nid oedd hynny'n cyffroi'r ferch. Trodd a cherdded tuag ato yn araf bach. Edrychodd Morgan i lawr ar y tywod nes gweld bodiau ei thraed yn dod i'r golwg. Safodd o'i flaen. Cododd Morgan ei ben yn araf a gweld y coesau hirion siapus, y blewiach bach golau, ei bol bach crwn a'i bronnau swmpus, cadarn.

Arhosodd am eiliad. A fentrai edrych i fyw ei llygaid? Cododd ei olygon oddi wrth y bronnau hyd at ei gwddf gwyn. Roedd hi'n cynnig ei hun iddo, heb ddim amheuaeth. Pryd y cafodd y fath gynnig erioed o'r blaen? Roedd Ifans a Powell yn siŵr o fod yn gwylio'r cyfan o'u cuddfan gyfleus. Clywodd Morgan ei hunan yn dweud, 'Na, na, fedra i ddim ...'

'Tyrd, Alun, mae gen innau anghenion hefyd,' clywodd y llais tyner, ond nid llais Gwenda mohono. Cododd ei ben a gwelodd Elisabeth yn sefyll o'i flaen. Estynnodd ei breichiau tuag ato. 'Tyrd, 'nghariad i, mae hi wedi bod mor hir.'

Clywodd Morgan glec wrth ei ochr a neidiodd yn effro. Breuddwyd oedd y cyfan – ond nid un gas fel y noson o'r blaen. Ceisiodd fynd yn ôl i gysgu er mwyn ailgydio yn y profiadau melys ond yn ofer, roedd yr olygfa wedi diflannu. Daeth ato'i hun yn araf. Ymestynnodd ei goesau a cheisiodd glirio'i feddwl. Sylweddolodd ei fod wedi gorffen y wisgi i gyd a chwarddodd yn uchel, 'Diawl, beth oedd brand y wisgi 'na?' gofynnodd wrth godi'r botel wag a oedd newydd ddisgyn i'r llawr. Cododd ar ei draed a gweld ei bod wedi hanner nos, y radio wedi hen ddarfod a hithau'n rhy hwyr nawr i gael bàth twym a gwely cynnar. Cerddodd i'w ystafell wely, dadwisgo a gadael i'w ddillad syrthio ar y llawr. Roedd yn dal i ryfeddu pa mor glir oedd popeth a welodd ac a deimlodd.

Ac yn Aberystwyth, roedd Gwenda'n cysgu'n dawel â breichiau cryfion J-J yn ei gwarchod.

PENNOD 23

'Nos Wener o'r diwedd,' sibrydodd Elisabeth wrth orwedd 'nôl i adael i ddŵr twym y bàth olchi drosti, gan obeithio y byddai hefyd yn golchi holl ddigwyddiadau'r wythnos o'i meddwl. Byddai Morwenna'n arfer ei ffonio bob nos Wener. Er i'r ffôn ganu yn gynharach, gwyddai nad ei merch oedd yn galw arni mor fuan â hynny felly gadawodd i'r peiriant ganu nes iddo dawelu heb ei ateb. Na, hanner awr wedi wyth oedd amser arferol Morwenna i ffonio. Gwyddai mai Alun oedd yn ceisio cysylltu â hi ond doedd hi ddim yn barod i siarad ag e.

Dechreuodd ei meddwl grwydro fan hyn a fan draw a cheisiodd ffrwyno'i hatgofion – ond yn ofer. Wyneb Alun oedd yno drwy'r amser. Gwelodd ef yn fachgen ifanc, ei wallt cyrliog yn donnau ar yr awel, ei lygaid tywyll a'i wên siriol, hapus. Gwelodd ef yn chwerthin yn ddiniwed ac yn rhydd. Oedd, roedd y ddau wedi bod mor llawen ym mlynyddoedd eu hieuenctid.

Cofiodd y tro cyntaf iddynt drefnu cyfarfod y tu allan i'r ysgol; dau rebel mewn oes gul lle'r oedd pobol ifanc yn cael eu cadwyno i'w cartrefi neu i'r gymdeithas a doedd fiw i neb amharchu'r deddfau cudd hynny. Ond roedd y ddau eisiau byw eu bywydau eu hunain. Gwyddent bryd hynny eu bod yn caru'i gilydd ond ni fedrent sôn yr un gair am eu teimladau wrth neb arall – ni fyddai neb wedi deall.

Cofiodd y ddau ohonynt yn trefnu'n dawel bach yn yr ysgol a chofiodd y nerfusrwydd pan gyrhaeddodd yr amser i'r ddau gwrdd. Gadawodd ei chartref brynhawn Sadwrn gyda rhyw esgus digon tila, ar ôl i'w mam ei siarsio i beidio bod yn hwyr adre. Ni feddyliodd fynd â ffrind gyda hi fel yr arferai rhai o'r merched eraill o'r un oedran â hi. Na, roedd hi'n rebel ac roedd Alun yn fwy na ffrind iddi – yn ei phen ac yn ei chalon.

Cofiodd ei weld yn disgwyl amdani, yn troi i wenu'n gyfeillgar. Teimlai'r ddau yn ddigon swil wrth eistedd ar lan yr afon a'r un o'r ddau yn mentro dweud gair wrth y llall. Pwy ddylai gymryd y cam cyntaf? Roedd hyn yn wahanol i'r ysgol. Yn y diwedd cydiodd Alun yn ei llaw a syllodd y ddau ar ei gilydd.

'Wy'n falch dy fod ti wedi dod ar dy ben dy hunan.' Gallai glywed ei lais hyd heddiw a'r geiriau'n dal yn fyw yn ei chof.

'Pam?' Gwenodd wrth gofio ei ymateb.

'Oherwydd ...' a gwyrodd i roi cusan ar ei boch.

Cofiodd roi ei llaw ar foch Alun wrth iddo wyro'n ôl a thynnodd ei wyneb yn agos ati unwaith eto. Yna fe'i cusanodd ar ei gwefusau. Cusan byr oedd e ond cofiai dynerwch pur yr eiliad. Sawl gwaith cyn hyn yr oedd hi wedi dymuno iddo'i chusanu; sawl gwaith yr oedd hi wedi'i ddychmygu'n ei chofleidio â'i freichiau cryf? Ar ôl y cusan bach cyntaf hwnnw fe wyddai Elisabeth na fyddai hi byth yn caru neb arall fel y carai hi Alun. Cododd ei hyder yntau ac fe'i cymerodd hi yn ei freichiau a'i chusanu eilwaith – y tro yma fel y dychmygai hi y dylai cariadon gusanu. Cofiodd y ddau yn cydorwedd. Cofiodd iddo roi ei law yn nerfus ar ei choes noeth a'i mwytho. Cofiodd sut yr agorodd hithau ei choesau rywfaint er mwyn i'w fysedd fedru crwydro ar hyd ei chroen. Cofiodd ef yn tynnu'i law yn ôl wrth iddo gyrraedd ei dillad isaf. Chwarddodd yn uchel wrth gofio pa mor dawel y buont yn syth wedyn – a'i ymddiheuriad swil ef. Dyna beth oedd cariad diniwed pobol ifanc yr oes honno – er eu bod ill dau yn rebeliaid i'r carn.

Cynyddodd eu hyder ar ôl iddynt gyfarfod droeon wedyn a byddai'n gadael iddo roi ei law y tu mewn i'w dillad er mwyn ei hanwesu â'i fysedd. Cofiodd y tro cyntaf i bethau fynd ymhellach. Gorweddent ar y cae gwair meddal, anghysbell ar ddiwrnod heulog braf yn eu paradwys fach eu hunain. Roedd Elisabeth wedi ymbaratoi ei hun ar gyfer y cyfarfyddiad hwn ac wedi penderfynu rhoi ei hunan yn llwyr i Alun heb unrhyw amheuaeth; nid merch fach oedd hi mwyach – roedd hi'n ddwy ar bymtheg ac yn fenyw. Gorweddodd ar ei chefn yn y gwair. Teimlodd ei law yn crwydro ar hyd ei choes. Cofiodd ei syndod wrth iddo sylweddoli nad oedd hi'n gwisgo dim o dan ei ffrog. Cododd i bwyso ar un fraich, 'Bwts?' Syllodd yn dyner arni.

'Wy'n gwbod,' atebodd hithau gan edrych i ddyfnderoedd ei lygaid.

'Ond fedrwn ni ddim,' meddai.

'Pam?' heriodd hithau, 'Ro'n i'n meddwl dy fod yn rebel fel fi?'

'Ond meddylia am y canlyniade.'

'Pa ganlyniade? Dwyt ti ddim yn 'y ngharu i, 'te? Dwyt ti ddim ishe inni fod yn ŵr a gwraig?'

'Rwyt ti'n gwbod 'mod i.'

'Paid â bod ofan, 'te. Paid â 'ngwrthod i, Alun.'

Gwyddai'n iawn ei bod yn chwarae â thân ond roedd hi'n barod i losgi ei bysedd. Roedd hi'n ifanc; roedd y ddau'n ifanc ac yn byw yn eu byd bach eu hunain. Ymestynnodd ei dwylo at ei grys a datod y botymau. Gwelodd ef yn gwyro ymlaen i adael iddi dynnu'i grys dros ei ben ac i lawr dros ei freichiau cryfion. Tynnodd ei bysedd ar hyd ei frest, gwyrodd ymlaen i gusanu'i groen; roedd blas hallt ei gorff fel mêl ar ei thafod. Crwydrodd ei dwylo i lawr ei gorff at ei drowsus; llaciodd y gwregys ac agor y botymau. Beth oedd yn gwneud iddi ymddwyn fel hyn?

Cofiodd deimlo bwrlwm y chwant yn nyfnderoedd ei chorff ac fe welai'r un chwant yn ei lygaid yntau. Tynnodd y ddau eu dillad nes eu bod yn wynebu'i gilydd yn hollol noeth. Cofiodd ei bod wedi gorwedd yn ôl a'i dynnu nes ei fod yn gorwedd arni. Teimlai wres ei groen ar ei chroen hithau. Teimlodd ei law yn anwesu ei bronnau, ei wefusau'n mwytho'i gwefusau hithau, a chofiodd gydio'n ei wallt wrth ei dynnu i mewn iddi. Cofiodd y gwendid a'r gwres yn tanio'i chorff ar ddau yn symud gyda'i gilydd wrth iddynt uno.

Oedd 'na boen? Os oedd, nid oedd yn cofio.

Oedd 'na bleser? Dyna bleser mwyaf ei bywyd ifanc ac ni allai ei ddisgrifio.

Collodd y ddau reolaeth ar bethau. Roedd e'n gorwedd rhwng ei choesau ac roedd hi ishe rhagor ohono ond doedd dim rhagor i'w gael. Cododd ei choesau a'u lapio o amgylch ei gorff. Clywodd e'n ochneidio'n drwm wrth iddo yntau ymollwng i'w chwant. Dau rebel ifanc ond nid plant mohonynt mwyach.

Daeth y cyfan i ben yn gyflym – yn rhy gyflym o lawer. Llifodd iasau rhyfeddol drwy ei chorff, drwy ei meddwl, drwy ei henaid. Nid oedd wedi teimlo'n frwnt fel yr oedd sawl un, gan gynnwys ei mam, wedi bygwth y byddai. Nid theimlodd ei bod wedi pechu na'i bod wedi amharchu ei rhieni, a hithau'n ferch i weinidog. Roedd cariad gwirioneddol rhwng y ddau a gwyddai ei bod yn dymuno treulio gweddill ei bywyd gydag Alun, yn wraig ffyddlon ac yn fam i'w blant rhyw ddydd, efallai. Roedd hi eisoes yn ysu am yr uniad corfforol nesaf, am gael rhoi ei hunan iddo dro ar ôl tro. Er y newyddion fod ei thad wedi cael galwad i ran arall o'r wlad, roedd hi wedi penderfynu y byddai hi'n aros yn yr ardal hon. Byddai'n priodi Alun a byddent yn byw gyda'i rieni yn Dan 'Rallt. Roedd Alun wrth ei fodd yn gweithio ar y ffarm. Mewn amser byddent â ffarm eu hunain ac yn byw yn hapus gyda'i gilydd am byth.

Cofiodd Elisabeth hyn i gyd â dŵr y bàth yn dechrau oeri ond mynnodd gofio popeth – roedd hi wedi cloi'r atgofion ym mhellafoedd ei chof am gyfnod llawer rhy hir. Roedd y cyfan yn perthyn i oes arall, i fywyd arall – hyd nawr.

Hi oedd wedi cynllunio'r cyfarfyddiad nesaf – y cyfarfyddiad olaf – hefyd. Gwyddai bod ei rhieni yn mynd i angladd ganol yr wythnos ac felly gwahoddodd Alun i ddod i'w chartref. O'r diwedd cawsant orwedd ar wely dwbl, gwely ei rhieni, y ddau yn noeth, fel gŵr a gwraig briod. Unwyd y ddau unwaith eto, heb ystyried unrhyw ddulliau atal cenhedlu na chanlyniadau posib eu gweithredoedd. Roedd eu cariad at ei gilydd goruwch popeth arall.

Roedd yr uno'n fwy hyderus y tro hwn. Diflannodd yr euogrwydd a daeth cariad dwfn i gymryd ei le. Teimlai'r cyfan mor naturiol. Cofiai gydio'n dynn yn ei wallt a gwthio'i hun yn galed yn erbyn ei gorff. Roedd ei meddwl yn hollol rydd a rhyw bendro hyfryd wedi dod drosti. Daeth teimladau hollol newydd i feddiannu'i chorff a hithau'n methu ag anadlu'n iawn. Gwaeddodd wrth i'r pleser arallfydol lifo drwy bob modfedd ohoni. Cofiodd deimlo'r dagrau yn ei llygaid – dagrau o lawenydd. Roedd ei byd ifanc yn berffaith, ond ni wyddai fod popeth ar fin chwalu'n ddarnau mân.

Cofiodd glywed llais ei mam yn gweiddi o waelod y grisiau cyn i Alun ddianc ar wib ac ni fyddai byth yn anghofio'r olwg yn llygaid ei thad wrth iddo sylweddoli beth oedd wedi digwydd yn ei gartref ef ei hunan. Cofiai'r daith arteithiol i fyny i'r gogledd; cofiai'r babi yn cael ei eni; cofiai Alun yn diflannu o'i bywyd. Cofiai'r cyfan.

Daeth ei wyneb yn ôl i'w meddwl ar ôl yr holl flynyddoedd. Blynyddoedd unig, blynyddoedd heb ddim ond Morwenna i'w hatgoffa o'i eiriau '... fe fydda i'n dy garu di am byth; fydd 'na neb arall'. Doedd neb arall wedi bod yn rhannu ei bywyd hi. Digon gwir fod amryw wedi gwneud eu gorau, yn enwedig yn y brifysgol, a doedd hithau ddim wedi bod yn gwbl ddiwair, ond ni roddodd ei hun yn llwyr, gorff ac enaid, i unrhyw ddyn arall. Nid oedd neb wedi swyno'i chalon a'i phen fel ag y gwnaeth Alun – ni ddaeth neb yn agos at hynny.

Ond beth amdano fo? Pa fath o fywyd oedd o wedi'i gael?

Beth oedd o wedi'i wneud gydol y blynyddoedd?

Sut, a faint, oedd o wedi'i newid ers y dyddiau pell hynny?

Faint o wirionedd oedd yn ei eiriau?

Pa ddirgelion oedd o'n eu cuddio oddi wrthi?

'Wyt ti wedi cadw at dy air, Alun? Wyt ti'n dal i 'ngharu i?' gofynnodd yn uchel.

Do, fe ddaeth i chwilio amdani ond bu'n byw ymhell iawn o fro ei febyd am amser maith. Roedd gwahaniaeth mawr rhwng Llundain a Sir Aberteifi. Doedd dim amheuaeth yn ei meddwl fod Alun wedi'i charu unwaith ond roedd y ddau wedi bod ar wahân am flynyddoedd. Sut yn y byd y gallent roi'r cyfan y tu ôl iddynt ac ailafael yn eu teimladau unwaith yn rhagor a pharhau fel pe na bai dim wedi digwydd yn eu bywydau ar wahân ers bron i chwarter canrif?

A'r cwestiwn mwyaf un – oedd hi yn dal i'w garu?

Gwelodd ei wyneb unwaith eto – y llygaid caled lle bu tynerwch; ôl tristwch lle bu hapusrwydd unwaith; y graith greulon lle bu croen dilychwin yn y dyddiau gynt. Roedd 'na ddirgelwch i'w fywyd – bywyd na fu hi'n rhan ohono.

Pwy oedd Alun erbyn hyn?

Sylweddolodd fod dagrau yn llifo i lawr ei gruddiau. Beth oedd wedi digwydd iddi ers dydd Mawrth? Roedd ei theimladau fel pendil cloc – yn llawen un funud cyn gwyro'n ddisymwth i bydew o ddigalondid. Roedd y ferch a fu unwaith mor gryf bellach yn wraig wan ei hysbryd, a gwyddai'n iawn beth oedd yr achos – nid rebel oedd hi mwyach.

'Damia chdi, Alun Morgan,' meddai'n uchel gan sylweddoli fod y dŵr yn y bàth wedi oeri. Clywodd y ffôn yn canu i lawr y grisiau.

'O, 'rargian!' ebychodd. 'Morwenna!'

Dringodd o'r bàth yn gyflym, taflu gŵn nos dros ei hysgwyddau a rhedeg i lawr y grisiau.

'Duw, ble'r oeddech chi, Mam?' gofynnodd llais cyfarwydd ei merch pan atebodd y ffôn.

'Yn y bàth a'r dŵr wedi mynd yn oer,' atebodd yn ysgafn.

‘Meddwl am Anwen fach a finne, ie?’ chwarddodd Morwenna.

‘Roedd y ddwy ohonoch chi’n rhan o’m meddyliau, a sut ydych chi i gyd?’

Aeth y sgwrs yn ei blaen fel arfer – campau diweddaraf yr wyres fach, y newyddion o’r ysgol, cwestiynau am y cartref ym Manceinion.

‘Mae’n rhaid i chi ddod draw yn fuan, Mam. Beth am ddod i dreulio’r Llungwyn yma?’

‘Ella y byddai hynny’n syniad da. Dwi angen seibiant.’

‘Beth y’ch chi’n mynd i’w neud dros y penwythnos ’te, Mam?’

‘Pwy a ŵyr, mae gen i lwyth o waith ysgol i’w farcio.’ Ni soniodd yr un gair am Alun, yn fwriadol. Doedd hi ddim am drafod y newyddion ysgytwol hwn dros y ffôn yn bendant, yn enwedig ar ôl y myfyrio yn y bàth.

Daeth seibiant annisgwyl yn y sgwrsio, seibiant anarferol rhwng y ddwy, seibiant a wnaeth i Elisabeth deimlo bod rhywbeth o’i le ym mywyd ei merch. Roedd Alun yn llygad ei le – doedd hi ddim yn hoffi ei mab yng nghyfraith o gwbl.

Tybed ai dyna pam y cafodd wahoddiad i fynd draw i aros ym Manceinion dros y gwyliau?

‘Mae’r holl lofruddio ’ma yn gwneud i ddyn ofidio – wyt ti wedi clywed amdanynt?' ceisiodd Elisabeth dorri ar y tawelwch.

‘O, Mam!’ ebychodd Morwenna, ‘Fe fu bron imi anghofio. Sôn am y llofruddio, welsoch chi’r papur newydd? Ry’ch chi’n siŵr o fod wedi ei weld e yn eich papurau chi?’

‘Beth cariad?’ teimlodd Elisabeth ei hysbryd yn gwegian

ond ffugiodd anwybodaeth er ei bod yn synhwyro'r hyn oedd i ddod.

'Duw ei hunan, Mam, ar dudalen flaen y *Manchester Guardian.*'

'Dydw i ddim yn darllen y *Manchester Guardian.*'

'O, Mam, llun o'r Detective Chief Superintendent Alun Morgan 'na. Ro'n i wastad wedi meddwl taw Alan Morgan oedd e – *"from Scotland Yard is leading the investigations into the three unsolved murders in West Wales."* Mae'n debyg ei fod e'n dod yn wreiddiol o'r cylch. Mae e tua'r un oedran â chi, Mam. Y'ch chi'n ei gofio fe yn yr ysgol?'

'Roedd 'na Alun Morgan yn yr ysgol yr un adeg â fi, os dwi'n cofio'n iawn,' atebodd yn bwyllog, 'Ond dyn a ŵyr beth ddigwyddodd iddo. Dwi'n credu ei fod o'n dal yn yr ysgol pan symudais i i fyny i'r gogledd. Dwi ddim yn cofio llawer amdano a dweud y gwir.'

'Wel, mae 'na lun clir ohono fe yn y papur. Fe gadwa i e i chi gael gweld os taw'r un un yw e. Ond wir, Mam, mae e'n dduw i ni yn yr heddlu. Mae hanes ei yrfa yn Llundain yn syfrdanol ac yn arswydus. Wrth gwrs, wy' erioed wedi'i gyfarfod, *minion* fach fel fi, ond meddyliwch, falle'ch bod chi wedi bod yn yr un dosbarth ag e. Falle'i fod e'n eich cofio chi.'

'Ella, wir,' yn sydyn roedd Elisabeth eisiau dod â'r sgwrs i'w therfyn.

'Pam na ewch chi draw i Bwll Gwyn yfory i weld a yw e yno, Mam, a dywedwch wrtho pwy y'ch chi?'

'Pam i Bwll Gwyn?' gofynnodd, dim ond er mwyn ddweud unrhyw beth.

'Yn ôl y papur dyna ble mae e'n aros. Ble mae Pwll Gwyn, Mam, ydy e'n bell?'

'Na, na, ddim mor bell â hynny,' teimlodd Elisabeth ei choesau'n dechrau gwegian.

'Dyna ni 'te, ewch i ymchwilio. Llawer gwell na marcio gwaith ysgol ac fe fydde hynny'n antur i chi yn eich henaint!'

'Hei, llai o'r hen 'na, 'ngeneth i,' dechreuodd deimlo'n gryfach; dechreuodd deimlo fod y sgwrs yn newid ei thrywydd.

'Wel, ry'ch chi *yn* Nain nawr, Mam,' chwarddodd ei merch unwaith eto. Dychwelodd y sgwrs yn ôl at y babi, faint oedd hi'n ei gysgu ac yn ei fwyta, ac yn y blaen, a gobeithiodd Elisabeth fod Alun Morgan wedi cael ei anghofio. Ond dychwelodd unwaith eto cyn i'r sgwrs ddod i ben.

'Ond y peth rhyfedd, serch hynny, Mam – llun yr Alun Morgan 'na, yr hen ffrind y'ch chi'n mynd i'w weld yfory – wel, Mam ...' a hynny cyn i Elisabeth cael y cyfle i dorri ar ei thraws, ' ... yn y llun, roedd e'n edrych i fyw llygaid y camera ac er mai llun aneglur papur newydd oedd e, yn llawn dotiau bach du a gwyn, roedd e fel pe tase fe'n edrych yn syth arna i. Ges i deimlad reit ryfedd, wir i chi nawr ...'

'Beth wyt ti'n feddwl? Pa fath o deimlad?'

'Wel, fel ... wel fel ... nawr wy'n gwbod bod hyn yn swnio'n rhyfedd, ond fe ges i'r teimlad 'mod i'n ei nabod e, chi'n deall?'

'Ella dy fod di'n teimlo felly am dy fod wedi clywed cymaint amdano fo ar hyd y blynyddoedd,' atebodd ei mam, 'Clywed gymaint o'i hanes yn yr heddlu.'.

'Ie, mwy na thebyg. Wel mae'n rhaid i fi fynd, ond cofiwch fynd i Bwll Gwyn a gadewch imi wbod sut aeth pethe.' Chwarddodd y ddwy wrth ffarwelio am wythnos arall.

'Damia chdi, Alun, damia, damia, damia,' gwaeddodd Elisabeth wrth roi'r ffôn i lawr. Edrychodd ar y llun yn y papur newydd eto; darllenodd yr erthygl unwaith yn rhagor. Aeth i fyny i'w gwely yn gynt nag arfer ond ni ddaeth cwsg yn agos ati am oriau – nid nes iddi benderfynu beth fyddai'n rhaid iddi'i wneud – a phryd.

PENNOD 24

Sgrech y gwylanod a ddeffrodd Morgan. Roedd hi'n fore Sadwrn. Sylwodd fod y dydd wedi gwawrio'n sych ond yn gymylog. Teimlai'n glyd a chyfforddus yn ei wely a gwyddai y byddai hi'n oer y tu allan i'w hafan fach, er bod y Rayburn yn cadw'r gegin yn gynnes ddydd a nos. Ymestynnodd ei gorff hir, crafodd ei ben a dychwelodd yn ôl i'r byd go iawn. Meddyliodd am Elisabeth gan edrych ymlaen at gael treulio'r diwrnod cyfan yn ei chwmni.

Wrth orwedd yn y bàth twym methai beidio â meddwl am Capelo a'r peryglon oedd yn gysylltiedig â'i enw. Gwyddai os nad oedd eisoes wedi cyrraedd yr ardal ei fod ar ei ffordd – yn union fel y cynlluniodd. Beth fydd y cam nesa, 'te, meddyliodd Morgan? Beth, pryd, shwt ac ymhle? Ceisiodd roi ei hun yn esgidiau ei elyn ond methai ddod i unrhyw ganlyniad. Ond gwyddai un peth yn siŵr – pan fyddai'r ddau yn cyfarfod eto dim ond un ddeuai ohoni'n fyw. Roedd tair merch ifanc eisoes wedi'u haberthu a hynny'n brawf o bendantrwydd dieflig Capelo.

Daeth Morgan allan o'r bàth, sychodd ei hun a cherddodd i'r ystafell wely i ddewis dillad addas ar gyfer y diwrnod oedd o'i flaen. Unwaith eto methodd benderfynu beth i'w wisgo. Dylai fod wedi manteisio ar y cyfle i brynu dillad newydd yn Aberystwyth. Taclusodd yr ystafell rhag ofn y byddai Mari yn galw, er nad oedd yn dod ar ddydd

Sadwrn fel arfer, 'Neu, wel, rhag ofn ... rhag ofn ... y bydd rhywun arall yn galw,' a gwenodd yn ddireidus o flaen y drych.

Ymhen llai na deg munud roedd ar ei ffordd i Drefach Felindre. Ceisiodd beidio ymlacio'n ormodol ar y daith – pwy a ŵyr beth fyddai heibio'r tro nesaf, meddyliodd. Roedd yn falch ei fod wedi cofio rhoi ei wn o dan y sedd flaen. Stopiodd i brynu petrol yn Nghastellnewydd Emlyn. Aeth ymlaen am Bentrecagal a throi i'r dde tuag at Drefach Felindre. Pam Drefach Felindre? holodd ei hun; pam nad Drefach yn unig, neu Felindre yn unig? Wedi'r cyfan, dim ond pentref bychan ydoedd. Byddai'n rhaid iddo gofio gofyn i Elisabeth. Cyrhaeddodd ei chartref, neidiodd yn sionc allan o'r car a churo ar y drws.

'Helo, Bwts,' cyfarchodd hi'n llawen ond ni chafodd yr ymateb disgwyliedig, dim ond 'Helo, Alun. Tyrd i mewn,' mewn llais bach digon tawel. Roedd hi'n amlwg yn ddigalon a rhywbeth ar ei meddwl.

'Be sy'n bod? Sori 'mod i'n hwyr,' gan feddwl efallai mai dyna oedd achos y diflastod.

'Na, na popeth yn iawn,' atebodd hithau'n gwrtais.

'Dere 'ma 'te,' gwnaeth ymgais i'w thynnu tuag ato ond sleifiodd Elisabeth o'i afael. Nid fel hyn y bu pethau wrth iddynt ffarwelio y noson o'r blaen, meddyliodd. Beth oedd wedi digwydd yn y cyfamser? Oedd rhywbeth wedi digwydd i'w merch, neu i'r wyres fach; rhywbeth yn ei gwaith efallai, a pham nad oedd hi wedi ateb y ffôn dair noson o'r bron?

Arweiniodd Elisabeth ef i mewn i'r lolfa. 'Eistedda,' gorchmynnodd yn oeraidd.

'Beth sy'n bod, 'te?' rhoddodd gynnig arall arni, ond yn aflwyddiannus. Safodd Elisabeth â'i chefn at y seld a'i phen i lawr. 'Beth bynnag yw e, ti'n gwbod y galli di ei rannu fe 'da fi,' awgrymodd yn dirion.

'Fedra i, Alun?' gofynnodd yn sarrug. 'Fedra i?'

Cododd ei phen a sylwodd Morgan fod dagrau'n dechrau cronni yn y llygaid gleision.

'Wel, wrth gwrs 'ny, 'ngharIad fach i.' Cododd o'r gadair ond croes-gamodd Elisabeth ar draws y seld oddi wrtho.

'Fedra i rannu pethau efo ti yn yr un modd ag yr wyt ti'n barod i rannu pethau efo fi, Ditectif Chief Superintendent Alun blydi Morgan o Sgotland Iard?' a beichiodd i wylo'n swp.

Taniwyd y geiriau fel bwledi harn. Sylweddolodd Morgan ar unwaith beth oedd achos ei gofid – y blydi llun, yr erthygl yn y papur newydd wrth gwrs, ei gynllun i arwain Capelo ato. Nid oedd wedi ystyried am eiliad y byddai Elisabeth yn ei gweld, heb sôn am feddwl pa effaith y byddai'n ei chael arni. Cofiodd y celwydd a ddywedodd wrthi. Shwt yn y byd y bu mor dwp? Pam na fyddai wedi dweud y gwir wrthi y dydd o'r blaen? Pam y bu mor hunanol? Ond gwaith oedd gwaith, a bywyd personol yn fywyd personol. Doedd e erioed wedi gorfod cymysgu'r ddau – hyd nawr. Safodd yn llonydd. Petai ond yn cael ddoe yn ôl i newid pethau, ond roedd hi'n rhy hwyr.

'O!' oedd yr unig beth y gallai ei ddweud.

Cododd hithau ei phen, 'Wnest ti ddim rhannu hynny efo fi, naddo? Mi ofynnais i i ti beth oedd dy swydd. Plismon ddywedaist ti, plismon bach yn cerdded y strydoedd yn Llundain gan obeithio bod yn dditectif rhyw ddydd – dyna be ddywedaist ti, yntê?' Taflodd Elisabeth y celwydd yn ôl i'w wyneb. 'Ar peth nesa dwi'n ei weld ydi dy lun ar dudalen flaen y *Times* efo rhyw lafnes ifanc ar dy fraich yn gwenu arnat ti. Doeddwn i ddim yn gallu credu fy llygaid ... a ... a phan ddarllenais i'r erthygl ro'n i'n teimlo 'mod i'n cael fy nghyflwyno i ryw estron dieithr. Nid hwnnw oedd yr Alun Morgan ro'n i wedi'i gyfarfod ddeuddydd ynghynt. Plismon bach tawel oedd o, wedi dod yma i orffwyso ar ôl rhyw ddolur neu afiechyd. Ond na, roedd hwn wedi dod yma'n unswydd o Sgotland Iard, ac yntau'n un o'r penaethiaid os gwelwch yn dda, i ymchwilio i'r llofruddiaethau, a finnau'n rhyw dwpsen gyfleus, wladaidd wedi meddwl mai fi oedd y gynta i sôn wrthat ti am y tair merch.' Arhosodd i ymladd y dagrau a'r tristwch oedd yn ei gorchfygu.

'A dyma sut y gwnest ti dy ailgyflwyno dy hunan i mi, ac i bawb sy'n dy gofio di yn yr ardal? Hei, edrychwch pwy ydw i rŵan, a be dach *chi* wedi'i wneud â'ch bywydau bach tlawd? O! roeddet ti'n siŵr o fod wedi chwerthin ei hochor hi pan adawaist ti'r tŷ 'ma nos Fawrth. Wel ...' Roedd Elisabeth yn dal i ymladd yn erbyn y dagrau chwerw a dechreuodd ei llais dorri. 'Mi gei di adael rŵan, Alun. Nid testun sbort ydw i nac unrhyw un arall yn y cyffiniau 'ma chwaith.' Trodd a baglu i mewn i'r gegin o'i ffordd, cyn wylo'n hidl wrth y bwrdd bwyd bychan.

Torrodd calon Morgan yn ddarnau mân. Dilynodd hi i'r gegin a syllodd arni. Roedd hi'n edrych mor fach, mor hawdd ei niweidio. Cafodd yr un ysfa i'w chofleidio unwaith eto ond gwyddai nad hynny oedd yr ateb. Sylweddolodd pa mor llechwraidd fu ei hunanoldeb; roedd e wedi ei cham-drin a pheri loes ingol iddi ac ni allai faddau iddo'i hun. Roedd hi'n hen bryd dod â'r twyll i ben, ni allai osgoi hynny bellach. Dim ond y gwirionedd wnâi'r tro nawr.

Camodd Morgan ati a rhoi ei ddwy law yn ysgafn ar ei hysgwyddau.

'Nid cyhoeddi'r erthygl er mwyn dangos i ti ac i bobol y lle hwn pwy yn union ydw i wnes i,' dechreuodd yn dawel. 'Roeddet ti'n iawn i dybio mai rhyw fath o hysbyseb oedd yr erthygl, ac ie, arna i mae'r bai, fi wnaeth ei chynllunio, ond nid i ddweud wrthyt ti pwy o'n i. Roedd yn rhaid i mi ddweud wrth rhywun penodol 'dyma fi, felly rho'r gore i'r chwilio a'r lladd'. Tawelodd ei lais. 'Y peth yw ... Elisabeth ... fi yw achos marwolaeth y tair merch ifanc. 'Sdim rhaid iti 'nghredu i ond mae'r llofrudd yn gwneud ei orau glas i ddod o hyd i mi. Mae e wedi chwilio'r wlad i gyd. Mae e wedi creithio 'moch yn barod a nawr mae e ishe cael gwared arna i unwaith ac am byth.'

Ar ôl seibiant hirfaith daeth y cwestiwn dagreuol 'Pam?' ond ni chododd Elisabeth ei phen.

'Gan ei fod e'n meddwl 'mod i wedi lladd ei frawd,' atebodd Morgan yn dawel ac am y tro cyntaf teimlodd yn euog am farwolaeth y Llundeiniwr ifanc.

Cododd Elisabeth ei phen ac edrych i fyw ei lygaid, ' O, Alun bach, pa fath o fyd wyt ti'n byw ynddo fo? Pa fath o fywyd sy' gen ti?'

'Hen fyd peryglus, caled, unig lle nad oes fawr o werth i fywyde pobol; byd didrugaredd ac annuwiol a bywyd sy'n llawn unigrwydd heb deulu, heb gymydog, heb gyfaill, heb gariad ... nes ...'

Tawelodd ei lais cyn ailgychwyn. 'Ond dyna'r byd y dewisais i fod yn rhan ohono a hynny heb i neb fy ngorfodi. A do, yn rhyfeddol, wy' wedi bod yn llwyddiannus iawn – ond ni fu hynny heb ei bris.'

'Pam?' gofynnodd Elisabeth eto gan edrych i fyw ei lygaid am y tro cyntaf ers iddo gyrraedd.

'Pwy a ŵyr? Does neb i'w feio heblaw fi fy hunan.'

Tawelodd am eiliad gan edrych i ddyfnderoedd ei llygaid. ‘Ar ôl i ti adael fe es i ar dy ôl di, fel ’wedes i, lan i’r Bala, ond doedd dim sôn amdanat ti na’r teulu. Fe chwilies i dros y lle ond doedd neb wedi clywed amdanoch chi. Fe ddes i’n ôl gartre i ffeindio bod Mam a ’Nhad wedi’u lladd mewn damwain pan o’n i i ffwrdd. Doedd neb yn gwbod lle’r o’n i er mwyn cysylltu ac fe gollais i’r angladd a phopeth. Pobol eraill benderfynodd y byddai hi’n well imi fynd i Lundain i fyw gyda’m modryb a oedd wedi dod draw o’r ddinas fawr i’r angladd. Wel, roedd fy myd bach cysurus i wedi diflannu, do’n i ddim yn gwbod beth i’w wneud na’i ddweud ac fe es i fel oen bach oddi ’ma. Mewn ffordd ro’n i’n falch o gael mynd – doedd ’na neb ar ôl mwyach. Falle ’mod i braidd yn hunandosturiol ar y pryd ond a dweud y gwir, wy’ ddim yn cofio beth yn gwmws o’n i’n ei deimlo. Ond does neb ar fai, Elisabeth, dim ond fi fy hunan a wy’n dal i dalu’r ddyled.’

Daeth tawelwch llethol rhwng y ddau. Ni ddywedodd Elisabeth air. Camodd Morgan yn ei ôl at y drws.

‘Wy’n gweld nawr ’mod i wedi gadael i bethe fynd yn rhy bell. Mae hi’n rhy hwyr i droi’r cloc.’ Trodd er mwyn gadael. ‘Cymer ofal o dy hun, Bwts. Fe fydda i wastad yn dy garu di.’

Ni allai Elisabeth edrych arno. Oedd o’n dweud y gwir y tro hwn? Oedd y fath fyd yn bodoli? Oedd o wedi dioddef mewn gwirionedd? Oedd o’n ei charu hi? Oedd hi’n barod i’w gredu? Oedd hi’n dal i’w garu?

Cerddodd Morgan heibio i’r seld ac edrych ar lun ei ferch, y ferch na fyddai’n cael y cyfle i’w hadnabod mwyach. Roedd ei fywyd wedi’i hollti’n ddarnau. Cerddodd yn dawel drwy’r cyntedd a dechrau agor drws y ffrynt.

'Alun!' Clywodd lais Elisabeth yn gweiddi arno'n ddagreuol. Edrychodd dros ei ysgwydd a'i gweld yn sefyll wrth ddrws y lolfa fach a'r dagrau'n llifo i lawr ei bochau, a'i breichiau'n ymestyn yn agored amdano. Nid oedd gronyn o atgasedd mwyach, dim dicter na drwgdybiaeth. Dim ond cariad tyner oedd yn llenwi'r llygaid gleision.

'Tyrd yma, Alun, tyrd yma.'

Estynnodd ei breichiau tuag ato. Cerddodd yntau'n ofalus tuag ati cyn iddi daflu ei breichiau am ei wddf a'i gusanu'n angerddol.

'Wyt ti'n siŵr?' gofynnodd iddi pan ddaeth saib i dorri ar eu hangerdd.

Gwasgodd ei chorff yn ei erbyn yn dynn; teimlodd yntau ei phen yn amneidio'n sicr yn erbyn ei fynwes.

'Wy'n 'ych caru chi, Elisabeth Williams,' meddai'n dawel gan deimlo'r dagrau yn cronni'n ei lygaid.

'A dw inna'n 'ych caru chitha, Alun Morgan,' llifodd y geiriau a fu mor gyfarwydd yn nyddiau eu hieuenctid.

'Wyt ti'n siŵr?' gofynnodd eto.

'Ydw, Alun, yn berffaith siŵr,'

Gwasgodd hi'n dynn yn ei freichiau, 'Dwed e 'to,' gofynnodd.

'Yn berffaith siŵr, syr. Ai dyna sut mae'r ferch 'na yn y llun yn dy gyfarch?'

'Paid byth â'm galw'n "syr" – naill ai Alun, neu Morgan, neu gyf, ond byth "syr".'

'A beth amdani hi?'

'Pwy, Gwenda?' gofynnodd. '"Gyf" a dim ond "gyf".'

'Wel, dwi'n berffaith siŵr 'te, gyf,' a dechreuodd ei gusanu eto.

Aeth y ddau yn ôl i'r lolfa yn dynn ym mreichiau'i gilydd.

* * *

Nid oedd Capelo erioed wedi bod yng nghefn gwlad Cymru o'r blaen ac ychydig o'i sylw a gafodd y golygfeydd prydferth wrth i Ed ei yrru ar draws y wlad. Dim ond un peth oedd ar ei feddwl. Dialedd.

Gwelodd wyneb ei frawd. Cofiodd sut yr oedd y ddau wedi mwynhau cwmni'i gilydd a chwmni eu rhieni. Roedden nhw'n fechgyn bach drygionus, wastad yn chwarae triciau ar y cymdogion. Cafodd eu tad drawiad fawr a bu farw'n ifanc. Fe'i gorfodwyd ef, Ricky, i ddysgu sut i wneud hyn ac arall ar y farchnad ddu yn ystod y rhyfel; dysgu'n ifanc er mwyn cymryd lle ei dad. Ond yna daeth un o fomiau'r gelyn a chwalu'r cartref gan ladd ei fam. Cofiodd sut y cysurodd ei frawd bach, gofalu amdano, ei ddysgu sut i herio'r gyfraith yn llwyddiannus. Cofiodd ei addewid – byddai yno, ddydd a nos, i edrych ar ei ôl.

Nawr roedd yr amser wedi cyrraedd. 'Paid â phoeni, Freddie. Wna i mo dy siomi di eto,' meddai'n dawel.

PENNOD 25

Heb fod yn siŵr o'r ffordd, gyrrodd Morgan drwy Henllan a Phenrhiwllan ac ymlaen nes cyrraedd Synod Inn. Oedodd am eiliad cyn troi'r car i'r dde ac anelu am Aberaeron. Doedd gan Elisabeth mo'r syniad lleiaf i ble'r oedd yn mynd â hi ond doedd dim tamaid o wahaniaeth ganddi chwaith. Roedd hi'n mwynhau bod yn ei gwmni nawr bod y cymylau duon wedi'u chwalu.

'O, paid â dweud dy fod yn mynd i ddangos dy swyddfa grand yn Aberystwyth i mi!' ochneidiodd Elisabeth, a chyn i Morgan fedru ymateb ychwanegodd, 'Ond o leia mi ga' i gyfle i gyfarfod â'r Gwenda 'na, neu beth bynnag ydi'i henw.'

Gwenodd Morgan wrth synhwyro'r genfigen yn ei llais.

Roedd y glaw wedi peidio erbyn iddynt gyrraedd Aberaeron ac fe arafodd Morgan y car ar y sgwâr, troi i'r chwith a gyrru'n araf tuag at yr harbwr bach.

'Iawn. I ble wyt ti'n mynd â fi?' gofynnodd Elisabeth eto.

'Wy'n mynd â ti i'r caffi gore nid yn unig yn Aberaeron, nid yn unig yn Sir Aberteifi, ond wy' bron yn siŵr mai hwn yw'r gore yn y wlad i gyd.'

'Ydi hynny'n cynnwys rhai Llundain hefyd?' holodd Elisabeth ymhellach.

'Fwy neu lai – mae'n dibynnu pa mor gryf wyt ti'n hoffi dy de,' atebodd.

'Dyna beth ydi clod!'

'Ac mae'r wraig sy'n gweini yno, neu falle mai hi yw'r perchennog, dwi ddim yn siŵr, yn f'atgoffa o Mam-gu. Doeddet ti ddim yn 'i nabod hi, nag o't ti?' ategodd.

'Nag oeddwn,' atebodd Elisabeth, a bu bron iddi ychwanegu nad oedd wedi cyfarfod yr un o'i deulu erioed.

Parciodd Morgan y car, neidio allan a rhedeg at ei hochr hi i agor y drws yn foneddigaidd.

'Mi fedrwn i arfer â hyn mewn byr o dro,' chwarddodd Elisabeth yn llawen. 'Dwi'n teimlo fel tywysoges.'

'Wy' ishe iti gyfarwyddo ag e,' atebodd Morgan, 'achos fel hyn y bydd pethe o hyn 'mlaen.' Rhoddodd ei fraich o amgylch ysgwyddau Elisabeth a'i thynnu'n glòs at ei ochr.

Edrychodd Morgan ar y cychod yn yr harbwr a gweld criwiau o ddynion yn gweithio ar fwy nag un er mwyn eu paratoi ar gyfer y Llun Gwyn. Dau neu dri yn peintio, dau yn gweithio ar hwyliau, un neu ddau yn twtio gwaith coed – pawb yn brysur ac yntau'n fwy dedwydd nag y bu ers blynyddoedd.

Cerddodd y ddau i mewn i'r caffi gan ddewis bwrdd i bedwar – ychydig oedd yn bwyta yno er ei bod yn amser cinio ac roedd Morgan yn falch o hynny. Daeth y wraig gyfeillgar yn ei ffedog draw atynt.

'Wel, helo, unwaith 'to,' gwenodd yn groesawgar wrth gerdded tuag at y bwrdd.

Cododd Morgan ei ben ac edrych arni'n ddifrifol. 'Mae gennyf gyffes,' meddai'n swil.

'A beth yw hwnnw, bach?' gofynnodd y wraig gan edrych ar Elisabeth.

'Wy'n gallu siarad Cymraeg,' cyffesodd.

'Odych, odych, wy'n gwbod,' atebodd y wraig.

'Ond shwt 'ny?' holodd Morgan yn syfrdan.

'Dyna beth y'ch chi'n ei siarad nawr, on'd ife' atebodd y wraig gan chwerthin yn uchel a throi at Elisabeth. 'Twt, ac ma' fe'n galw'i hunan yn Ditectif Chief Superintendent!'

Chwarddodd y ddwy yn swnllyd a direidus.

'O, do, fe welais 'ych llun yn y papur newydd ac fe 'wedes wrth y gŵr, y diawl pwdwr, "wy'n nabod y dyn 'na – roddodd e gusan bach i mi y dydd o'r blaen yn y caffi." Ond thalodd e ddim sylw i beth o'n i'n 'weud. A dyma'r wraig, ife?' gofynnodd gan edrych ar Elisabeth.

'Na, dim eto,' gwenodd Elisabeth.

'O? Ond ry'ch chi'n edrych mor naturiol yng nghwmni'ch gilydd. Wel, peidiwch a ffwdanu gyda hwn, mae e'n cusanu unrhyw fenyw mae e'n weld – a finne'n ddigon hen i fod yn fam iddo. Bronwen gyda llaw.' Cyflwynodd y ddwy eu hunain i'w gilydd.

'Ers pryd y'ch chi wedi dyweddïo, 'te?'

'Dim modrwy chwaith,' nododd Elisabeth braidd yn swil.

Syfrdanwyd Bronwen. 'Wel, dyna'r peth rhyfedda, 'te. Mae'n hen bryd eich bod chi'n cael un. Beth sy'n bod arnoch chi, ddyn? Croten smart fel hon – fe fyddwch yn ei cholli hi os nad y'ch chi'n ofalus. 'Sdim lot i'w ddweud amdano fe chwaith, cofiwch, ond mae 'i galon yn y man iawn serch 'ny.'

Tynnodd goes Morgan fel pe bai'n wedi ei adnabod ers amser, ond fe newidiodd ei chân yn sydyn, braidd yn rhy sydyn yng ngolwg Morgan a oedd yn mwynhau'r berthynas a oedd yn datblygu rhwng y tri.

'Reit beth liciech chi i fwyta, ma' 'da fi ...'

'Yn gwmws yr un fath â'r dydd o'r blaen,' torrodd Morgan ar ei thraws.

'Beth, bara menyn a jam, a theisen neu ddwy neu dair, a photyn o de cryf i ddau felly ynte?' cadarnhaodd yn syth.

'Perffeth! Wy'n gadael i chi ddewis gan eich bod yn amlwg yn fy nabod i'n well nag wy'n nabod fy hunan! ' gwenodd Morgan wrth ateb.

'Mae pob dyn yr un fath yn y bôn, yn enwedig pan mae e mewn cariad.'

Teimlodd Morgan y gwrid yn codi i'w wyneb yn rhyfeddol o sydyn.

Bwytaodd y ddau y te helaeth yn hamddenol ac fe ddeallai Elisabeth pam mai yno y daeth Alun â hi, yn enwedig ar ôl iddo sôn am ei ymweliad cyntaf wrthi. Chwarddodd yn uchel wrth iddo egluro hanes y cusan.

'Dyna sut y byddwch chi'n gwneud pethau yn Llundain felly?' gofynnodd yn wamal.

Daeth seibiant a thawelwch rhwng y ddau.

'I ble'r est ti, Bwts?' gofynnodd Morgan yn sydyn ac yn ddifrifol gan afael yn ei llaw.

'Pryd?'

'Pan est ti i ffwrdd. Os nad i'r Bala, i ble?'

'Bethesda,' atebodd hithau'n dawel. 'Ro'n i wedi camddeall fy rhieni,' ychwanegodd yn llawn cywilydd.

'Bethesda? Ble ddiawl ma' fan'ny?'

'Y tu allan i Fangor. Pentre ydi o.'

'Wel, fyddwn i byth wedi dod o hyd i ti felly.'

'Na. Wel, i Rachub aethom ni i fod yn fanwl gywir.'

'Rachub?' holodd gan dynnu wyneb.

'Ia, pentre bach ar gyrion Bethesda,' atebodd Elisabeth wrth weld gwên yn dod i'w lygaid.

'O, wy'n nabod y lle'n iawn – troi i'r chwith yn Leicester Square a mynd yn dy flaen am byth!' Chwarddodd y ddau wrth ddod â'r sgwrs boenus am yr amser coll i ben.

Cerddodd y ddau yn ôl am y car â'u breichiau ymhleth. Sylwodd Morgan fod yr harbwr yn dal yn brysur ac erbyn hyn roedd un neu ddau arall yn gweithio ar eu cychod.

'I ble dan ni'n mynd rŵan,' gofynnodd Elisabeth wrth iddo droi trwyn y car.

'I lan y môr,' atebodd Morgan yn chwareus. Teimlai'n gwbl ddedwydd ac roedd ei holl broblemau wedi diflannu'n llwyr o'i feddwl.

Ar y ffordd i lawr tuag at Aberteifi trodd Morgan ac anelu am gartref Sal.

'I ble'n union dan ni'n mynd, Alun?' holodd Elisabeth. Eglurodd yntau fod arno awydd galw i weld rhywun arbennig. Sylwodd fod Elisabeth yn teimlo'n anghyfforddus.

'Dwi ddim yn siŵr a ydw i isio cyfarfod unrhyw un heddiw. Dwi ddim wedi gwisgo'n addas i gyfarfod â phobol,' eglurodd.

'Rwyt ti'n edrych yn iawn, Bwts' cysurodd Morgan hi. 'Mae Sal yn un o'r bobol 'ny sy'n derbyn popeth fel mae e, felly paid â becso. Sal 'wedodd wrtha i dy fod ti'n ôl yn yr ardal 'ma. Oni bai amdani hi ... Ond 'na fe, os nad wyt ti ishe'i chyfarfod, fe alli di fynd mas fan hyn,' tynnodd Morgan ei choes. 'Mae'n siŵr y daw 'na fws heibio rywbryd dydd Llun, neu rwyt ti'n siŵr o gael lifft gan rhyw was ffarm, yn enwedig a tithe'n gwisgo'r trowsus sgio tynn 'na ...'

'O, dyna ni, ro'n i'n gwbod na faset ti'n eu hoffi nhw,' bloeddiodd.

'Hoffi? Wy'n eu hoffi nhw'n fawr iawn. Maen nhw'n dangos dy ... dy ...' bu bron iddo ddweud 'siâp dy ben-ôl perffaith' ond newidiodd ei feddwl mewn da bryd, '... ffigwr deniadol i'r dim,' gorffennodd.

'Dwi'n teimlo fel rhyw butain, rŵan' meddai hithau'n swil.

'Bwts y Butain o Bethesda!' chwarddodd. 'Oes 'na beth-ti'n-galw yn y frawddeg 'na?'

'Be ddweda i ...? Fyddi di ddim yn fardd cadeiriol am dipyn!'

'Rhyw ddydd, Bwts, rhyw ddydd,' a gwenodd arni'n chwareus.

Gwyrodd Elisabeth tuag ato a rhoi cusan ar ei foch. 'Oes rhywbeth yn bod, Alun?' gofynnodd wrth sylwi arno'n crynu'n sydyn.

'Na, na, rhywun gerddodd dros fy medd am eiliad.' Fflachiodd wyneb Capelo ar draws ei feddwl yn ddirybudd. Gwenodd ar Elisabeth er mwyn tawelu'i feddwl ei hun gymaint ag i dawelu meddwl ei gariad.

'Dyma ni o'r diwedd,' meddai wrth barcio'r car o flaen cartref Sal.

'Oes raid i ni fynd i mewn?' cwynodd Elisabeth wrth wingo yn ei sedd ond sylweddolodd ei bod yn rhy hwyr gan fod Alun eisoes yn codi'i law ar rywun.

Gwyliodd ef yn camu allan o'r car cyn edrych i gyfeiriad y tŷ. Yna gwelodd ŵr ifanc tal, cydnerth, ond cam ei gorff yn gwenu arnynt.

'Shw' mae heddi', Gwynfor? Ydi dy fam gartre?' gwaeddodd Alun.

Doedd dim rhaid i Gwynfor ateb gan fod y wraig fechan a edrychai'n hŷn na'i hoed eisoes wedi dod allan o'r tŷ , yn wên o glust i glust.

'Helo, Sal, wy' am iti gwrdd â rhywun spesial.'

'Alun, bach,' atebodd Sal gan giledrych i mewn i'r car. Agorodd Elisabeth y drws. 'O, 'sdim rhaid iti ddweud wrtha i pwy yw hon. Elisabeth on'd ife?' Camodd Sal at Elisabeth i siglo'i llaw. 'Dewch i mewn, dewch i mewn,' meddai'n gynhyrfus a chroesawgar.

Ceryddodd Sal Alun am iddo beidio rhoi rhagor o rhybudd iddi ei fod am alw. 'Dim ond cawl sy' 'da fi, ond mae digon i bawb,' meddai wrth iddynt gyrraedd y lolfa dywyll.

'Na, na, Sal, ry'n ni wedi bwyta'n barod,' eglurodd Morgan.

Cytunwyd ar ddisied fach o de yn y llaw a phrysurodd Sal i'w paratoi. Wrth iddynt yfed y te a bwyta darnau helaeth o darten gynnes, trodd Sal at Alun a datgan yn bendant, 'O ydi, mae hi'n ferch fach bert, Alun bach. 'Sdim rhyfedd dy fod ti wedi gweld ei heisiau. Mae hi'n edrych yn llawer rhy dda i ti!'

''Wedes i y bydde 'na groeso, on'd do fe?' meddai Morgan wrth geisio torri ar ei thraws a newid y pwnc. 'Dim macrell heddi' 'te, Gwynfor?'

'Na,' atebodd Gwynfor â'i ben i lawr yn swil.

'Na, 'dyw Ianto ddim yn dda. Fe ddaeth e â'i gwch yn ôl i Bwll Gwyn echdoe ac ma' fe wedi bod yn ei wely yn ôl pob sôn oddi ar 'ny – annwyd neu rywbeth. Ma' Gwynfor wedi bod lawr 'na heddi', on'd do fe, Gwynfor?'

'Do,' atebodd ei mab yn undonog.

'Ac ma' Gwynfor yn foi mawr yn y pentre 'ma nawr, diolch i ti, Alun,' dechreuodd Sal.

'Shwt 'ny?' gofynnodd Morgan.

'Shwt 'ny, wir? Shwt wyt ti'n feddwl? Gan ei fod e'n dy nabod di – wel, nid yn unig yn d'adnabod ond gan dy fod yn wncwl iddo. Da a fi 'wedodd wrtho fe dy fod di'n wncwl iddo fe ac achos bod ti yn ... yn ... wel, yn beth bynnag oedd e'n ddweud yn y papur amdanot ti. Ma' Da wedi egluro i ni pa mor bwysig wyt ti. Mae e'n ddyn pwysig, Elisabeth, os ga' i'ch galw yn Elisabeth?'

O'r diwedd cafodd Elisabeth gyfle i ddweud rhywbeth. 'Wrth gwrs y cewch chi 'ngalw i'n Elisabeth, ac ydi, mae o'n ddyn pwysig ond peidiwch â dweud gormod neu mi fydd ei ben o'n chwyddo fwy byth,' chwarddodd.

Sylwodd Morgan fod ei gariad wedi dechrau teimlo'n gyfforddus yng nghwmni ei deulu mabwysiedig yn syth.

'O, wy'n hoffi acen y gogledd,' meddai Sal. 'Ond cofiwch, ma' sawl un rownd ffordd hyn sy' ddim, ond wy' i'n hunan yn 'i hoffi hi. Mae'r Gymrâg yn llawer gwell na'n Cymrâg ni, so ti'n cytuno, Alun?' gan erfyn arno i gydweld â hi.

'Mae e'n bendant yn well na 'Nghymraeg i,' atebodd yntau. Er ei fod yn gwneud ymdrech fawr i ailgydio yn yr iaith, gwyddai ei fod yn dal i gyfieithu o'r Saesneg yn aml.

'Wel, mae'n edrych yn debyg mai dyna'r hysbyseb gore sy' wedi bod yn y papur ers y Guiness a'r pelican,' awgrymodd i geisio troi'r stori.

'Nid pelican oedd o,' awgrymodd Elisabeth.

'Beth wyt ti'n feddwl, nid pelican?' heriodd Morgan.

'Twcan,' meddai Gwynfor yn dawel.

'Da iawn ti, Gwynfor,' gwenodd Elisabeth arno. 'Rwyt ti'n llygad dy le. Ella ei fod o'n foi mawr yn Llundain ond dydi o ddim yn gwbod y cwbl, nac ydi?'

Roedd y pedwar wedi hen gyfarwyddo â'i gilydd cyn iddi ddod yn bryd i Morgan ac Elisabeth adael.

'A sôn am Da, fe fydd e'n flin nad oedd e 'ma i dy weld di 'to – wel, i weld y ddau ohonoch chi,' meddai Sal wrth gerdded tua'r car. 'Roedd e'n gofyn i mi a oeddet ti wedi sôn am weld Ifor Roberts yn Llundain?' Eglurodd i Morgan pwy yn union oedd Ifor Roberts.

'Os nad oedd e wedi bod mewn trwbwl gyda'r heddlu neu gymysgu â dihirod yr isfyd, digwyddiad y bydden i wedi'i gyfarfod e,' eglurodd yntau.

'O, na, fydde Ifor Roberts byth yn torri'r gyfraith na dim byd fel'na,' cadarnhaodd Sal. 'Gyda llaw, Alun ...' Gafaelodd Sal ym mraich Morgan a'i dynnu i'r naill ochr, o glyw y ddau arall. 'Fe fuodd ryw blismon bach o Aberystwyth 'ma, neu o'r pentre, yn holi am Gwynfor, oeddet ti'n gwbod 'ny? Pam, tybed? Beth oedd e ishe'i wbod am Gwynfor ni, dwed?'

'Paid â becso, Sal, ma' Gwynfor yn iawn,' ac edrychodd draw i gyfeiriad y bachgen. Cododd ei galon wrth weld Elisabeth ac yntau'n sgwrsio'n ddedwydd. Synnodd pa mor dal yr edrychai Gwynfor wrth ei hochr. Roedd Elisabeth yn dal ond roedd Gwynfor yn gawr o ddyn – yn union fel ei dad.

'Cofiwch alw 'to, Elisabeth, mae 'na groeso i chi unrhyw bryd a chofiwch, 'sdim rhaid i chi aros iddo fe ddod 'da chi. Oes gyda chi gar eich hunan?' holodd Sal.

'Oes, ond dim byd tebyg i hwn!' Pwyntiodd ei bys at y Rover.

'O, ie, wel dyna Lundain i chi on'd ife?' Cydiodd yn dyner yn Elisabeth a rhoi cusan bach ar ei boch. 'Edrychwch ar 'i ôl e, Elisabeth fach. Mae e mor unig ac mae angen cysuron gwraig dda arno fe,' meddai'n dawel heb i Alun ei chlywed.

'Mi wna i,' cadarnhaodd Elisabeth.

Neidiodd y ddau i mewn i'r car a gyrru ymaith.

'Ac i ble'r wyt ti am fynd â fi rŵan?' gofynnodd Elisabeth.

'Wy' wedi dweud wrthot ti – lawr i lan y môr,' eglurodd Morgan.

Dechreuodd Elisabeth ganu'r gân ac ymunodd Morgan â'r gytgan, er nad oedd wedi clywed y gân o'r blaen. Pan gyrhaeddodd Elisabeth at y pennill 'Gofynnais i am gusan bach', gwyrodd y car i ochr y ffordd a dweud yn smala, 'Does dim rhaid i ti ofyn,' a chusanu Elisabeth yn angerddol nes i gar arall fynd heibio gan ganu'i gorn yn chwareus.

Pan gyrhaeddodd y ddau Awel Deg roedd y glaw a oedd yn bygwth difetha'u hymweliad wedi clirio ymaith. Roedd Elisabeth wedi'i gwefreiddio'n lân, nid yn unig â lleoliad y tŷ a'r olygfa a oedd i'w gweld ohono ond gyda maint yr ystafelloedd a pha mor hyfryd oedd popeth ynddynt hefyd. Chwarddodd yn dawel wrth gofio cyngor ei merch.

Dangosodd Morgan bob ystafell iddi, fel pe bai'r tŷ yn eiddo iddo ef, ond cadwodd ei ystafell wely tan y diwedd. Brasgamodd Elisabeth yn syth at y ffenestr fawr er mwyn mwynhau'r olygfa unwaith eto. 'O, edrych ar y môr, Alun, mae'n fendigedig.' Trodd pan deimlodd ei fod yn sefyll yn agos iawn ati.

'Wyt ti wedi maddau i mi?' gofynnodd.

'Am beth?' Syllodd Elisabeth i'w lygaid.

'O, am yr holl helynt 'na y bore 'ma, a mynd â ti i weld Sal, ac am fod mor hunanol a ...'

Rhoddodd ei bys ar ei wefusau. 'Fi ddylai ofyn i ti am faddeuant,' atebodd yn dyner.

Edrychodd y ddau ar ei gilydd. Roedd popeth mor dawel a'u meddyliau'n llawn o hen atgofion. Roedd y ddau yn ymladd yn erbyn eu greddfau ond heb fedru mentro cymryd y cam cyntaf.

'Dere, awn ni am wâc fach ar hyd y traeth,' torrodd

Morgan ar y distawrwydd.

'Ie, ac mi gawn ni gyfle i badlo,' awgrymodd Elisabeth

'I ... beth?' edrychodd Morgan arni'n syn.

'Padlo, ti'n gwbod, rhoi dy draed yn y dŵr.'

'Bracso ti'n feddwl? Diawl, a finne'n meddwl mai fi oedd wedi colli gafael ar yr iaith,' meddai'n heriol.

'Bracso, pa fath o air ydi hwnnw?'

'Bracso y'n ni'n galw rhywbeth fel'na, nid padlo. Ma' padlo'n rhywbeth hollol wahanol, rhywbeth ti'n ei wneud mewn canŵ. Dylech chi gofio 'na, Miss Williams,' a gwenodd arni.

'Hei,' daeth ato'n fygythiol, 'Pwy ydi'r athro yma – ti neu fi?'

Chwarddodd y ddau a chofleidio unwaith eto. Roedd y muriau wedi eu chwalu'n llwyr.

Ni sylwodd yr un o'r ddau ar y gwylanod yn sgrechian y tu allan, na'r haul yn disgleirio drwy'r ffenestri. Ni sylwodd yr un ohonynt chwaith ar y cwch modur pwerus yn y pellter yn symud yn raddol ar draws y bae.

PENNOD 26

Cerddodd Morgan ac Elisabeth law yn llaw tuag at y traeth. 'Cer di 'mlaen,' meddai Morgan, 'Wy' wedi anghofio rhywbeth.'

Aeth yn ei ôl i'r car i nôl y gwn a oedd wedi'i guddio o dan y sedd flaen. Ceryddodd ei hun am ei anghofio. Pan ddychwelodd roedd Elisabeth yn sefyll ar lan y dŵr. 'Wyt ti'n mynd i fracso, 'te?' gofynnodd Morgan yn chwareus.

'Na, mae'n edrych yn rhy oer i mi. Y tro nesa ella,' atebodd gan wenu arno. Gwyrodd Morgan a thasgu dŵr i'w chyfeiriad.

'Iawn, iawn! Pax, plis,' gwichiodd Elisabeth wrth redeg oddi wrtho.

Daliodd Morgan hi a'i thynnu ato. Trodd hi i'w wynebu ac edrychodd i fyw ei llygaid gleision. 'Wy' byth yn mynd i dy adael di 'to,' meddai'n dawel.

'Gobeithio'n wir na wnei di.' Syllodd arno cyn rhoi cusan tyner ar ei wefusau.

Cerddodd y ddau fel dau gariad ifanc ar hyd y traeth, gan fwynhau'r agosatrwydd heb orfod dweud gair.

Nawr amdani, meddyliodd Morgan, er nad oedd eisiau amharu ar y foment berffaith honno.

'Felly ...' Dechreuodd y ddau siarad yn union ar yr un pryd. Gadawodd Morgan i Elisabeth ddweud yr hyn oedd ar ei meddwl, yn ddiolchgar nad ef oedd yn gorfod torri ar y tawelwch.

'Felly ... ym ... wyt ti'n meddwl 'mod i wedi colli 'Nghymraeg pur?' holodd Elisabeth.

'Iechyd, nac ydw! Beth sy'n gwneud i ti feddwl 'ny?'

'Mi wnest ti chwerthin am fy mod i wedi dweud "padlo",' atebodd.

Chwarddodd Morgan ond gwyddai'n iawn nad hynny oedd ar ei meddwl. 'Padla di bant os wyt ti ishe, ond bracso fydda i'n neud.' Gwenodd arni a rhoi ei fraich am ei hysgwyddau er mwyn ei thynnu'n nes ato. Cerddodd y ddau yn eu blaenau.

'Beth oeddet ti'n mynd i'w ofyn o ddifrif, Bwts?' gofynnodd.

' Sut oeddet ti'n gwbod 'mod i'n mynd i ofyn rhywbeth arall?' taflodd y cwestiwn yn ôl ato.

'Cofia beth yw 'ngwaith i, fenyw fach' meddai'n chwareus.

Tynnodd Elisabeth ar ei fraich er mwyn ei annog i ddechrau cerdded eto. 'Meddwl o'n i, sut yn y byd wnest ti gyrraedd y Bala pan est ti i chwilio amdana i yno?'

'Dwyt ti ddim yn credu 'mod i wedi mynd yno ar dy ôl di?' gofynnodd.

'O, ydw siŵr,' meddai'n daer, 'ond meddwl o'n i, roedd hi'n andros o daith y ddyddia hynny, dim ond i ti feddwl am gychwyn.'

'Dyna beth yw cariad,' atebodd yntau'n dawel cyn parhau â'r hanes. 'Wel, i ddechre, es i i lawr i dy gartre yn Aberteifi ...'

'Pam?' torrodd Elisabeth ar ei draws.

'I egluro pethe iddyn nhw, i ddweud nad ti oedd ar fai ac i ddweud wrthyn nhw 'mod i ishe dy briodi di,' atebodd.

'O, cariad,' gwasgodd Elisabeth e'n dynn.

'Pan sylweddolais i eich bod chi eisoes wedi mynd, penderfynais i fynd ar dy ôl di. Doedd hi ddim yn frwydr i ti ei hymladd ar dy ben dy hunan. Ac oedd, roedd hi'n daith hir iawn. Cefais waith ar ffarm yn agos i Machynlleth am ryw wythnos neu ddwy, yn helpu gyda'r cynhaeaf. Wedyn 'mlaen â fi i'r Bala ond gwastraff amser oedd y cyfan – doeddet ti ddim 'na.'

'Nac oeddwn,' cytunodd Elisabeth yn dawel.

'Arhosais i yn y Bala am ddau ddiwrnod yn methu credu nad oeddet ti 'na. Doedd neb wedi clywed amdanat ti na dy deulu. Ac felly fe ddechreuais i ar fy ffordd 'nôl adre. Galwais i eto yn y ffarm a gweithio am bythefnos arall i gael arian poced. Wedyn fe deimlais i 'mod i wedi bod i ffwrdd yn ddigon hir a des i 'nôl adre a ffeindio ...'

Torrodd Elisabeth ar ei draws, 'Do, mi wnaeth rhywun – dwi ddim yn gwbod pwy, rhywun o dy gapel dwi'n meddwl – gysylltu â 'Nhad i ofyn a oedd ganddo fo unrhyw syniad ble'r oeddet ti. Mi glywais i o'n dweud wrth Mam beth oedd wedi digwydd i dy rieni, a dy fod ti wedi dianc oddi cartre ac wedi diflannu.'

Tawelodd y ddau.

'Dal fi'n dynn, Alun,' mynnodd Elisabeth gan bwyso yn ei erbyn.

Gafaelodd Morgan ynddi'n dynn yn ei freichiau praff wrth i'r ddau gofio'r digwyddiadau poenus o'u gorffennol. Cusanodd ei phen yn dyner. 'Dy dro di nawr,' meddai'n dawel.

'Be wyt ti'n feddwl?' gofynnodd.

'Beth ddigwyddodd i ti, Bwts, ym Methesda bell, na, mae'n ddrwg 'da fi, yn Rachub.'

'Paid â gofyn.'

‘Ond wy’ ishe gwbod.’

‘Mi wnes i sgwennu atat ti ... pan ges i gyfle. Mae’n amlwg rŵan na dderbyniaist ti’r llythyrau,’ meddai’n dawel.

‘Naddo, ond dyw ’ny ddim yn syndod o ystyried sut roedd f’ewythr a’m modryb yn fy nhrin i.’

Cymerodd Elisabeth seibiant gan edrych allan i’r môr cyn ailddechrau adrodd ei stori.

‘Ar ôl i ti ddianc o’r tŷ y diwrnod hwnnw, mi sylweddolodd fy rhieni sut o’n i wedi’u twyllo nhw, eu “bradychu” oedd y gair gafodd ei defnyddio. Roedden nhw’n gwbod yn iawn beth oedd wedi digwydd. Mi ges i fonclust iawn gan ’Nhad ac mi alwodd fi’n bob enw dan haul. Penderfynodd yn y fan a’r lle y byddai’n rhaid i ni symud i’r gogledd y noson honno. Er i mi ddadlau’n ffyrnig â nhw a gwneud a dweud pethau haerllug, mynd wnaethon ni yn y car bach a theithio drwy’r nos. Wna’ i byth anghofio’r daith honno, a neb yn torri gair yr holl ffordd. Pan gyrhaeddon ni Rachub – roedd rhywfaint o ddodrefn yn y tŷ drwy drugaredd – ces fy nghloi yn fy stafell. Mi fyddwn wedi dianc fel arall. Wnes i ddim byd ond crio tan mynd i gysgu yn oriau mân y bore a phan ddeffrais i dim ond Mam oedd yno. Roedd ’Nhad wedi mynd ’nôl i Aberteifi.’

Sylwodd Morgan ei bod hi’n wylo’n dawel bach drwy’i geiriau a thynnodd hi’n nes ato.

Cerddodd y ddau yn eu blaenau heb ddweud yr un gair. Roedd yn rhaid i Elisabeth hefyd gael gwared â’r holl atgofion chwerw o’i meddwl gan eu bod wedi bod yn mudlosgi cyhyd a neb ar gael i rannu’r gofidiau.

‘Dywedais y cyfan wrth Mam. Eglurais sut roedd y ddau ohonom wedi bod yn gariadon am hydoedd a ... a’n bod ni am briodi a … a hefyd beth oedden ni wedi'i wneud y prynhawn hwnnw a pha mor fendigedig oedd popeth, a pha mor dyner oeddet ti efo mi. Mi wrandawodd Mam arna i yn llawn cydymdeimlad ond er hynny, ar ôl i mi ddweud popeth wrthi, y cyfan ddywedodd hi oedd, "'Na fe, paid â phoeni, fe fyddwch chi'ch dau wedi anghofio'ch gilydd mewn dim o dro".'

Tawelodd am funud cyn taflu'i breichiau am wddf Morgan.

'Ond wnaethon ni ddim anghofio, naddo Alun? Ddim am eiliad.' Roedd ei llygaid yn llawn dagrau unwaith eto.

'Naddo, Bwts, ddim am eiliad.'

Safodd y ddau yn dawel gan syllu allan i'r môr. Roedd y gorffennol mor fyw yn eu meddyliau. Gorffwysodd Elisabeth ei phen ar fraich Morgan.

'Does dim angen i ti ddweud mwy,' meddai Morgan, er y gwyddai nad oedd yr hanes i gyd wedi'i adrodd.

'Waeth i ti glywed y cyfan,' meddai Elisabeth, ac aeth yn ei blaen. 'Ar ôl mis neu ddau, cyn i mi fynd i unrhyw ysgol na choleg, daeth hi'n amlwg 'mod i'n feichiog. Ti'n gwbod, doedd pethau bach ddim yn digwydd fel y dylen nhw, a phethau bach eraill yn digwydd lle na ddylen nhw. Felly, mi benderfynais fod yn rhaid i mi ddweud wrth Mam. Roedd ei hymateb yn anghredadwy – yn hytrach na dweud y drefn mi gydymdeimlodd â fi! Hi ddywedodd wrth 'Nhad a fo, mae'n debyg, awgrymodd ein bod ni'n mynd yn ôl i lawr i chwilio amdanat ti. Ond cyn i ni gychwyn mi glywodd o dy fod di wedi gadael yr ardal, "wedi rhedeg i ffwrdd" oedd ei union eiriau. Aeth Mam â fi draw at chwaer 'Nhad i Lerpwl. Doedd y rhyfel ddim wedi dechrau'n iawn, diolch byth, ac yn fan'no y buom ni nes i Morwenna gael ei geni.

Roedd fy modryb, drwy lwc, yn deall y byd 'ma a'i helbulon yn llawer gwell nag y gwnaeth 'Nhad erioed. Fyddet ti byth wedi credu bod y ddau yn frawd a chwaer. Aethom adre i Rachub lle nad oedd neb, bron iawn, yn fy nabod i, a dyma'r twyll – fe fagodd fy rhieni i Morwenna fel eu merch nhw eu hunain. Fedri di gredu'r fath ffars? Roedd pobol y plwyf yn eu llongyfarch nhw, gyda rhyw sylwadau gwirion am "dŷ newydd, babi newydd". Clywais un arall yn dweud pa mor debyg i 'Nhad oedd hi, ac yn y blaen. 'Nhad fedyddiodd hi hefyd ond heblaw am y bedydd, chlywais i mohono fo erioed yn dweud yr un gair wrthi a siaradodd o ddim â fi wedyn tan ei fod o ar ei wely angau.'

Tawelodd Elisabeth yn sydyn.

'Dyna pryd y gafaelodd o yn fy llaw i a gofyn am faddeuant, a do, mi wnes i faddau iddo. Ro'n i wedi hen sylweddoli ein bod ni'n dau yn perthyn i ddau fyd a dwy oes hollol wahanol. Mi wasgais i ei law a rhoi cusan bach ar ei dalcen ond roedd o wedi mynd.' Crynai ei llais a ddechreuodd wylo. 'Roedd o wedi marw cyn i mi gael dweud wrtho fo fod popeth yn iawn,' meddai drwy ei dagrau. 'Dwi'n madda i chi, 'Nhad – dyna o'n i isio'i ddweud ond roedd hi'n rhy hwyr.' Gafaelodd yn dynn yn Morgan unwaith eto, heb ddweud yr un gair.

Arhosodd y ddau am eiliadau maith yn dawel gyda'u hatgofion; y ddau yn meddwl am eu rhieni; y ddau yn meddwl am eu colledion; y ddau yn cofleidio cwmni ei gilydd.

Tynnodd Elisabeth ei hun o'i afael a chydio yn ei law. 'Tra oedd Mam yn magu Morwenna mi es i i'r brifysgol ym Mangor – a oedd yn ddigon agos i gartre – cael gradd yno, dysgu mewn gwahanol ysgolion nes 'mod i, rŵan, yn dysgu yn Llandysul,' meddai'n ysgafn gan grynhoi'r holl flynyddoedd i un frawddeg fer.

'A Morwenna?' holodd Morgan ymhen hir a hwyr.

'O, paid â gofyn, mae honno'n stori arall. Ond be amdanat ti?' newidiodd y sgwrs.

'Mi gei di ddarllen yr hanes i gyd yn fy hunangofiant ryw ddydd,' chwarddodd Morgan.

'O, na, dydi hynny ddim yn deg. Pam ymuno â'r heddlu i ddechra?' mynnodd.

'Wedi golygu 'nghael i i mewn i rhyw fanc yr oedden nhw, ond nid felly y gweithiodd pethe mas,' atebodd.

'Wel, a chithau'n dditectif blaenllaw iawn, fyddech chi'n cytuno, Mr Holmes, bod y llanw wedi troi a'i fod o ar ei ffordd i mewn?' torrodd Elisabeth ar ei draws.

Edrychodd Morgan tua'r môr. 'Diawl, ti'n iawn. Dere, mae'n well i ni droi'n ôl, ac yn weddol gyflym 'fyd.'

Nid oedd wedi sylweddoli eu bod wedi cerdded mor bell ar hyd y traeth, ymhell o Bwll Gwyn ac Awel Deg, heibio i'r ffrwd a'r creigiau, nes eu bod bron â chyrraedd y traeth nesaf. Wrth iddynt droi'n ôl meddyliodd Morgan am eiliad tybed a fyddai'n well iddynt gerdded i'r pentref nesaf a dychwelyd ar hyd y ffordd. Na, fe fyddai'n lleuad lawn cyn hir ac fe fyddai'n ddigon diogel ar y traeth. Felly, gan gydio yn nwylo ei gilydd, dechreuodd y ddau gerdded yn gyflym ar hyd y tywod. Yn sydyn, gwelsant lafn o olau cryf yn dod o'r môr ac fe edrychai fel petai'n cael ei anelu at Awel Deg.

'Beth ydi hwnna, tybed?' gofynnodd Elisabeth. 'Mae o fel 'tae o'n dod o ryw gwch. Pysgotwyr ella, ond pam maen nhw'n gwyro'r golau at y clogwyn?'

'Wy' ddim yn siŵr,' atebodd Morgan yn dawel. Fodd bynnag, fe wyddai yn ei enaid fod yr amser wedi cyrraedd.

'Rhyfedd, 'te?'

Cliriodd meddwl Morgan. Cofiodd y prysurdeb yn harbwr bach Aberaeron. Gwelai'r olygfa yn glir. Wrth gwrs, y dynion yn gweithio ar eu cychod! Er bod y mwyafrif yn peintio a thrwsio, roedd 'na ddau yn gwneud rhywbeth manylach. Gwelodd nhw eto yn gosod rhywbeth mawr ar y ffrâm uwchben y caban ar eu cwch modur – sbotlamp. Cofiodd y ddau ddyn – un yn dal a chyhyrog a'r llall yn llai, gyda choesau byrion, gwallt du a chroen gwyn yn llawn brychau. Capelo! Roedd ei elyn wedi cyrraedd.

PENNOD 27

Gwyliodd y ddau y golau yn crwydro'n araf ar draws y clogwyn, yn symud i lawr at y traeth ac yna'n anelu tuag atynt hwy. Gwyddai Morgan fod yn rhaid iddo wneud rhywbeth yn gyflym, ond beth oedd y peth gorau i'w wneud? Shwt oedd cael gwared â'r golau? Shwt oedd cael gwared â'r cwch a'r dynion oedd ynddo? Ond yn fwy pwysig na dim byd arall, shwt oedd diogelu Elisabeth? Roedd hi'n rhy hwyr i allu cynllunio'n fanwl, ac eto, roedd yn rhaid iddo wynebu ei hen elyn unwaith ac am byth – ond heb Elisabeth.

'Bwts, gwranda arna i,' meddai'n araf ac yn gadarn – blynyddoedd o brofiad a hyfforddiant arbenigol Sgotland Iard oedd yn siarad nawr. 'Ti'n cofio ble mae'r hen Gapten Williams yn byw? Fe ddangosais i iti gynne fach ...' Heb aros am ateb aeth yn ei flaen. '... Wy' ishe i ti fynd i'w gartre a naill ai gofyn iddo fe, neu'n well fyth, gwna fe dy hunan, ffonia Sarjant Jones yn Aberteifi. Dwed wrtho ddod yma gyda chymaint o blismyn ag y gall e ar ôl iddo ffonio Ifans yn Aberystwyth. Cofia ddweud wrtho ddod cyn gynted ag y gall. Dwed 'mod i wedi dod o hyd i'r llofrudd a bod angen help arna i.'

Dechreuodd Elisabeth amau ei air ond cydiodd Morgan yn ei braich. 'Bwts, wy'n erfyn arnat ti, mae hyn yn bwysig – ac mae'n holl-bwysig dy fod ti'n ofalus ac yn osgoi'r golau 'na.'

'Ond be amdanat ti?' dechreuodd ei gwestiynu unwaith yn rhagor.

'Paid â phoeni amdana i, fe fydda i'n iawn. Nawr cer a phaid edrych 'nôl – 'sdim ots beth glywi di. Cofia, wy'n dy garu di ac fe fydd popeth yn iawn ar ôl heno, Bwts,' edrychodd yn ddwfn i'w llygaid, 'Dwi ddim yn mynd i dy golli di 'to.'

Agorodd Elisabeth ei cheg i holi mwy ond pan welodd yr olwg ddifrifol ar wyneb Morgan, gwyddai nad oedd yn ddoeth iddi amau ei air. Ymestynnodd ei phen tuag ato a rhoi cusan tyner ar ei wefusau cyn dechrau rhedeg yn ôl i gyfeiriad Pwll Gwyn.

Cyn gynted ag y gwelodd Elisabeth yn gadael, neidiodd Morgan ar graig gyfagos a dechrau rhedeg drosti, yn groes i gyfeiriad y traeth – ac yn groes i gyfeiriad Elisabeth. Chwifiodd ei freichiau a gwaeddodd yn uchel. Teimlodd frath y gwynt yn codi gan chwythu'r cymylau ymaith i ddatgelu'r lleuad lawn.

Rhedodd Elisabeth mor gyflym ag y gallai ar hyd y traeth. Diolchodd ei bod yn gwisgo trowsus sgio ac esgidiau ysgafn gyda sodlau isel. Gwyrodd ei chorff i geisio peidio bod yn amlwg. Roedd golau'r cwch a golau'r lleuad yn gymorth iddi osgoi'r creigiau bychain.

Gwelodd y goleuni'n troi i gyfeiriad Morgan. Er ei fod wedi'i rhybuddio i beidio, trodd unwaith i edrych yn ôl a gwelodd ef yn sefyll ar graig yn chwifio'i freichiau yn wyllt – yn union fel pe bai'n dweud ffarwel.

Cyflymodd gan redeg â'i gwynt yn ei dwrn. Ni wyddai o ble y deuai ei nerth ond gwyddai'n iawn o ble y deuai ei hewyllys i oroesi. Gwyddai fod ei chalon ym meddiant Alun a'i bod yn gwbl angenrheidiol ei bod yn cyrraedd at y ffôn cyn gynted ag y gallai. Rhedodd yn ei blaen yn y tywyllwch ond yn ddiarwybod baglodd dros garreg a oedd o'r golwg bron yn y tywod a syrthiodd ar ei hyd i freichiau rhywun – rhyw ddyn dieithr.

'Gallai hwnna fod wedi bod yn gas,' meddai'r dyn mewn acen Gocnïaidd gref.

* * *

Er iddo ymdrechu'n galed, ni ddigwyddodd dim ar y dechrau. Serch hynny, daliodd ati a chododd ei galon pan welodd fod y golau cryf yn dechrau troi yn araf bach yn syth i'w gyfeiriad ef ac o'r traeth. Clywodd sŵn yr injan bwerus yn sbarduno a dechreuodd y cwch symud tuag ato. Gwelodd fflach yn dod o gyfeiriad y cwch a chlec yn ei dilyn eiliad yn ddiweddarach.

Rhegodd Morgan yn uchel wrth sylweddoli nad dim ond sbotlamp oedd wedi'i osod ar y cwch – roedd rhyw fath o wn arno hefyd. Cwmpodd y siel dân i'r môr yn agos iawn i'r graig nes bod y dŵr yn tasgu drosti fel gwreichion. Neidiodd oddi ar y graig ond daliodd y cwch i symud tuag ato gyda'r golau'n siglo i fyny ac i lawr ar y tonnau. Rhedodd Morgan yn gyflym ar hyd y traeth ond roedd y cwch a'r goleuni'n dod yn nes ac yn nes. Cuddiodd y tu ôl i graig fechan tra symudai'r golau o'i hamgylch. Roedd hi'n amlwg fod Capelo wedi'i golli a'i fod yn ddiogel lle'r oedd – am nawr. Gwyrodd ei law i lawr at odre'r graig a theimlodd wlybaniaeth dŵr y môr. Roedd y llanw'n codi'n gyflym felly byddai'n rhaid iddo ddianc a symud i gyfeiriad Pwll Gwyn.

Cododd eto a rhedeg yn ei flaen gan ddilyn cyfeiriad y lan er mwyn osgoi'r llanw uchel. Clywodd y cwch yn troi ac yn hyrddio ar draws y bae a siel dân arall yn cael ei thanio i gyfeiriad y graig a fu'n lloches iddo eiliad yn ôl. Ar amrantiad roedd y cwch mawr bron gyferbyn ag ef ond drwy drugaredd roedd e'n dal ymhell yn y môr. Clywodd Morgan y cwch yn arafu cyn stopio'n stond. Gwyrodd y goleuni uwch ei ben. Tybed a oedd Elisabeth wedi cyrraedd tŷ'r Capten? Yn wyliadwrus edrychodd i gyfeiriad y cwch ac yng ngolau'r lleuad fe welodd paham ei bod wedi aros yn ei hunfan. Roedd dau ŵr yn gostwng cwch rhwyfo i'r dŵr am ei bod yn amhosib i'r cwch mawr ddod yn nes at y lan.

Pendronodd Morgan beth oedd y peth gorau i'w wneud. Roedd hi'n amlwg fod rhywbeth yn peri trafferth i'r ddau lofrudd. Tybed a oedd ganddo amser i redeg tuag at Bwll Gwyn? Daeth ateb i'w gwestiwn mewn llai nag eiliad. Clywodd injan arall yn cael ei thanio a daeth y golau yn ôl – o'r cwch bach y tro hwn. Dyna beth oedd wedi achosi'r saib yn yr helfa – roedd y ddau wedi bod wrthi'n datgysylltu ac yn ailosod y golau diawledig. Rhegodd Morgan eto gan feio'i hunan am oedi cyhyd yn hytrach na rhedeg. Arhosodd y tu ôl i'r graig gyda'i ben i lawr; clywodd y cwch yn nesáu; cofiodd am ei wn. Tynnodd ef o'r wain ar ei goes gan sylwi fod y llanw bron â'i gyrraedd.

Cododd o'i guddfan a rhedodd fel ewig yn ei flaen. Yn sydyn, trodd y golau tuag ato ond daliodd i redeg gyda'r golau yn ei ddilyn pob cam. Taflodd ei hun y tu ôl i graig fechan arall a chrafu ei arddwrn wrth syrthio i'r llawr. Rhegodd eto. Llifodd y llafn o olau ymlaen y tu hwnt i'r graig gan geisio dilyn ei lwybr. Gwyrodd ei ben yn isel; doedd y boen yn ei fraich ddim cynddrwg erbyn hyn.

Yn araf bach dychwelodd y golau yn ôl i'w gyfeiriad ef. Clywodd sŵn y modur yn arafu wrth i'r cwch nesáu at y lan ac wrth i'r awel gryfhau a chario'r sŵn i'w chanlyn. Clywodd Morgan lais ei dad – 'Gwynt o'r môr, glaw ar ei ôl.' Cofiodd Capten Williams yn dweud yr un peth. Yna meddyliodd am Elisabeth.

Clywodd lais croch yn galw arno o gyfeiriad y cwch. Tybiodd eu bod yn defnyddio rhyw fath o uchelseinydd. 'Wy'n dy weld di, Morgan; waeth iti ddod allan o dy guddfan!' Llais Ricky Capelo. 'Dewch mas, dewch mas, ble bynnag y'ch chi!'

Chwarddodd y dyn yn greulon. Roedd yr uchelseinydd yn gwneud i'w lais swnio fel pe bai'n dod o berfeddion uffern.

'Ry'n ni wedi dal dy fenyw fach dlos, gyda llaw. Clagen fach neis, neis; corff ardderchog, siapus fel y diawl. Fyddet ti ddim yn credu beth mae Ed a finne'n mynd i'w wneud 'da hi. Diawl, ry'n ni'n mynd i gael hwyl uffernol. Fe gei di wylio'r cyfan. Mae Ed wedi dechrau'n barod, methu aros – merch fach bert fel 'na.'

Aeth iasau oer drwy enaid Morgan. Shwt yn y byd oedd Elisabeth wedi cael ei dal? Roedd y cwch allan ar y môr. Oedd 'na drydydd dyn? Rhywun ar y traeth? Carlamodd ei feddwl ar ras wyllt – na, roedd Pennington yn ddiogel yn y ddalfa. Rhywun arall? Dim ond dau ddyn oedd yn gweithio ar y cwch yn Aberaeron, felly pwy oedd hwn, y trydydd cythrel? Roedd 'na neb arall ar ôl ... heblaw am ... heblaw am J-J! Amhosib! Ni allai gredu'r peth. Roedd gan Morgan fwy o ffydd yn J-J na'r un o'i gydweithwyr. Ond roedd dynion mwy na J-J wedi cael eu denu draw i'r ochr dywyll cyn hyn.

Roedd y cwch yn dal i nesáu, y llais yn dal i floeddio a'r golau'n dal arno.

'Wy'n dy weld di, Morgan,' daliodd Capelo ati i'w erlid.

Y celwyddgi, meddyliodd Morgan. Rwyt ti'n gwybod lle'r ydw i, am nawr, ond alli di mo 'ngweld i, cysurodd ei hun. Ceisiodd ddyfalu pa mor agos i'r lan oedd y cwch bach. Roedd sŵn yr injan wedi cryfhau dipyn, heb os, a'r gwynt hefyd – felly os oedd y cwch yn cael ei chwythu i'r lan, pam oedden nhw'n cryfhau'r injan?

Cofiodd Morgan am y creigiau bychain oedd yn arwain o'r traeth tuag at y môr. Ceisiodd gofio ble'n union yr oedden nhw. Cododd yn ofalus ar ei benliniau a sylwi fod cefn ei grys yn wlyb. Damo! Roedd y llanw'n codi'n uwch ac yn gynt nag yr oedd wedi'i ddisgwyl. Pryd wnaeth e anfon Elisabeth ar ei hynt i ... i ... i beth? Ni allai hyd yn oed feddwl am yr hyn oedd yn digwydd i'w annwyl gariad.

Nawr amdani 'te, penderfynodd. Cododd a thanio'r gwn unwaith, ddwywaith, deirgwaith, bron fel un ergyd, cyn rhedeg ymhellach ar hyd y traeth. Ni wyddai pa mor union fu ei annel ond gwyddai ei fod wedi bwrw'r lamp ar y cwch yn deilchion.

Tywyllodd y traeth ar amrantiad ac fe ailafaelodd y cymylau yn y lleuad. Clywodd Morgan leisiau'n gweiddi mewn panig. Oedd 'na sgrech? Nid oedd yn rhy siŵr ond doedd dim amser i ymchwilio. Clywodd sŵn yr injan yn carlamu wrth i'r sbardun gael ei wasgu. Clywodd sgrech uchel – nid oedd amheuaeth y tro hwn – sgrech erchyll, fenywaidd, a thawelodd yr injan.

Ni allai edrych yn ei ôl. Rhedodd cyn gynted ag y gallai tuag at y clogwyn. Clywodd sŵn pren yn hollti ar graig. Sylwodd fod y gwynt wedi codi, y tonnau yn torri'n arw yn erbyn y creigiau a'r ewyn gwyn yn tasgu i bob cyfeiriad. Yna clywodd Morgan lais Capelo'n gweiddi, 'Ed! Ed!' er gwaetha'r gwynt cryf. Sylwodd fod y llanw'n dal i godi. Roedd y sgrech yn atseinio'n ei feddwl. A'i sgrech fenywaidd oedd hi? Ai Elisabeth oedd wedi'i hanafu? A oedd e wedi'i saethu hi? Methai ddychmygu'r fath beth. Elisabeth ...

Clywodd Capelo yn ei felltithio unwaith eto ond roedd y llais yn gael ei chwalu gan y gwynt. Gwyddai'n ei galon fod y frwydr yn troi. Un yn erbyn un oedd hi nawr, efallai, ac roedd y cwch bach wedi mynd. Roedden nhw bron yn gyfartal heblaw am ... heblaw am Elisabeth.

Llithrodd ei droed ar y graig wlyb, neu ar wymon dan draed efallai, a chwmpodd Morgan ar wastad ei gefn gan daro'i ben yn erbyn y graig. Gwelodd ei wn yn llithro'n araf i'r dŵr hallt. Cymerodd eiliad neu ddwy i ddod ato'i hun ond gwyddai fod y llanw'n dal i godi. Yn llawn braw sylweddolodd nad oedd modd iddo ddychwelyd i Bwll Gwyn ar hyd y traeth.

Cododd yn araf bach a gwyddai fod Capelo'n agos. Gallai glywed ei fygythiadau cras yn nesáu wrth yr eiliad. 'Rwyt ti 'da fi nawr, y bastard.' Gwyddai hefyd pa mor wag oedd y bygythiadau.

Roedd ei ben yn tincial a theimlodd y gwaed yn gynnes ar ei wegil. Ceisiodd ysgwyd y sŵn o'i ben. Ond na, erbyn meddwl, nid yn ei ben yr oedd y sŵn o gwbl; sŵn yr oedd wedi'i glywed o'r blaen oedd hwn, sŵn cyfarwydd y ffrwd yn rhuthro i lawr y clogwyn uwch ei ben. Sylweddolodd ei fod yn sefyll ar graig Carreg y Fuwch lle'r oedd e a'r hen gapten wedi bod yn sgwrsio rai dyddiau'n ôl. Rai dyddiau'n ôl? Teimlai fel oes yn ôl. Ceisiodd Morgan ailddychmygu'r lleoliad yn ei feddwl. Os mai ar Garreg y Fuwch yr oedd e, roedd 'na dywod islaw. Cerddodd at ymyl y graig ac edrych i lawr, ond nid tywod a welodd. Roedd y llanw wedi codi'n uchel a'r tonnau cryfion yn torri ar y graig, dros ei esgidiau. Tybed a fyddai modd iddo gerdded ar ei hyd? Na, cofiodd mai craig gul oedd hi, yn arwain i'r môr ar un pen ac i'r clogwyn y pen arall. Gwyddai hefyd pa mor ddwfn oedd y dŵr ar y ddwy ochr iddi.

Oedd, roedd e wedi ei ddal.

Clywodd dincial y ffrwd yn glir a gwyddai beth fyddai'n rhaid iddo'i wneud i ddianc rhag y môr. Cerddodd yn bwyllog tuag at y clogwyn. Chwalodd y cymylau unwaith eto a daeth y lleuad i oleuo'i lwybrau. Gwelodd faint y llanw. Er ei fod yn nofiwr da, gwyddai na fedrai frwydro yn erbyn y tonnau. Byddai'n cael ei daflu yn erbyn y creigiau nes bod ei gorff yn yfflon. Gwelodd Capelo yn sefyll ar graig arall gyda gwn yn ei law, yn ceisio dianc rhag y tonnau. Ar yr union eiliad gwelodd Capelo yntau.

Clywodd ei lais yn sgrechian uwchben y tonnau, 'Aros am funud, Morgan, fe allwn ni daro bargen fan hyn.'

'Ar ôl lladd tair merch ifanc, Capelo, beth alli di ei fargeinio?'

'Roedd yn rhaid i mi ddod o hyd i ti, Morgan. Fe wnest ti ladd fy mrawd.'

'Marw wnaeth dy frawd, Capelo, lladd ei hunan gyda chymysgedd o ddiod a chyffuriau.'

'Mae angen help arna i. Fe allwn ni ddod i gytundeb ynglŷn â dy fenyw. Fe wna i drefnu ichi setlo i lawr yn rhywle ... O! damo ... O! ffy ...' Distawyd ei ymbil truenus wrth iddo gwmpo i'r dŵr du a diflannu o'r golwg.

Daeth y sôn am Elisabeth â nerth o'r newydd i Morgan. 'Felly dyw hi ddim yn farw. Mae hi'n dal yn fyw, ond ... ond ...'

Gwyddai beth oedd yn rhaid iddo'i wneud. Nid oedd

ganddo ddewis. Edrychodd i fyny at darddiad y ffrwd o'r graig gan ymbalfalu am ffordd i'w dringo. Nid oedd yr un ffordd amlwg, hawdd i'w gweld ond gwelodd fod 'na, efallai, bosibilrwydd arall pe bai'n cael digon o olau. Dechreuodd ddringo'n ofalus cyn i'r lleuad fynd o'r golwg y tu ôl i'w chymylau unwaith eto. Caeodd y tywyllwch amdano fel clogyn du. Dringodd yn araf gan deimlo'r graig oer â'i fysedd, y gwynt yn cryfhau, y graig yn galed yn erbyn ei wyneb a'r tonnau'n torri ar odre'r clogwyn. Fodfedd wrth fodfedd. Clywodd leisiau ei dad a Capten Williams yn ei atgoffa am y ddau grwt a geisiodd ddringo'r un ffrwd – a methu. Arhosodd am eiliad i gael ei wynt ato. Clywodd lais swynol Elisabeth yn ei feddwl, gwelodd ei hwyneb yn gwenu arno, mor agos ac eto mor bell. Dechreuodd ddringo unwaith eto.

Yn ofalus, gam wrth gam, anelodd ar hyd y clogwyn ac i fyny fymryn bach ar y tro gan geisio cofio'r llwybr a greodd pan oedd yn edrych i fyny ar y graig. Nid oedd ganddo syniad pa mor uchel oedd y clogwyn na pha mor uchel yr oedd wedi dringo pan ddaeth y glaw. Teimlodd ei geg yn sychu. Teimlodd ei goesau'n crynu. Teimlodd ei freichiau'n gwanhau. Teimlodd y graig yn wlyb, yn llithrig ac yn galed o dan ei fysedd.

Oedd ei holl ymdrechion yn ofer? Methai ei fysedd â chael gafael iawn ar y graig wlyb. Daeth Elisabeth i'w feddwl eto. Roedd yn rhaid iddo lwyddo.

Dychmygodd glywed ei llais eto, yn galw'n dyner arno. 'Tyrd yn dy flaen, Alun,' dychmygodd glywed ei llais drwy ruo'r gwynt. 'Tyrd yn dy flaen, 'nghariad i,' drwy sŵn y tonnau, drwy sŵn y glaw, drwy sŵn y ffrwd ... roedd yn ei chlywed drwy bob sŵn arall. Ei llais hi oedd yn llenwi'i holl feddwl bellach. Clywodd ei llais yn erfyn arno. Roedd ei llais uwch ei ben.

Edrychodd i fyny. Gwelodd law a braich yn ymestyn tuag ato ond yn methu â'i gyrraedd. Un ymdrech fach arall, meddyliodd. Hyrddiodd ei hun i fyny gan afael mewn dyrnaid o laswellt i'w dynnu ei hun i fyny. Tynnodd am ei einioes. Teimlodd y borfa wlyb yn dod yn rhydd oddi wrth y graig, yn dod yn rhydd yn ei law. Yna teimlodd law fawr, gref yn cydio yn ei arddwrn. Teimlodd ei hun yn cael ei lusgo i fyny. Teimlodd ei draed a'i gorff yn llithro dros y graig galed, yn llithro i fyny'r clogwyn. Gafaelodd yn y llaw arall. Roedd yn cael ei dynnu'n uwch nawr. Gafaelodd yn y fraich dde, gafaelodd yn y fraich chwith. Roedd rhywun arall yn rhoi ei freichiau am ei wasg gan ei dynnu. Roedd e uwchben y clogwyn erbyn hyn.

Roedd breichiau eraill o'i amgylch a lleisiau'n gweiddi. Gorweddai ar y glaswellt gyda nifer o bobol o'i amgylch yn gwyro drosto gan weiddi a chwerthin. Gorweddodd â'i wyneb yn y glaswellt gwlyb. Diolchodd i Dduw ac yna daeth y dagrau i'w lygaid. Roedd yn ddiogel!

Cododd ei ben yn araf a thrwy'i ddagrau gwelodd Elisabeth. Roedd hi ar ei phengliniau o'i flaen â'i dagrau'n llifo i lawr ei hwyneb yn gymysg â'r glaw. Estynnodd ei law ati yn anghrediniol. Teimlodd ei llaw hithau, teimlodd ei bysedd yn plethu rhwng ei fysedd ef. Ni allent yngan gair, dim ond gafael yn dynn yn ei gilydd a chusanu ... a chusanu heb boeni pwy oedd yn eu gweld. Cododd y ddau ar eu traed yn un goflaid.

'Paid byth â gwneud hyn'na eto,' chwarddodd Elisabeth yn wan drwy'i dagrau.

'Na, wy'n addo,' atebodd Morgan gan edrych o'i

gwmpas. Synnodd cynifer o bobol oedd yno. Roedd Sarjant Jones a dau blismon arall yno a gwyddai fod sawl un o'r pentrefwyr yn sefyll yn y tywyllwch hefyd.

'Croeso 'nôl, gyf. Uffern o ffordd gymhleth o gyrraedd lan fan hyn,' gwenodd J-J arno o'r cysgodion. Gwenodd Morgan yn ôl. Sut yn y byd yr oedd e wedi medru amau ffyddlondeb ei hen ffrind? Diolchodd iddo am ei achub.

'Nid fi wnaeth hynny y tro 'ma, gyf. Dy gyfaill ifanc fan hyn wnaeth dy achub di heno,' eglurodd J-J gan gyfeirio at ŵr ifanc a oedd yn sefyll yn y tywyllwch â'i ben i lawr a'i gorff ifanc ar osgo gam.

'Gwynfor,' gwaeddodd Morgan gan daflu'i freichiau amdano a'i gofleidio. 'Diolch i'r Nef dy fod ti yma,' a rhoddodd Elisabeth gusan mawr ar ei foch. Ni wyddai Gwynfor druan ble i edrych na beth i wneud â'i hunan.

'Ond aros am eiliad,' trodd Morgan at Elisabeth. 'Os wyt ti yma, pwy ddiawl sy' ...'

Edrychodd allan i gyfeiriad y môr. Gwelodd y cwch mawr yn cael ei daflu'n ddidrugaredd ar y tonnau cryfion, yn ddychrynllyd o agos at y creigiau llym.

PENNOD 28

'Welodd unrhyw un ferch yn cael ei chymryd i'r cwch?' gofynnodd Morgan yn uchel, ond ni chafodd unrhyw ymateb.

'O'n i'n meddwl mai chi oedd hi, Anti Elisabeth,' sibrydodd Gwynfor yn swil.

'Beth wyt ti'n feddwl?' trodd i wynebu'r llanc ifanc.

Cymerodd Gwynfor hydoedd i ddweud ei hanes, a hynny ar ôl i Elisabeth ei holi'n ofalus. Gwyddai'n rhy dda fod dolur Gwynfor yn gallu ei wneud yn styfnig a thawedog, ac er bod perthynas agos yn tyfu rhwng y ddau, roedd perygl i Gwynfor ddigio a chau ei geg wrth gael ei groesholi. Pwyll oedd piau hi. A chan fod Morgan yn dueddol o fod braidd yn fyr ei amynedd, synnodd pa mor ddawnus oedd Elisabeth wrth gyfathrebu â'r bachgen.

'Damo! Gwenda!' meddai J-J yn dawel pan glywodd y cyfieithiad o'r disgrifiad o ferch ifanc â gwallt golau mewn sgert goch a blows wen wrth i Gwynfor ateb cwestiynau Elisabeth. 'Mae'n rhaid ei bod hi wedi fy nilyn i lawr 'ma yn gynharach.' Edrychodd ar Morgan, 'Paid â gofyn, gyf; trystia fi – Gwenda yw hi.'

Rhegodd Morgan, 'Ac mae hi'n dal ar y cwch, wedi'i chlymu mwy na thebyg,' neu'n waeth, meddyliodd. Gwyddai beth oedd yn rhaid iddynt ei wneud, er gwaetha'r storom.

'Gwynfor, ydi hi'n bosib mynd â chwch dy ffrind allan at y cwch mawr 'co?'

'Ydi,' atebodd y bachgen heb unrhyw amheuaeth.

'Dere 'mlaen, J-J, i lawr i'r traeth – ry'n ni'n mynd i'w hachub hi.'

'Wy' gyda ti, gyf,' atebodd J-J.

Syfrdanwyd pawb wrth sylweddoli beth oedd bwriad Morgan, ond er hynny rhedodd pawb yn ddiogel i lawr at y traeth.

Ar ôl cryn drafferth roedd y cwch ar y môr, yn barod i adael. Taniodd Gwynfor yr injan a diolchodd fod 'na ddigon o betrol yn y tanc.

Cydiodd Elisabeth ym mraich Morgan. 'Alun,' gwaeddodd er mwyn iddo'i chlywed drwy ruo'r dymestl, ond pan welodd yr olwg benderfynol ar ei wyneb gwyddai nad oedd diben ceisio'i atal. 'Bydd yn ofalus,' ymbiliodd.

'Paid â phoeni, ma' Gwynfor gyda ni,' a gwenodd arni. Sylwodd fod y mwyafrif o drigolion y pentref naill ai ar y traeth neu ar y ffordd erbyn hyn a gwaeddodd arnynt, 'Byddai'n well i chi i gyd fynd lan i'r Ffrwd Wen i sychu'ch traed ... ac Elisabeth, gwna'n siŵr y bydd 'na beint yn ein disgwyl pan ddown ni'n nôl.' Yna neidiodd i'r cwch ac i ffwrdd â'r tri i gyfeiriad cwch modur Capelo.

Roedd Gwynfor yn forwr cryf ac ymhen dim roedd ei gwch wedi cyrraedd cwch Capelo. 'Cer â hi mor agos ag y galli di – mae'n ddigon diogel,' dywedodd wrtho.

J-J oedd y cyntaf i neidio ar fwrdd y cwch mawr moethus gyda Morgan wrth ei gwt. Safodd Gwynfor wrth liw y cwch bach. Rhedodd y ddau tuag at y caban ac i mewn â nhw, cyn rhuthro i lawr y grisiau cul.

Daethant o hyd i Gwenda wedi'i rhwymo ar un o'r

gwelyau. Roedd ei dillad wedi'u rhwygo a hanner ei chorff yn noeth. Roedd y cadach coch ar draws ei cheg a'i gên fel toriad gwaedlyd ar draws ei gwddf ond roedd ei llygaid ar agor ac oedd, roedd hi'n fyw. Roedd y rhyddhad yn amlwg yn ei llygaid pan welodd y ddau a oedd wedi dod i'w hachub.

'Beth ti'n neud fan hyn 'te, Gwenda fach?' gwenodd Morgan arni wrth i J-J dynnu'r cadach a'r rhwymau. Sylwodd y ddau ar y marciau llosg, dau ar ei braich ac un ar ei bron. Crynodd Morgan wrth feddwl beth fyddai wedi digwydd iddi pe na bai e wedi ennill y frwydr yn erbyn Capelo. Daeth o hyd i flanced a'i lapio o amgylch Gwenda.

'Sori, gyf,' meddai'n dawel.

'Ie, wel, dyna beth yw cariad,' gwenodd arni eto.

Gafaelodd J-J ynddi'n dyner a'i chario allan. 'Fe hoffwn i pe bawn i'n medru dweud hyn yn Gymraeg, ond wy' *byth* ishe iti wneud rhywbeth fel hyn eto – rwyt ti'n golygu gormod i mi,' meddai yn addfwyn. Trodd Gwenda ei hwyneb tuag ato a gwenodd yn wan cyn dechrau beichio crio.

'Falle y dysga i'r Gymraeg i ti ryw ddiwrnod 'te. Wedi'r cyfan, dyna iaith y Nef – a iaith cariad!' chwarddodd Morgan i ysgafnhau'r awyrgylch. Yn sydyn, sylweddolodd pa mor flinedig yr oedd yntau'n teimlo.

Anelodd Gwynfor y cwch tua'r lan. Gafaelodd J-J yn dynn yn Gwenda. 'Fe ladda i'r diawled wnaeth hyn i ti,' meddai'n fygythiol.

'Wy'n credu dy fod ti braidd yn ddiweddar i wneud 'ny,' meddai Morgan ac eglurodd i'w gydweithiwr hanes y digwyddiadau ar y creigiau a bod Ed a Capelo'n siŵr o fod wedi eu lladd yn y frwydr. Gofynnodd iddo pam yn union y daeth i Bwll Gwyn heno beth bynnag.

‘Rhyw deimlad ym mêr fy esgyrn, gyf,’ eglurodd J-J. ‘Meddwl oeddwn i y byddai Capelo – ar ôl i Pennington ei ffonio ddydd Mercher – wedi darganfod ble’r oeddet ti’n cuddio. Byddai’n gwbod yn bendant ddydd Iau ar ôl y peth ’na yn y papurau newydd. Wedyn rhyw ddiwrnod neu ddau i gyrraedd yma – wel, roedd rhywbeth yn bownd o ddigwydd y penwythnos ’ma.’

Pan laniodd y cwch ar y traeth roedd Elisabeth a Martyn Ifans yn eu disgwyl.

‘O’s ’na rywbeth y medra i ei wneud, gyf?’ gofynnodd Ifans. ‘Wy’ wedi trefnu i ddau fad-achub fynd i chwilio’r môr; wy’n deall bod ’na un neu ddau gorff mas ’na’n rhywle falle. Mae’r meddyg a’r ambiwlans ar eu ffordd o Aberteifi hefyd – byddan nhw i gyd ’ma unrhyw eiliad.’

Ar y gair torrodd sŵn seiren a chlychau ambiwlans drwy dduwch y nos.

‘Dewch gyda fi ’te, lan i’r Ffrwd Wen, mae ’na ddiod yn aros amdanoch ar y bar,’ meddai Ifans ar ôl gwneud yn siŵr fod Gwenda a J-J yn ddiogel ac ar eu ffordd i’r ysbyty. Yna dechreuodd arwain y criw bach i fyny o’r traeth.

Edrychodd Morgan ar Elisabeth a theimlo ton o euogrwydd. ‘Martyn,’ gwaeddodd a throdd hwnnw’n ei ôl, ‘Mae Gwynfor ishe help i gadw’r cwch yn ddiogel. Oes gwahaniaeth gen ti?’

‘Wrth gwrs, wrth gwrs, gyf,’ a brysiodd i gynorthwyo’r llanc ifanc.

Aeth Morgan at Elisabeth a sefyll o’i blaen. ‘Dyma beth wy’n ei wneud, Bwts, yn anffodus. Ond, wyddost ti beth, wy’n dechre blino arno fe.’

Camodd Elisabeth ato a chlymu ei breichiau’n dyner am ei wddf. Cododd ei hwyneb yn agos at ei wyneb yntau,

'A dyna pam mae plismyn ledled y wlad yn dy addoli,' dywedodd.

'Yn fy addoli ...?!' holodd Morgan ond ni chafodd gyfle i orffen y cwestiwn. Teimlodd ei gwefusau meddal yn cyffwrdd ei geg agored a gafaelodd ynddi'n dynn.

'Paid edrych, Gwynfor bach,' meddai Martyn Ifans. 'Cadw di draw oddi wrth yr hen ferched 'ma. Ma' digon o amser gyda ti i ddysgu'r teip 'na o beth.'

'Ble mae'r peint 'na?' gofynnodd Morgan ar ôl i'r cusan ddod i ben ac arweiniodd Elisabeth ef i fyny tuag at y Ffrwd Wen.

Roedd mwyafrif trigolion y pentref wedi ymgasglu yn y dafarn erbyn iddynt gyrraedd, pawb â'i ddiod a phob un yn curo dwylo. Cymerodd Morgan ei beint a bu bron iddo wagu'r cwrw mewn un llwnc. Gwthiodd rhywun beint arall i'w law.

Roedd y gwrid swil ar wyneb Gwynfor yn amlwg wrth iddo yntau gael ei dywys fel arwr i mewn i'r bar am ei beint o siandi. Gafaelodd Morgan yn ei fraich, 'Os gwnaiff dy fam ddweud unrhyw beth, dywed wrthi fod dy Wncwl Alun wedi d'orfodi di!'

Gafaelodd Ifans yn ei fraich arall a dweud, 'Paid ti â phoeni, 'machgen i, fe fydda i a Powell yn dy hebrwng adre'n ddiogel ac fe wnawn ni egluro'r sefyllfa i dy rieni.' Gwenodd Ifans ar bawb ac am y tro cyntaf teimlodd Morgan fod 'na obaith ei fod e, o'r diwedd, yn dechrau cael gafael iawn ar bethau.

Sylwodd Elisabeth ar yr olwg flinedig yn llygaid ei chariad, y gwaed ar ei wegil a'i ddillad gwlyb, carpiog. 'Alun,' sibrydodd.

Llyncodd Morgan yr ail beint. 'Wy'n dod,' atebodd heb

iddi orfod ei gymell. Gadawodd y ddau yn dawel gan gerdded 'nôl i Awel Deg ym mreichiau ei gilydd.

'Reit, dos i'r llofft a gad i mi olchi'r gwaed 'na.'

Tynnodd Morgan ei grys gan ddangos yr anafiadau bychain ar ei gefn a'i freichiau. Sylwodd Elisabeth ar yr hen greithiau eraill hefyd a ymgasglwyd dros y blynyddoedd. Golchodd nhw'n dyner. 'Rhywle arall?' gofynnodd gan osgoi edrych i'w wyneb.

'Wel, oes, ond ...'

Cuddiodd Elisabeth ei swildod, ' O, tyrd o 'na, dydi o'n ddim byd nad ydw i wedi'i weld o'r blaen.'

Chwarddodd Morgan yn swil a thynnu ei drowsus gwlyb. Golchodd Elisabeth yr anafiadau ar ei goesau. Ni wyddai Morgan beth i'w wneud na'i ddweud; cadwodd ei ddwylo wrth ei ochr er ei fod yn ysu i afael yn Elisabeth a mynd â hi i'w wely. Roedd e bron yn noeth erbyn hyn ond doedd e ddim eisiau cymryd mantais ohoni a chwalu'r berthynas.

'Dyna ni. Dwi'n mynd i olchi'r rhain yn y gegin – dos di i dy wely a chysga.'

Roedd ei dillad hithau'n wlyb hefyd. Dadwisgodd yn y gegin, golchi'r dillad a'u rhoi i sychu wrth y Rayburn. Cuddiodd ei noethni â hen anorac Alun cyn dechrau camu i fyny'r grisiau. Ond ble'r oedd hi'n mynd i gysgu, meddyliodd? Gwyddai nad oedd dillad ar y gwelyau eraill. Gwelodd fod Morgan yn cysgu fel babi yn ei wely dwbl. Camodd i mewn i'r ystafell. Diffoddodd y golau, tynnodd yr anorac a dringodd yn dawel i mewn i'r gwely moethus, cynnes.

* * *

Agorodd Morgan ei lygaid yn araf wrth i'r haul ddisgleirio o'r awyr las uwchben drwy'r ffenestr fawr. Teimlodd bresenoldeb rhywun yn agos ato. Trodd ei ben a gwelodd lygaid gleision Elisabeth yn ei wylio.

'Bwts ...' dechreuodd. Rhoddodd Elisabeth ei bys ar ei wefusau i'w dawelu.

'Paid â dweud dim,' sibrydodd gan symud ei chorff yn nes ato. Rhoddodd Morgan ei freichiau am ei chorff noeth. 'Bydd yn dyner, Alun, mae wedi bod mor hir,' sibrydodd yn swil.

Cusanodd hi'n addfwyn. Teimlodd ei chorff yn meddalu yn erbyn ei gorff yntau ac o'r diwedd, yn dawel, unodd y ddau mewn cariad angerddol.

* * *

Yn rhyfeddol aeth Elisabeth yn ei hôl i gysgu a phan ddihunodd roedd y gwely'n wag. Roedd hi'n fore heulog, braf a meddyliodd am eiliad mai breuddwydio'r holl beth a wnaeth, ond roedd cynhesrwydd ei chorff yn datgan yn glir fod y cyfan yn ffaith. Bu blynyddoedd maith ers iddi deimlo fel hyn. Cododd o'r gwely ac aeth i chwilio am Morgan gan feddwl ei fod yn y gegin yn paratoi brecwast. Gwenodd yn fodlon a rhedeg i lawr y grisiau – ond roedd y gegin a'r tŷ yn wag.

PENNOD 29

'Felly, ro'ch chi'n gwbod drwy'r amser pwy oedd y llofrudd?' gofynnodd Ifans.

'Fydden i ddim yn dweud *drwy'r* amser, Martyn – dim ond ers nos Fawrth ac wedyn dim ond amau o'n i,' gwenodd Morgan arno.

Roedd e wedi codi'n dawel bach y bore hwnnw er mwyn gadael llonydd i Elisabeth gysgu ac yna wedi cerdded i lawr i'r traeth i gau pen y mwdwl ar yr holl helynt. Rhoddodd ddatganiad byr i ddynion y wasg ac roedd e ar fin mynd i ffonio'r Comander pan ddaeth Martyn Ifans a Ron Powell ato i roi eu hadroddiadau diweddaraf iddo.

'Mae'n well i chi roi gwbod i mi beth sy' wedi digwydd ers neithiwr 'te, Martyn,' awgrymodd Morgan.

'Reit iw âr,' dechreuodd. 'Wel, daeth dynion y badau achub o hyd i ddau gorff yn gynnar y bore 'ma – y ddau wedi cael eu golchi mas i'r môr. Capelo oedd un yn ôl y ddisgrifiad a'r llall, wel, roedd e'n amlwg wedi cael ei ddal yn llafnau injan y cwch bach a doedd dim llawer o'i ben ar ôl. Ry'n ni hefyd wedi dod o hyd i ynnau ac wrth gwrs y ddau gwch, un wedi ei dorri'n racs jibidêrs ar y creigiau 'ma. Mae'r cyrff wedi cael eu gyrru i Aberystwyth i archwilio beth oedd union achos y marwolaethau ond does 'na ddim llawer o ddirgelwch yn fy marn i. Boddi wnaeth un ar llall wedi cael hen ddamwain gas. Doedd eich saethu chi ddim yn llwyddiannus iawn, gyf, heblaw am fwrw'r lamp. Ond mae'n siŵr fod hynny'n fwriadol, wrth gwrs. Eu dychryn nhw oedd eich bwriad, wy'n deall hynny'n iawn. A dyna fe, wy'n paratoi i gau popeth a mynd 'nôl i Aber, os ydi hynny'n iawn gyda chi, gyf.'

'Ydi, siŵr a diolch yn fawr, Martyn, a tithe, Ron am eich holl gymorth. Gobeithio y cawn ni gwrdd 'to rywbryd – ond mewn gwell amgylchiadau.'

'Mae'n rhaid i mi ymddiheuro am feddwl mai chi oedd y ... y ... llofrudd,' ychwanegodd Ifans yn swil.

'Paid â phoeni – mae'n dangos pa mor dda wy'n gallu twyllo pobol, yn enwedig os y gwnes i eich twyllo chi'ch dau,' chwarddodd Morgan.

'A beth sy' nesa, gyf? Yn ôl i Lunden i gario 'mlaen â'r frwydr?' gofynnodd Powell.

'Mwy na thebyg, Ron, a chithe 'nôl i Aberystwyth?'

'Ie,' atebodd y ddau fel deuawd.

'Mae 'na un peth bach arall. Wy'n siŵr y gwnewch chi ddarganfod fod y cwch 'na yn perthyn i Wil Mathews o'r Cei. Mae rhyw gysylltiad rhyngddo fe a Capelo. Arestiwch y diawl – o leia fe fydd 'na un dihiryn yn cael ei garcharu wedyn.'

'Yn anffodus fe wnaeth Mathews ein ffonio ni ddoe i ddweud bod rhywun wedi dwyn ei gwch.'

'Y diawl,' ebychodd Morgan. Oedodd am eiliad cyn ychwanegu, 'Ond peidiwch â gadael i hynny eich atal chi rhag ei arestio. Dwedwch wrth y bois fforensig am chwilio'r cwch yn fanwl. Fe gei di hyd i dy waed, Ron, ac fe fydd 'na ddigon o gliws i glymu'r diawl wrth y digwyddiadau. *Accessory before and after the fact* – dim digon i'w grogi fe ond fe fydd bywyd yn anghyfforddus iawn iddo am sawl blwyddyn.'

'O! fan hyn wyt ti,' gwaeddodd Elisabeth y tu cefn iddo. Roedd hi wedi ei weld ar y traeth, wedi gwisgo amdani'n gyflym a rhedeg draw i'w gyfarch. Cofleidiodd Morgan hi wrth iddi faglu bron yn y tywod meddal. Gwenodd y ddau ar ei gilydd.

'Mymryn bach mwy o ddŵr gydag e tro nesa, Miss Williams,' meddai Ifans yn awdurdodol a chwarddodd y pedwar.

'Wy' ar fy ffordd i ffonio'r Comander,' eglurodd Morgan. 'Fe wela i di yn ôl yn y tŷ os nad wyt ti'n am fynd i *badlo*.'

'Dos o 'ma'r, mwnci! Esgusodwch fi, ddynion – jôc fach breifat.'

Ffarweliodd Morgan â'r dynion a cherdded i gyfeiriad cartref y Capten. Roedd ei absenoldeb e wedi bod yn hynod amlwg gydol yr helbulon.

'Dyna i chi ddyn arbennig, Miss Williams,' meddai Ifans wrth edrych ar Morgan yn cilio draw.

'Arbennig iawn,' atseiniodd Powell.

'Ydi, mae o,' cytunodd Elisabeth.

'Fe welwn ni ei golli fe ar ôl iddo ddychwelyd i Lunden.'

'Dychwelyd i Lunden ...?' dechreuodd Elisabeth. Bu bron i Ifans gicio Powell. Roedd yr olwg ar wyneb Elisabeth yn dangos yn glir nad oedd hi'n ymwybodol o gynlluniau Morgan.

'Wel, fan'ny mae ei waith e, on'd ife? Llunden yw ei fyd; i fan'ny mae e'n perthyn – gyda'r dynion mawr,' ceisiodd Ifans ddod â'r sgwrs i'w therfyn.

'Trueni 'fyd, cofiwch. Welwn ni mohono fe yn y cylch 'ma 'to, gwaetha'r modd,' meddai Powell wrth syllu ar hyd y traeth.

'Ie, gwaetha'r modd,' ategodd Elisabeth yn dawel cyn troi a cherdded i ffwrdd yn benisel.

'Diawl, Powell, ti'n dwp, on'd wyt ti?'

'Pam?'

'Wnest ti ddim sylwi? Dyw hi ddim yn gwbod beth yw 'i gynllunie fe. Sawl gwaith sy' raid i mi ddweud wrthot ti bod yn rhaid i ti sylwi ar wynebau pobol i weld shwt maen nhw'n ymateb i bethe? Duw, mae gen ti lot i'w ddysgu. Oes sigarét 'da ti?'

Tynnodd Powell y pecyn o'i boced gan deimlo'n ddigon diflas.

PENNOD 30

Gallai Morgan ddychmygu'r Comander yn gofyn i'w wraig Dorothy sicrhau na fyddai dim yn tarfu arno ac yna'n mynd i'w ystafell breifat yn ei gartref er mwyn ffonio'i gydweithiwr yn ôl. Roedd Morgan yn adnabod y tŷ yn dda gan ei fod wedi aros yno droeon.

Pan atebodd y Comander y ffôn gofynnodd yn bryderus sut yr oedd pethau a sut oedd e'n dygymod â'r sefyllfa. O ganlyniad i'r wisgi yr oedd ef a'r Capten wedi bod yn ei rannu i ddathlu bod yr helbul ar ben, gwenodd Morgan wrth adrodd ei hoff frawddeg, 'Mae popeth wedi'i gyflawni yn llwyddiannus, gyf.'

Cafwyd seibiant byr cyn i'r Comander ofyn am yr holl hanes ac er ei fod yn gwybod fod y Capten yn clustfeinio, rhoddodd Morgan adroddiad llawn o'r hyn a ddigwyddodd.

'Diolch byth fod y cyfan wedi dod i ben. Galli di ddod adre nawr 'te. Mae'n rhyfedd ond wy' wedi gweld hiraeth ar dy ôl,' meddai'r Comander ar ôl iddo orffen.

O'r diwedd daeth hi'n bryd i Morgan ddatgelu ei deimladau a'i gynlluniau, a oedd wrth gwrs yn cynnwys Elisabeth a'u dyfodol gyda'i gilydd. Brawychwyd y Comander.

'Beth?! Wyt ti'n mynd i rhoi'r gorau i dy yrfa ddisglair oherwydd rhyw hen bishyn lawr ffor'na? Chest ti ddim digon fan hyn?'

Eglurodd Morgan yn bwyllog a chadarn pa fath o berthynas oedd gan y ddau ohonynt ac nad 'rhyw hen bishyn' oedd Elisabeth o gwbl. Clywodd y Comander y pendantrwydd yn llais ei gydweithiwr a gwyddai, er ei holl feistrolaeth a'i ddylanwad, fod hon yn frwydr na fyddai byth yn ei hennill. Fe dawelodd am eiliad neu ddwy wrth geisio pendroni sut y byddai'n ymateb i'r newyddion syfrdanol, ond roedd yn adnabod Morgan yn rhy dda. Gwyddai, fel sawl gwaith o'r blaen, nad oedd troi arno pan fyddai wedi penderfynu rhywbeth mor derfynol â hyn.

'A dweud y gwir, mae'n hen bryd iti ffeindio rhywun fel'na, Alan. Ond rwyt ti'n sylweddoli wrth gwrs y bydd yn rhaid iti ddod â hi 'ma fel bod Dorothy yn cael rhoi sêl ei bendith arni? Fedrwn ni ddim gadael i unrhyw hen ferch ddwyn ein bachgen ni, a chofia, fe fydd y ddau ohonom yn dod i'r briodas. Lawr fan'na mae'n siŵr, ie? Wy' erioed wedi bod i Gymru. Ydi hi'n wir fod pawb yn canu 'na? Fe fydd yn rhaid iti ddod 'ma i roi adroddiad llawn o'r digwyddiadau.

'Mae Pennington yn farw, gyda llaw; crogodd ei hunan yn ei gell bore ddoe. Wy'n cymryd yn ganiataol mai lladd ei hun wnaeth e. Dwi ddim yn poeni llawer i ddweud y gwir.

'Ac mae 'da fi anrheg priodas cynnar iti. Yn dilyn dy hysbyseb personol yn y *Times* mae MI5 eisiau cael gair bach gyda ti. Dwi ddim yn siŵr beth yn union sy' ar eu meddylie nhw ond maen nhw eisiau penodi rhywun i weithio'n llawn-amser yn yr ardal 'na i gadw llygad a'r bethau. Yn ôl yr hyn rwyt ti newydd ei ddweud wy'n siŵr y byddi di'n neidio am y cyfle. Meddylia, cyflog bendigedig, pensiwn da o fan hyn, costau byw ac yn y blaen. Wy'n ddigon parod i gymryd y swydd fy hunan – ond yn anffodus dwi ddim yn medru siarad Cymraeg. Fe drefna i gyfweliad ar gyfer dydd Llun, yfory, ond wy'n gwbod yn barod beth fydd dy blydi ateb.'

Ffarweliodd y ddau â'i gilydd ac ar ôl gwrthod wisgi arall gan y Capten, aeth Morgan yn ei ôl i Awel Deg yn llawn cyffro gyda'r newyddion da i Elisabeth. Ond roedd y tŷ yn wag.

* * *

Eisteddai Elisabeth wrth ei hunan bach ar Garreg y Fuwch a'i chalon wedi ei hollti. Sut yn y byd y bu hi mor ffôl â gadael iddo'i thwyllo fel hyn. Plismon bach yn cerdded strydoedd Llundain; yn dioddef o ryw afiechyd; byth yn mynd i'w gadael eto – a nawr roedd o am ddychwelyd i'w fyd naturiol ynghanol y dynion mawr heb ddweud gair wrthi. Roedd hwnnw'n fyd nad oedd yn bodoli iddi hi nes iddo fo ei goleuo – ond faint o wirionedd oedd yn ei eiriau?

A hithau? Byddai'n dychwelyd i ddysgu hanes yn Llandysul – ac yn dychwelyd yn ôl i'w hen fywyd unig. Dechreuodd grïo unwaith eto.

Clywodd dincial melys y ffrwd gerllaw. Edrychodd ar y clogwyn serth drwy ei dagrau a chofiodd am ddigwyddiadau'r noson a aeth heibio. Oedd, roedd y cyfan fel golygfa o ffilm ac yn perthyn i fyd arall. Sut yn y byd y medrodd hi roi ei hunan yn gyfan gwbl i Alun, fel rhyw ferch ifanc benchwiban, ffôl? Ond eto, roedd o wedi bod mor dyner. Daliai i deimlo ei dafod ar ei bronnau a chofiai'r wefr ryfeddol a dreiddiodd drwy ei holl gorff. Roedd ei wefusau wedi cusanu pob darn ohoni, ei fysedd wedi ymchwilio'n ddiderfyn, a hithau wedi ymateb yn angerddol. O oedd, roedd o wedi bod mor dyner. Nid bachgen ifanc mohono mwyach. Roedd hwn wedi tyfu'n ddyn ac yn feistr ar ei grefft!

Oedd hi'n hiraethu amdano? Byddai ei byd ar ben hebddo. Syllodd ar y tywod euraidd a'r môr glas a oedd mor dawel â llyn heddiw ar ôl i'r gwynt a'r glaw gilio.

'Fan hyn wyt ti! Wy' wedi bod yn chwilio amdanot ti ym mhobman!'

Clywodd ei lais y tu ôl iddi a theimlodd ei bresenoldeb ar y graig. Trodd ei hwyneb draw oddi wrtho.

'Dwi'n barod i fynd adra rŵan, Alun. Ei di â fi neu mi ofynna i i Martyn Ifans os y byddai hynny'n well gen ti.'

'Ond ma' 'da fi newyddion i ti – "Newyddion braf a daeth i'm bro, hwy haeddant gael eu dwyn ar go' ",' gorfoleddodd yn uchel.

'Oes, dwi'n gwbod, mae Martyn Ifans wedi dweud wrtha i'n barod.' Dringodd Elisabeth i lawr oddi ar y graig a dechrau cerdded â'i phen i lawr i guddio'i dagrau.

Synnwyd Morgan. Martyn Ifans? Shwt ddiawl oedd e'n gwbod? Edrychodd ar Elisabeth yn cerdded yn gyflym oddi wrtho, yn cilio o'i fywyd unwaith eto. O na! Dim gobaith, meddyliodd.

'Elisabeth!' gwaeddodd arni cyn neidio oddi ar y graig a chychwyn rhedeg ar ei hôl. 'Elisabeth! Aros! Aros am eiliad!'

Gwelodd hi'n aros, ei chefn tuag ato o hyd, a sylwodd ei bod yn crynu wrth iddi lefain. Ond pam? Edrychai mor fregus. Aeth ati a rhoi ei fraich am ei hysgwyddau cyn ei thynnu'n dyner i'w fynwes. Teimlai hi'n llefain yn erbyn ei gorff.

'Beth sy'n bod, Bwts?' gofynnodd yn dawel.

'Mae'r cyfan drosodd, Alun. Mae'r freuddwyd ar ben.

Ro'n i wedi gobeithio, ella ... y tro yma ... ond na, mae'r cyfan wedi gorffen.'

'Wedi gorffen? Beth wyt ti'n ei feddwl?'

'Rwyt ti'n mynd 'nôl i Lundain, 'nôl at dy hen fywyd, dy hen fyd, a digwyddiad y byddi di'n dychwelyd ffor' hyn byth eto. Dyna ddywedaist ti wrth Martyn Ifans a'r plismon bach arall 'na, medden nhw.'

Cofiodd y sgwrs; cofiodd ei atebion swta i'w cwestiynau; sylweddolodd beth fu achos yr holl gamddeall. Gafaelodd ynddi'n dynn. Gwasgodd hi at ei gorff.

'Paid â 'ngadael i, Alun, dwi'n erfyn arnat ti.' Roedd y geiriau'n gymysg â'r dagrau.

Caeodd Morgan ei lygaid a throi i gyfeiriad y môr wrth deimlo'r dagrau yn cronni y tu ôl i'w lygaid yntau hefyd.

'Byth, byth eto, Bwts fach, wy'n addo iti. *Byth eto.*'

Edrychodd Elisabeth i fyny arno. Gwelodd y diffuantrwydd yn ei lygaid a chlywodd y gwirionedd yn ei lais. Gwenodd drwy ei dagrau.

'Dwi'n dy garu di, Alun Morgan,' meddai'n dawel.

'A dw inne'n 'ych caru chithe, Elisabeth Williams.'

Cusanodd y ddau ei gilydd yn dyner.

'Ond ...' dechreuodd Elisabeth.

'Ond beth?'

'Ond beth am dy waith yn Llundain?'

'Fedra i ddim rhoi'r manylion i gyd i ti eto, ond ...' Rhoddodd Morgan ei newyddion da iddi.

Cododd Elisabeth ei phen ac edrych i fyw ei lygaid. Roedd yr hen ddisgleirdeb annwyl yn ei ôl. Taflodd ei breichiau am ei wddf a'i wasgu'n dynn. Ni allodd yngan gair am funudau maith ond o'r diwedd gafaelodd yn ei law a gwenu.

Edrychodd Morgan arni, rhoddodd ei ddwylo o amgylch ei hwyneb a'i chusanu'n dyner. 'Wnewch chi 'mhriodi i 'te, Miss Williams?' gofynnodd yn dawel.

'Gwnaf, Alun Morgan, pryd bynnag y byddwch yn dymuno,' atebodd heb unrhyw amheuaeth. Edrychodd y ddau ar ei gilydd heb ddweud gair. Doedd dim angen geiriau.

Torrodd Morgan ar y tawelwch er mwyn ysgafnhau'r awyrgylch drydanol yn fwy na dim arall. 'Wrth gwrs, fe fydd yn rhaid iti gael gwared â'r boi 'na,' meddai'n ffug-awdurdodol.

'Pa foi?' gofynnodd hithau'n siomedig.

'Y boi 'na sy'n mynd at dy dŷ di bob nos mewn tracwisg goch. Mae e'n parcio'i gar dipyn bach i lawr y ffordd, yn cerdded at y drws ffrynt a chanu'r gloch ac wedyn yn cerdded yn ôl i'w gar a gadael?'

'Sut wyt ti'n gwybod?' gofynnodd.

'Roedd J-J yn cadw golwg arnat ti rhag ofn ... wel, rhag ofn i rywbeth ddigwydd i ti,' cyffesodd Morgan yn euog.

'O, cariad,' gafaelodd Elisabeth yn ei law.

'Ie, wel, pwy yw'r diawl?'

'Yr unig un y galla i feddwl amdano sy'n gwisgo fel'na ydi William Arfon o'r ysgol, ond dwi'n ddigon hen i fod yn fam iddo fo,' atebodd gan chwerthin.

'Efallai dy fod di, ond rwyt ti'n dal yn hynod ddeniadol, er dy fod yn hen wraig! Cofia rwyt ti'n dal fel croten ifanc i fi,' a sibrydodd rhywbeth yn dawel dan ei wynt.

'Be ddwedaist ti rŵan?' holodd Elisabeth yn chwareus.

'O, dim ond meddwl wrth 'yn hunan bod cariad yn hollol ddall,' a chwarddodd y ddau ym mreichiau'i gilydd.

'Wel, myn uffern i!' Daeth y llais o'r tu cefn iddynt.

Safodd y ddau ac edrych ar ei gilydd cyn troi.

'El ac Al, 'wen i'n gwbod yn iawn. Lle bynnag ro'dd un byddai'r llall yn siŵr o ddilyn!'

Trodd y ddau i wynebu'r newydd-ddyfodiad rhyfedd a oedd yn dal i wenu arnynt o glust i glust.

'Pan weles i dy lun di yn y papur newydd, Mogs, fe 'nabyddes i di strêt awê. Dwyt tithe ddim wedi newid dim chwaith, Elisabeth. O, peidiwch â dweud bod chi ddim yn 'y nghofio i? Na, wel, mae tipyn o ddŵr wedi llifo dan y bont ers ein dyddie ysgol. Os ddyweda i Pancws fyddech chi'n cofio wedyn?'

'Diawl erioed – Eric!' Chwarddodd Morgan gan ymestyn ei law i dderbyn llaw ei hen ffrind ysgol.

Bedyddiwyd Eric â'r ffugenw gwreiddiol hwnnw gan fod ei fam yn mynnu anfon pecyn o bancysau ffres gyda'i mab i'r ysgol bob bore Llun er mwyn iddo eu rhannu â'i ffrindiau gorau. Ond y gwir amdani oedd nad oedd ei mab yn hoffi pancws o gwbl!

'Eric Llewelyn Thomas, prif ohebydd y *Teifi Side and Advertiser*,' estynnodd ei gerdyn busnes iddynt. 'Braf gweld 'ych bod chi wedi priodi. Wrth gwrs, ro'n i'n gwbod mai felly y bydde hi ar ôl i ti symud ymaith, El. Wnaeth e ddim cymryd llawer o amser i dy ffeindo di, mae'n siŵr – plismon mawr fel fe?'

'Pancws, paid â dechre. Wyt ti'n rhoi dy droed, a dy goes, ynddi fel arfer,' torrodd Morgan ar ei draws.

'Dydan ni ddim wedi priodi,' gwenodd Elisabeth, 'Ddim eto beth bynnag.'

'Iawn, iawn, mae eich cyfrinach yn ddiogel 'da fi, ond ar un amod – wel, dwy ...'

'A beth ydi'r rheiny?' gofynnodd Elisabeth.

'Gwahoddiad i'r briodas, pryd bynnag y bydd hi. Wel, mae'n amlwg on'd yw hi? Ro'ch chi mewn cariad â'ch gilydd yn yr ysgol a ma' unrhyw un yn gallu gweld 'ych bod chi'n dal mewn cariad â'ch gilydd nawr. Ond wy'n sylwi nawr, dyw'r un ohonoch chi'n gwisgo modrwy ...'

'Iechyd, Pancws, ti ddylai fod yn dditectif! A beth yw'r amod arall?' gofynnodd Morgan.

'Scŵp fach, Mogs, cyfweliad gyda dy hen ffrind i ddweud yr holl hanes – dim ond wrtha i a neb arall o'r wasg.'

'Pam lai?' cytunodd Morgan. 'Wy'n dy gofio di'n gwneud sawl ffafr â fi yn yr ysgol.'

'Ac os cofia i'n iawn,' gwenodd Eric, 'pancws Mam ddaeth â'r ddau ohonoch chi at 'ych gilydd yn y lle cynta.'

'Mae o'n iawn hefyd.' Cydiodd Elisabeth yn llaw Morgan. 'Wyt ti'n cofio? Mi wela i di rŵan mewn trowsus byr – wel, i lawr dros dy benglinia – yn gofyn mewn llais bach diniwed, "Licech chi gael pancwsen fach, Elisabeth?"'

'Arnat ti ma'r bai 'te!' ffug-gyhuddodd Morgan ei hen gyfaill a chwarddodd y tri.

'Iawn, fe gei di dy gyfweliad, ond nid heddiw. Mae'n rhaid i mi fynd ag Elisabeth adre.'

'Na, na, gwnewch chi'ch dau y cyfweliad tra bydda i'n mynd 'nôl i'r tŷ i bacio dy fag,' awgrymodd Elisabeth yn ysgafn.

'Pam pacio 'mag i?' holodd Morgan.

'Waeth iti ddod i aros efo fi, neu mi fyddi di'n gwario ffortiwn ar betrol a galwadau ffôn,' atebodd gan wenu. 'Wedi'r cyfan, mae arna i angen dyn i edrych ar f'ôl i, nawr bod J-J yn gofalu am Gwenda.'

'Iawn, dyna un peth y medra i ei wneud heb ddim problem!'

Gwenodd Pancws wrth feddwl bod mwy i'r stori hon nag yr oedd wedi'i ddisgwyl.

* * *

Roedd Morwenna wedi cael taith uffernol i lawr o Fanceinion; dros chwe awr yn y car bach bron, dros fôr a mynydd – yn bendant dros fynydd. Gadawodd y tŷ yn oriau mân y bore ar ôl ymosodiad diweddaraf ei gŵr. Ni ddeallai beth oedd wedi dros Paul. Gwyddai ei fod yn un byr ei dymer a'i fod yn colli rheolaeth arno'i hun dros y peth lleiaf, ond roedd e wedi mynd yn rhy bell y tro hwn.

Ar y nos Sadwrn daethai adre'n feddw gaib o rhyw glwb yn y ddinas ac ar ôl cwmpo i mewn i'r ystafell wely bron, fe lusgodd Morwenna o'r gwely a defnyddio iaith mor anweddus. Roedd hi wedi ei syfrdanu ar y dechrau a heb ddihuno'n iawn. Tynnodd ei gŵr hi ar ei thraed, gafaelodd yn ei gŵn nos a'i rwygo. Roedd hi'n amlwg i Morwenna beth oedd ei fwriad. Pan ddechreuodd hithau gilio oddi wrtho daeth ar ei hôl a'i tharo ar draws un foch gyda chefn ei law ac yna'r foch arall gyda'i ddwrn. Deffrodd Morwenna drwyddi a'i gicio rhwng ei goesau nes iddo syrthio a tharo'i ben yn galed ar droed y gwely.

Teimlai'n euog wedyn. Efallai ei fod wedi ei anafu'n ddifrifol, neu'n waeth hyd yn oed. Archwiliodd ei gorff yn fanwl a sylweddoli y byddai'n iawn mewn dim o dro – heblaw am lwmp fel wy ar ei ben. Ond cofiai Morwenna yr addewid a wnaeth iddi hi ei hun ac iddo yntau cyn iddynt briodi – pe bai e byth yn ei tharo â'i ddwrn yna byddai hithau'n mynd adre at ei mam.

A dyna'n union wnaeth hi. Taflodd fanion i gês bychan

a'i wthio ar sedd ffrynt ei char bach. Diolchodd fod Anwen wedi cysgu drwy'r holl sŵn. Rhoddodd y fechan yn dawel ar sedd gefn y car yn y caricot a dechrau ar y daith hir. Arhosodd am ychydig y tu allan i Wrecsam i roi llaeth i Anwen a newid ei chlwt ac fe aeth yr un fach yn ôl i gysgu yn syth wedyn a chysgu yr holl ffordd i lawr i'r de.

Cododd ei chalon pan welodd gar ei mam y tu all i'w chartref. Agorodd y drws â'r allwedd a gawsai ganddi ond sylweddolodd yn fuan nad oedd neb adref. Ar ôl bwydo Anwen a newid ei chlwt unwaith eto, rhoddodd hi'n gyfforddus yn ei gwely bach dros-dro a dyna pryd y sylweddolodd Morwenna pa mor flinedig yr oedd hithau hefyd. Edrychodd ar ei hwyneb yn y drych a dychryn wrth weld y cleisiau. Torrodd ei chalon. Gorweddodd ar y gwely yn ymyl ei merch fach a thrwy drugaredd fe gysgodd weddill y bore.

Roedd Morwenna'n ddiolchgar fod stumog Anwen wedi ei deffro ganol dydd ond nid oedd sôn am ei mam byth. O leiaf roedd hyn yn gyfle iddi gael bàth twym a chuddio ychydig ar y cleisiau ar ei hwyneb gyda cholur.

Ar ôl tacluso'i hun a phan oedd ar fin mynd i baratoi tamaid o ginio, clywodd Morwenna sŵn y tu allan i'r drws ffrynt a meddyliodd bod ei mam wedi cyrraedd adref o'r diwedd. Rhedodd i agor y drws ond rhyw ŵr ifanc, deniadol oedd yn sefyll ar y rhiniog. Roedd golwg nerfus arno ond ar ôl iddo egluro pwy oedd a derbyn ei gwahoddiad i'r tŷ, roedd William Arfon wedi llwyr ymlacio ac yn fwy na bodlon helpu i ddiddanu Anwen â'i storïau digri tra oedd Morwenna yn paratoi cinio syml iddynt yn y gegin fach. Bu'r ymweliad annisgwyl yn gymorth iddi roi ymosodiad ei gŵr yng nghefn ei meddwl hefyd, am y tro o leiaf.

3

HAUL

PENNOD 31

'Nid dyma'r ffordd,' meddai Elisabeth yn dawel wrth iddi sylwi fod Morgan wedi troi ar hyd ffordd anghyfarwydd yn Rhydlewis.

'Dyma ni 'to! Wyt ti'n gwbod am bob ffordd i Drefach Felindre 'te?'

'Paid â bod yn wirion – ond nid dyma'r ffordd,' atebodd hithau.

Tawelodd Morgan am funud fach. 'Meddwl y dylen ni alw i weld Sal, i ddiolch i Gwynfor, 'na i gyd,' meddai o'r diwedd.

'O, Alun, sut fedrwn ni? Dwi'n gwisgo'r un dillad â ddoe.'

'O, ych a fi! Pam na fyddet ti wedi newid 'te?' meddai'n chwareus.

'Sut fedrwn i? Doeddwn i ddim wedi dod â chwaneg o ddillad efo fi. Wedi'r cyfan, doeddwn i ddim yn bwriadu aros dros nos, nac oeddwn?' atebodd.

'Duw, nac oeddet? Roedd e wastad wedi bod yn fwriad gen i,' atebodd yn ddireidus a gwenu arni.

'Wel, pam na fyddet ti wedi rhannu dy fwriadau efo fi 'te? Dwi ddim yn gyfarwydd â dy fyd bach cuddiedig o gynllunio a thwyllo. Merch fach ddiniwed o'r wlad ydw i wedi'r cyfan.'

'O, ie, wrth gwrs a syniad bach digon diniwed oedd

dringo i mewn i 'ngwely i neithiwr yn hollol noeth 'te?!'

'Wnest ti ddifaru?' gwenodd arno.

'Beth wyt *ti'n* ei feddwl?' a chwarddodd y ddau. Gwyrodd Elisabeth tuag ato a rhoi ei phen ar ei ysgwydd.

Gwelodd Gwynfor y car yn stopio y tu allan i'r tŷ a galwodd ar ei fam. Daeth y teulu allan i'w croesawu a'r tro hwn roedd Da yno hefyd.

'Dim ond galw i wneud yn siŵr fod Gwynfor yn iawn ar ôl neithiwr ac i ganu ei glod i chi. Mae gyda chi drysor yn y fan hyn a dylech chi fod yn falch iawn o'i ddewrder. Oni bai amdano fe, fyddwn i ddim 'ma heddiw,' meddai Morgan o ddifri, ac yn ddigon uchel ar ôl sylwi fod rhai o'r pentrefwyr wedi ymgasglu y tu ôl i'w gar.

'Diolch yn fawr iti 'machgen i,' atebodd Da gan gydio yn ei law. 'Fe wnaeth yr Inspector bach 'na egluro inni beth ddigwyddodd. Doedd Sal a finne ddim yn gallu credu'r peth – ond dyw plismyn ddim yn dweud celwydd, odyn nhw?' Teimlodd Morgan Elisabeth yn gwthio'i bys yn galed i'w ystlys. 'Efallai ei fod e ychydig yn araf ac yn gam ond ry'n ni'n falch iawn ohono fe.'

Gwelodd Morgan y dagrau yn llygaid y tad, cydiodd yn ei law a'i hysgwyd.

'A gyda llaw, Sal,' gwyrodd Elisabeth ymlaen er mwyn medru gweld Sal yn well o'i sedd yn y car, 'Mae popeth wedi dod i drefn yn iawn y tro 'ma – mae Alun a finna'n mynd i briodi o'r diwedd.'

Roedd hyn yn ormod i Sal a dechreuodd y dagrau lifo o'i llygaid.

'O, Elisabeth fach, diolch i'r Nef! Dewch mas o'r car 'na, dewch 'mlaen, dewch 'ma. Glywest ti, Da? Mae'r ddau'n mynd i briodi.'

Doedd dim i'w wneud ond ufuddhau i'w gorchymyn. Buont yn cofleidio, cusanu ac ysgwyd dwylo, llifodd rhagor o ddagrau, bu rhagor o gofleidio a rhagor o ddagrau ... ond o'r diwedd llwyddodd y ddau i eistedd 'nôl yn y car, ffarwelio a gyrru ymaith.

Wrth gyrraedd Drefach sylwodd Morgan fod car bach arall wedi ei barcio y tu ôl i gar Elisabeth.

'Ymwelwyr?' holodd

'O, diawl, car Morwenna! Ddywedodd hi'r un gair ar y ffôn ei bod hi am ddod i lawr. Be sy'n bod 'sgwn i?'

'Does dim ond un ffordd o ffeindio mas,' atebodd Morgan.

'Ac edrycha – wy'n siŵr mai car Arfon ydi hwnna i lawr y ffordd,' a phwyntiodd â'i bys.

'Pwy, boi y tracwisg goch?'

'Ie,' atebodd Elisabeth wrth gamu allan o'r car. 'Wnei di aros fan yma am ychydig, i mi gael munud neu ddwy efo hi gynta?'

Cytunodd Morgan. Roedd arno yntau hefyd eisiau clirio'i ben cyn cyfarfod â'i ferch am y tro cyntaf.

Cerddodd Elisabeth yn llawn gofid i mewn i'w chartref. Daeth ei merch allan o'r lolfa a'i chofleidio.

'Beth ...?' dechreuodd ei mam.

'Fedrwn i ddim aros tan y Llun Gwyn, Mam, a meddwl rhoi syrpreis fach i chi. Wel, a dweud y gwir roeddech chi'n swnio fymryn yn rhyfedd ar y ffôn nos Wener ac ro'n i'n gofidio fod rhywbeth o'i le,' eglurodd Morwenna ond sylwodd Elisabeth ei bod braidd yn gynhyrfus. Yna fe ymddangosodd William Arfon yn bwyllog o'r lolfa.

'Arfon?!' ebychodd Elisabeth, 'Beth yn y byd wyt ti'n ei wneud fan hyn?'

'Helo, Beti, digwydd pasio ac fe fachais ar y cyfle i alw.'

'Am unrhyw rheswm arbennig?'

'Na, na – awydd disied o de,' atebodd yn swil. 'Wy' wedi bod yn mwynhau cwmni eich merch a'ch wyres. Doeddwn i ddim yn sylweddoli bod gennych chi ferch.'

'Mae 'na lawer o bethau nad wyt ti'n eu gwbod amdana i, Arfon bach – a gorau oll, ella!' chwarddodd Elisabeth. 'Fyddi di'n mynd heibio'r ffordd yma yn aml, 'te?'

'Dyma'r tro cyntaf,' atebodd heb edrych arni.

'Mi wela i.' Bu bron i Elisabeth chwerthin yn uchel ar y celwydd golau. Yn sydyn gwyddai fod Morgan yn sefyll y tu ôl iddi. Pan welodd Arfon e gwnaeth esgus i adael a ffarweliodd â phawb.

Syllai Morwenna yn anghrediniol ar Morgan. Gwyddai pwy ydoedd ar unwaith. Teimlodd y gwaed yn diflannu o'i hwyneb ac aeth ei chorff yn wan. Aeth pawb yn dawel.

'Reit, i mewn â ni i'r lolfa,' awgrymodd Elisabeth gan geisio rheoli'r sefyllfa.

Edrychodd Morgan yn dyner ar ei ferch. Nid oedd unrhyw lun yn medru gwneud cyfiawnder â'i phrydferthwch. Merch dal, syth, ddeniadol fel ei mam a chroen ei hwyneb yn berffaith, er ei bod yn gwisgo colur – yn wahanol i'w mam. Ceg a gwefusau ei mam oedd ganddi, a thrwyn ei mam, ond roedd ei gwallt yn dywyll a chyrliog fel ei wallt ef a'i llygaid yn ddisglair a thywyll. Methai beidio â syllu arni. Yna sylwodd ar y clais oedd wedi'i guddio o dan y colur ar un foch ac un arall ychydig llai ger ei llygad ar yr ochr arall, ond ni ddywedodd yr un gair. Roedd Morwenna'n edrych yn syn arno ac yn syllu'n syth i'w lygaid.

'Rŵan te, ble ddechreua' i? Alun dyma dy ... dyma

Morwenna. Morwenna dyma ...' Tawelodd Elisabeth. Nid dyma sut yr oedd pethau i fod, meddyliodd, ond ni wyddai pa eiriau i'w defnyddio na ble i ddechrau. Roedd popeth yn teimlo mor ffurfiol wrth i'r tri sefyll yn dawel yn y lolfa fach.

Daliai Morwenna i syllu i fyw llygaid Morgan. Beth yn y byd oedd hwn – arwr mawr yr heddlu, eilun pob un o'i chydweithwyr, plismon enwoca'r wlad, na, y byd, neu o leiaf ei byd bach hi – beth oedd e'n ei wneud yn sefyll yng nghartref ei mam? Doedd hi ddim wedi clywed am ddigwyddiadau'r noson cynt ond cofiodd ei bod wedi awgrymu ar y ffôn i'w mam fynd draw i Bwll Gwyn i weld a oedd hi'n ei adnabod, ond dim ond tynnu ei choes oedd hi ar y pryd. A dyma fe, yn sefyll o'i blaen! Estynnodd Morwenna ei llaw iddo. 'Mae'n dda gen i eich cyfarfod, syr,' meddai'n dawel a swil, a braidd yn ofnus.

Gafaelodd Morgan yn ei llaw. Teimlodd wefr drydanol bron wrth gyffwrdd ei ferch am y tro cyntaf. Teimlodd donnau annisgrifiadwy o angerdd yn llifo drwy ei gorff, drwy ei enaid. Ni wyddai beth i'w ddweud. Roedd ei feddwl ar chwâl.

Beth mae dyn yn ei ddweud wrth ei ferch pan maen nhw'n cwrdd am y tro cyntaf, a hithau'n wraig ac yn fam? A hithau'n ferch na wyddai ddim oll am ei fodolaeth? Ni allai unrhyw hyfforddiant na chyrsiau dwys fod wedi'i baratoi ar gyfer y fath brofiad â hwn. Doedd Morgan ddim yn siŵr a fyddai'n gallu dweud unrhyw beth o gwbl a dweud y gwir. – ofnai y byddai ei lais yn torri! Pam na fyddai Elisabeth yn dweud rhywbeth i dorri'r iâ? Na, ei gyfle hollbwysig ef oedd hwn. Pesychodd ychydig er mwyn clirio'i wddf.

'Mae'n dda 'da fi gwrdd â ti, Morwenna. Aelod o heddlu

Manceinion o'dd dy fam yn ei ddweud,' a gwenodd arni. Hen eiriau ffurfiol, lletchwith, gwan, amhersonol – pam yn y byd oedd ei feddwl a'i dafod ynghlwm fel hyn? Fe, yr un oedd â'i feddwl mor chwim fel arfer, bob amser yn barod â'i atebion a'i syniadau, ar goll wrth edmygu'i ferch ei hun. Pwy fyddai wedi dychmygu'r peth?!

Gwenodd Morwenna'n ôl. 'Ie, syr.'

Yr un wên, meddyliodd Elisabeth, yr un olwg yn yr un llygaid, yr un gwallt cyrliog, trwchus – y tad a'i unig ferch gyda'i gilydd o'r diwedd. Penderfynodd ddweud y gwir cyn mynd dim pellach.

'Morwenna,' dechreuodd Morgan cyn i Elisabeth gael cyfle i ddweud dim, 'Galwa fi'n Morgan, Alun, gyf ...'

'Neu "Dad",' torrodd Elisabeth ar ei draws.

Edrychodd Morwenna ar ei mam. Roedd y dryswch yn amlwg ar ei hwyneb. Beth ddywedodd ei mam? Ond gwyddai ei bod wedi clywed yr hyn a ddywedodd hi yn ddigon clir. Teimlodd ei cheg yn sychu.

Roedd ei llaw yn dal yn llaw Morgan, '... Ond paid byth â 'ngalw i'n "syr",' sibrydodd ddiwedd yr hen frawddeg gyfarwydd.

'Beth y'ch chi'n ei feddwl, Mam?' gofynnodd yn syfrdan. Camodd Elisabeth ati a chofleidio'i merch. 'Mae'n wir, 'ngHariad fach i – dyma dy dad.'

'Fy nhad? Ond sut? Hynny yw ... fe 'wedoch chi ei fod e wedi cael ei ladd yn y rhyfel?' Roedd hi'n dal i gydio yn llaw Morgan. Câi gryfder rhyfedd yn y cyffyrddiad. Roedd rhyw wres nad oedd hi erioed wedi'i deimlo o'r blaen rhwng y ddau. Methai ollwng gafael. Roedd hi'n cydio yn llaw ei thad. Edrychodd arno – i fyw ei lygaid.

'Hen gelwydd cyfleus,' clywodd lais ei mam yn y pellter.

Cofiodd y llygaid yn y llun yn y papur newydd yn ddotiau bach du a gwyn, yn edrych yn syth at y camera. Cofiodd yr ias a aeth trwyddi wrth edrych ar ei lygaid ef – ei llygaid hi ei hun, gyda'r un fflach yn dawnsio ynddynt a'r disgleirdeb wedi'i ddal yn y goleuni. Methai beidio â syllu arnynt. Teimlodd y dagrau yn cronni – dagrau o lawenydd.

Nid arwr mawr yr heddlu oedd Alun Morgan mwyach.

Nid eilun ei chydweithwyr.

Nid plismon enwocaf y wlad, os nad y byd, neu o leiaf ei byd bach hi.

Na, neb llai na'i thad hi ei hun.

'Dad!' gwenodd drwy ei dagrau a'i gofleidio. Gosododd Morgan ei freichiau yn nerfus amdani a'i gwasgu i'w fynwes. Gwyddai na fedrai ddweud dim i darfu ar y foment hon. Ni allai geiriau gyfleu ei deimladau. Ymunodd Elisabeth yn y goflaid nes bod y tri yn un o'r diwedd.

Daeth cri baban o'r llofft. Daeth y breichiau'n rhydd, sychwyd y dagrau. 'Fe fyddai'n well i chi ddod i gyfarfod Anwen fach 'te, Taid,' gwenodd Morwenna arno.

'Da'cu,' atebodd Morgan.

Cydiodd Morwenna yn llaw ei thad a'i arwain i fyny'r grisiau. Dilynodd Elisabeth y ddau, ei theulu'n gyflawn o'r diwedd, heb neb i'w gwahanu fyth eto.

PENNOD 32

Cyffyrddodd Alun Morgan y graith ar ei wyneb â'i fys. Oedd, roedd yn teimlo'n nerfus. Sibrydodd Pancws ychydig eiriau o gysur yn ei glust ond ni chawsant fawr o effaith. Roedd y sedd yn galed hefyd ac fe crafai coler ei grys groen ei wddf a'i wegil. Nid oedd wedi gorfod gwisgo dillad ffurfiol yn gyson ers misoedd, heb sôn am hen grys gwyn stiff fel hwn.

Roedd yn ymwybodol o'r cynnwrf tawel y tu ôl iddo wrth i'r gwesteion gyrraedd fesul un neu ddau ac eistedd yn y mannau priodol ar gyfer y briodas yn Eglwys Sant Barnabas, Felindre.

Pam trefnu priodas mor fawr, meddyliodd? Rhywbeth bach preifat oedd e wedi'i ddymuno, ond fel y dywedodd Morwenna, 'Dwi ddim yn meddwl y bydd gennych chi lawer o awdurdod yn y trefniadau hyn, Dad!'

Gwenodd yn dawel wrth gofio ymateb Elisabeth i'w gwestiwn ar fore'r Sulgwyn, ar ôl iddo ddychwelyd o Lundain at ei deulu newydd. Gorweddai'r ddau ym mreichiau ei gilydd yn ystafell wely foethus Awel Deg yn gwrando ar y gwylanod a sŵn y môr, ac ar Anwen yn chwerthin a'i mam yn canu'n llon.

'Bwts, pan o't ti'n ferch fach, wnest ti drefnu priodas i ti dy hunan fel y mae'r rhan fwya o ferched yn arfer ei wneud?'

'Wel do, wrth gwrs hynny. Pam?'

'Shwt briodas oedd hi?'

'Un fawr, grand – gredi di'r peth?! Fyddai fy rhieni byth wedi medru fforddio'r fath briodas i mi, mi wn i hynny'n bendant.'

'Pam na wnawn ni drefnu priodas fel'na nawr, 'te?'

Bu tawelwch, syndod ac ansicrwydd, ac yna cadarnhawyd y cynllun. Cofleidiodd y ddau a chusanu cyn dechrau chwerthin, cofleidio a chusanu unwaith eto. Dyna beth oedd llawenydd!

Yna daeth y prysurdeb ... ac yna'r amheuaeth.

'Dwyt ti ddim yn meddwl ein bod ni'n rhy hen i gael priodas ffurfiol, draddodiadol fel hyn, wyt ti, Alun? Bydd yn onest rŵan. Morwenna, beth wyt ti'n ei feddwl?'

Edrychodd Morwenna a Morgan ar ei gilydd gan gytuno'n unfryd unfarn mai gwastraff amser fyddai amau yr un fath â hi. Gafaelodd Morgan yn dyner yn Elisabeth.

'Fyddi di byth yn rhy hen. Dyma beth ddylen ni fod wedi'i wneud flynyddoedd yn ôl.'

'Ie, ond ...' Dychwelodd yr ansicrwydd i'w meddwl.

' MAM!'

Dewisodd hwn ... dewisodd beth arall ... methodd benderfynu. Yn y diwedd teithiodd y ddau i Lundain i gyfarfod â'r Comander a'i wraig ac i brynu'r ffrog yr oedd Elisabeth wedi'i gweld ar dudalennau lliwgar rhyw gylchgrawn. Bu Dorothy fel mam iddi, yn ei thywys o amgylch siopau enwog y brifddinas cyn dod o hyd i'r ffrog berffaith – cyn ei chadw'n gyfrinachol ddiogel rhag iddo ef ei gweld cyn y diwrnod mawr.

Clywodd Morgan besychiad cyfarwydd o'r tu ôl iddo – pesychiad y Comander. Cofiodd ymateb Elisabeth wrth iddi gamu oddi ar trên yng ngorsaf Paddington. Dyna'r tro cyntaf iddi fod yn Llundain erioed. Aeth y tridiau fel y gwynt, yn llawer rhy gyflym. Cofleidiodd y Comander Elisabeth wrth iddynt ffarwelio yn yr un orsaf a sibrwd, 'Wy'n deall nawr pam mae Alan yn barod i adael popeth arall er dy fwyn di. Blydi ffŵl – dyle fe fod wedi dy ffeindio di flynydde'n ôl. Cymer ofal ohono. Roedden ni'n fwy na chydweithwyr, ti'n deall? Roedden ni fel dau frawd.' Cusanodd hi'n dyner ar ei boch a sylwodd Morgan fod deigryn bach yn ei lygad.

Trodd Pancws tuag ato a sibrwd, 'Wyt ti'n iawn, Mogs?'

'Beth wyt *ti'n* feddwl?'

Cafodd wên fach o gysur gan ei ffrind, 'Fydd hi ddim yn hir nawr.'

Elisabeth oedd wedi trefnu'r cyfan fel pe bai'n ail natur iddi. Methai Morgan â gwrthod dim gan ei fod yn teimlo mai dim ond nawr y medrai ddechrau talu'r ddyled enfawr yn ôl iddi – y ddyled am achub ei fywyd.

Fodd bynnag, roedd yn cyfaddef ei fod yn falch o'r cyfle i ddianc o'i ffordd ar brydiau, a hynny i lawr i Hafan Dawel, cartref yr hen Gapten, gyda photel o wisgi dan un gesail. Roedd y ddau yn mwynhau cwmni ei gilydd ac wedi dechrau dod yn ffrindiau da. Wrth adael y tŷ un noson, a photel arall yn wag ar fwrdd y gegin fach, roedd Morgan wedi gofyn i'r hen foi am un gymwynas. Syfrdanwyd Capten Williams. Cydiodd yn ei law a'i hysgwyd. Efallai mai'r wisgi neu'r emosiwn oedd wedi dweud arno ond am eiliad, methodd yr hen ddyn â dweud gair. Llifai deigryn i lawr ei ruddiau.

Pancws oedd ei was priodas – yr unig un a oedd yn dal i'w alw'n 'Mogs'; yr unig un a oedd yn medru dweud, 'Wy'n cofio'r tro cynta y gwelodd y ddau yma ei gilydd – roeddwn i yno 'chi'n gweld, a heblaw am bancws fy mam – wel, pwy a ŵyr ...'

Felly heddiw, dyna lle'r oedd y ddau, Morgan a Pancws, yn eistedd ar fainc flaen galed yr eglwys ar ddydd Sadwrn cyntaf gwyliau haf yr ysgol yn disgwyl i'r briodferch gerdded drwy'r drws.

Edrychodd Morgan ar y ficer. Cofiodd pa mor anfodlon y bu hwn i gytuno i'w priodi yn yr eglwys am nad oedd yr un o'r ddau yn aelodau yno nac yn mynychu'r gwasanaethau. Syndod o'r mwyaf oedd shwt y newidiodd pethau ar ôl i rodd o gantpunt gael ei chynnig at yr achos. Gwenodd y ficer yn amyneddgar ar Morgan.

Teimlodd law Pancws yn gwasgu ei goes wrth iddo sibrwd mai hir oedd pob ymaros. Edrychodd ar ei hen ffrind, taflu winc fach sydyn a gwenu, ond roedd ei stumog yn corddi.

Gwrandawodd ar yr organ er mwyn ceisio ymlacio. Trodd i edrych ar y gynulleidfa a synnodd wrth weld fod yr eglwys dan ei sang a'r gloch yn dal i ganu i annog rhagor o bobol y pentref i ddod i'r briodas fwyaf a welodd y lle erioed, efallai. Roedd 'na fôr o wynebau yn edrych arno. Pam gwahodd gymaint? Clywodd lais Elisabeth yn mynnu, 'Ond mae'n *rhaid* ... Mi gei di weld – fydd eu hanner nhw ddim yn gallu dod p'run bynnag ...'

'Camgymeriad y tro 'ma, wy'n meddwl, Bwts fach, ond ble ddiawl wyt ti?' meddai wrtho'i hun yn dawel.

Gwelodd ei hen gyfeillion yn eistedd ar un ochr: y Comander a'i wraig, J-J a Gwenda, Martyn Ifans a'i wraig, Sarjant Jones a'i wraig, y ddau Wilcox o Ddinbych y Pysgod, hyd yn oed Bronwen o'r caffi yn Aberaeron a'i gŵr

– roeddent i gyd yno.

Bwriad Elisabeth oedd i wahodd pawb a ddaeth â nhw'n ôl at ei gilydd. Dyna ryfedd na yrrodd hi wahoddiad i'r gwerthwr ceir o Gaeredin! Gwelodd Morgan Da a Sal yn gwenu arno – a dagrau yn llygaid y ddau. Gallai ddarllen meddwl Sal – 'Trueni nad yw dy rieni di 'ma, Alun bach, ond dyna fe, doedd e ddim i fod.'

Dyna lle'r oedd Sal yn magu Anwen yn ei breichiau gan fod Morwenna yn brif forwyn briodas a thair o ferched chweched dosbarth Ysgol Llandysul yn osgordd y tu ôl iddi.

Gwelodd Mari Troed y Rhiw hefyd, yn eistedd fel brenhines yng nghanol y gynulleidfa gan wenu'n urddasol arno. Dyma stori i'w dweud wrth ei chymdogion!

Roedd cymdogion Elisabeth ac athrawon yr ysgol yn eistedd ar ochr arall yr eglwys. Gwelodd Morgan y prifathro a'i wraig, wedi bod yn ddigon bodlon derbyn y gwahoddiad er na fu'n rhy hapus ei bod wedi dweud celwydd wrtho am ei 'brawd'. Bu bron i Elisabeth ddweud wrtho stwffio ei swydd a'i ysgol. Gwenodd Morgan wrth gofio Elisabeth yn adrodd y stori wrtho. Gwenodd y prifathro yn barchus yn ôl.

Roedd William Arfon yn edrych yn olygus iawn yn ei siwt newydd ac roedd 'na sawl athro arall nad oedd Morgan erioed wedi'u gweld o'r blaen.

Nid oedd Paul, y mab yng nghyfraith, wedi dod i lawr o Fanceinion. Diolchai Morgan am hynny ac roedd Elisabeth wrth ei bodd ei fod yn absennol.

Edrychodd ar Ron Powell – Ditectif Sarjant Ron Powell, hynny yw – a Gwynfor, y ddau yn drwsiadus iawn yn eu gwisgoedd ystlyswyr ffurfiol.

Ond pam yr holl ffys? Cofiodd y ffrae: ' ... Man a man i

ni logi Westminster Abbey,' meddaui'n sarrug un noson pan nad oedd Morwenna yno i roi trefn ar y dadlau. Cofiodd yr olwg ar wyneb ei gariad wrth i'r dagrau ddechrau cronni yn ei llygaid gleision.

Geiriau tyner oedden nhw i fod, nid rhai caled, creulon, dideimlad. Roedd e wedi brifo Elisabeth unwaith eto, ond cafodd gyfle i egluro, a maddeuodd hithau iddo. Dyna gryfder eu cariad.

Gwelodd Morgan Gwynfor yn codi ei law a bu bron iddo godi ei law yn ôl, ond arwydd i'r ficer ydoedd i ddweud bod y briodferch wedi cyrraedd.

Teimlodd law Pancws yn ei daro'n ysgafn ar ei goes er mwyn iddo sefyll. Sylweddolodd Morgan fod y ficer yn gwenu'n siriol arno ac yn nodio'i ben. Clywodd y clychau'n distewi; y gynulleidfa'n sefyll fel un; yr organydd yn taro'r cord cyfarwydd i ddatgan fod y briodferch wedi cyrraedd. Cododd Morgan ar ei draed a'i goesau'n crynu.

Clywodd y gynulleidfa'n rhyfeddu at harddwch Elisabeth wrth i'r hen Gapten Williams ei thywys ar hyd y llwybr tuag ato. Roedd arno awydd troi ei ben i'w gweld ond gwyddai na ddylai. Teimlodd Pancws yn troi'n ôl i edrych cyn gwyro tuag ato a dweud, yn berffaith ddifrifol am unwaith yn ei oes, 'Iechyd, Mogs, weles i erioed neb mor hyfryd yn fy mywyd – cymer ofal ohoni.'

Teimlodd Elisabeth wrth ei ochr a'i llaw yn cyffwrdd ei law ef. Mentrodd edrych arni a gwelodd yr olygfa brydferthaf iddo'i gweld erioed. Methai gredu ei lygaid. Bu bron i'w galon dorri wrth iddo ryfeddu at harddwch ei gariad. Teimlai'n annheilwng, yn union fel y gwnaethai flynyddoedd yn ôl. Edrychodd ar ei hwyneb a oedd bron yn guddiedig y tu ôl i'r les gwyn ysgafn. Gwenodd Elisabeth arno. Edrychodd y ddau i lygaid ei gilydd wrth i'r gynulleidfa ganu'r emyn cyntaf, a'r ddau ar goll yn eu byd bach ei hunain.

Cydiodd yn dyner yn ei llaw, bron i wneud yn siŵr nad breuddwyd oedd y cyfan. Roedd arno angen ei chymorth. Clymodd ei bysedd yn ei fysedd cryfion ei hun. Roedd y cariad dwfn rhwng y ddau yn amlwg – y cariad a fu ar wahân cyhyd. Bellach câi'r ddwy galon uno'n agored o flaen eu cyfeillion ac o flaen Duw. Roedd y ddau yn ifanc unwaith eto a'u bywydau wedi'u huno am weddill eu hoes.

Clywodd y ddau y ficer yn dweud rhywbeth; clywodd y ddau y gynulleidfa yn adrodd Gweddi'r Arglwydd. Methodd y ddau â pheidio â syllu i fyw llygaid ei gilydd; methodd y ddau ag adrodd yr un gair o'r weddi.

Clywodd Morgan yr hen gapten yn dweud rywbeth ac yna gwelodd Elisabeth yn trosglwyddo'r blodau i Morwenna. Clywodd y ficer yn adrodd rhyw eiriau yn y pellter.

Roedd e ar goll yn ei feddyliau ei hun wrth iddynt ddadweindio fel ffilm yn ôl dros flynyddoedd eu hieuenctid.

Cofiodd am y cyfarfyddiad ger yr ysgol yn Llandysul.

Clywodd besychiad sydyn a theimlodd Pancws yn gwthio'i fys i'w ystlys.

Clustfeiniodd ar eiriau'r ficer am y tro cyntaf ond methodd â thynnu ei sylw oddi ar Elisabeth.

Teimlodd ei llaw yn gwasgu ei law yntau yn dyner.

Teimlodd gadernid ei nerth a thynerwch ei chariad.

' Yr wyf i, Alun ...' dechreuodd, cyn i'w lais cadarn dorri ...